후궁의 초대

후궁의 초대 3

초판 1쇄 인쇄일 2020년 10월 05일
초판 1쇄 발행일 2020년 10월 23일

지은이 | 린아(潾娥)
펴낸이 | 김기선

편집부 | 김아름, 박신혜, 신현정, 현혜원, 김수린, 한혜정
표지디자인 | 디자인그룹 헌드레드
내지디자인 | 한주희

펴낸곳 | 와이엠북스(YMBOOKS)
출판등록 | 2012년 7월 17일 (제2014-17호)
주소 | 서울시 도봉구 노해로 379, 1005호(창동, 대성빌딩)
전화 | 02)906-7768 / 팩스 | 02)906-7769
E-mail | ymbooks@nate.com

ISBN 979-11-322-5802-5 (04810)
ISBN 979-11-322-5799-8 (set)

값 11,000원

후궁의 초대

린아 (潾娥) 장편소설

3

YM
BOOKS

차 례

Chapter 13.
불안, 절망 그리고 신뢰

황태후가 가지런한 손으로 머리카락을 정돈했다.

"네이선은 여전히 베아트리체의 저택에 머물고 있느냐?"

"네. 베아트리체 영애의 건강이 좋지 못하다고 합니다."

"요새 두문불출하고 있다고는 들었는데……. 대체 어디가 그리 안 좋다더냐?"

"자세히는 모르겠습니다. 하녀들이 수군거리는 말을 듣자 하니 독감이라고도 하고, 폐렴이라고도 하고. 다들 하는 말이 달라서요. 또, 제너시스 후작가에서는 정식적인 발표를 하지 않아서……."

"아무래도 네이선을 불러들여야겠구나. 힐라리아는 사라졌고 이제 우리도 일을 도모해야지."

"전보를 보내겠습니다."

황태후가 시녀장에게 손짓했다. 임무를 받은 그녀가 물러가고 황태후는 치장을 계속했다. 요새처럼 황성이 삭막하고 스산한 적이 없었는데 황태후의 치장은 오히려 여태까지 중에 가장 화려했다. 금발을 높게 틀어 올려 진주로 만든 큰 머리핀으로 고정했다. 늘 고수했던 어두운 옷을 벗어던지고 화사한 옷을 걸쳤다.

"이제 된 것 같구나."

"어딜 가십니까?"

시녀의 물음에 황태후가 화사하게 웃었다.

"황제를 뵈러 가야지. 지금 어떤 얼굴을 하고 있을지 궁금하거든."

사랑하는 여자를 잃고 실의에 빠져 있을 얼굴이 궁금했다. 게다가 곧 있으면 그 자리마저 잃을 사람 아니던가. 황태후가 가벼운 발걸음을 내디뎠다. 에벤에셀이 변했다는 말은 전해 들었다. 힐라리아의 부재가 에벤에셀에게 큰 타격을 준 것이 분명하니 지금이 시기적절하지 않겠는가.

로마노프의 해전이 얼추 마무리되어 간다는 소식도 전해 들었다. 로마노프와 고틀리프에 보내둔 간자들이 발 빠르게 소식을 전한 것이다. 황실의 기사들이 황성으로 돌아오기 전에 황성을 장악해야 한다. 지금 남은 병력이라고는 기네비어의 기사들과 몇 안 되는 정예병밖에 없었다.

황제도 넋을 반은 빼놓고 있을 테니……. 오랫동안 염원해왔던 일이 손에 들어오기 직전이었다. 어찌 기쁘지 않을 수가 있나.

***

잠을 잘 자지 못하는 탓에 에벤에셀의 신경은 날이 갈수록 날카로워졌다. 이제는 눈을 부시게 하는 햇살마저 짜증스러울 지경이었다. 스베인은 에벤에셀로부터 멀리 떨어져서는 곁에 다가오려고도 하지 않았다. 눈의 피로를 풀어주기 위해 눈두덩에 따뜻한 물주머니를 얹고 있던 에벤에셀이 스베인에게 손짓했다.

"말씀하십시오."

"기네비어에선 연락이 없나?"

"전에 베아트리체 님 일행이 무사히 국경을 넘었다는 전언 이후로는 잠잠합니다."

"기네비어는 전쟁에 돌입한 건가?"

"자카리족과 국지전에 돌입했습니다. 곧 전력 충돌이 있을 것 같습니다."

윈프리드 제국이 들썩이고 있었다. 자카리족을 소탕하고 나면 오스발트가 윈프리드로 넘어오는 관문이 사라지게 된다. 오스발트는 지체 없이 밀고 내려올 것이다. 그때는 기네비어만으로는 벅찰 것이니…….

"로마노프에서 오고 있는 이들은 기네비어 쪽으로 보내는 게 좋겠군. 방향을 틀라고 전하게."

"예, 폐하."

세 연합의 군사들을 기네비어 쪽으로 집중되게 하기 위해선…….

제국에 이용할 수 있는 자가 아직 남아 있었다.

"프리스턴 대사관에 연락을 넣어 내가 보잔다고 하게. 특히 그들이 모시고 있는 '그녀'를 만나야 한다고 말이야."

"예, 폐하."

명을 하달받은 스베인이 물러가고 에벤에셀이 미간을 꾹꾹 눌렀다.

끊이지 않는 두통이 에벤에셀을 쥐어짜고 있었다.

'힐라리아…….'

온 신경이 그녀에게로 쏠려 있어서 더 했다. 그 말랑하고 향긋한 몸을 품에 끌어안고 딱 한 시간만이라도 눈을 붙였음 싶은데……. 힐라리아가 안전한 곳에 있다는 소식만 전해와도 이 마음이 한결 놓일 것만 같은데……. 지금은 힐라리아가 준비해놓은 것들을 운용해 내전을 막고 전쟁을 대비하는 게 할 수 있는 전부였다.

프로이턴 제국의 메일린을 찾아낸 것도 힐라리아고, 시벨로프의 라리나를 사로잡은 것도 힐라리아. 어쩌면 네이선도……. 힐라리아는 모든 걸 내다보고 있었다. 그녀가 해왔던 모든 일이 지금 에벤에셀에게 도움이 되고 있었다.

'아. 로마노프의 충성도 얻어냈지.'

이렇게 되짚다보면 힐라리아를 향한 그리움이 짙게 밀려들었다. 당장 그 사람이 곁에 없다는 사실을 되새김질하게 된다. 에벤에셀이 얼음주머니를 책상 위로 던졌다. 이제는 더 이상 아무 빛도 내지 않는 나비 힐이 느릿하게 허공을 배회하고 있었다.

"힐……."

불러도 이지를 잃은 것처럼 반응도 보이지 않는다. 그게 왠지 힐라리아의 처지 같아 에벤에셀의 가슴이 시렸다. 아무리 정령의 기운을 불어넣어도 반응하지 않는 나비 위로 힐라리아가 자꾸만 덧씌워졌다.

스산한 바람이 불었다. 저 멀리, 어딘가에 있을 힐라리아를 좇아 에벤에셀이 고개를 돌렸다. 지난하고 긴 하루가 다시 시작되었다.

***

난간에 기대 서 있던 힐라리아가 먼 숲 너머로 시선을 던졌다. 누군가 힐라리아를 보고 있다는 이상한 느낌이 가시질 않는다. 아마도 그 시선 끝에는 에벤에셀이 있지 않을까? 힐라리아가 자조적인 미소를 짓고는 발코니의 문을 닫았다. 훈기가 돌고 있는 방 안은 넓고 호사스러웠으나 그뿐이었다.

힐라리아는 이 성에 갇힌 포로였다. 그나마 위안을 얻을 수 있는 건 밤이면 찾아오는 손님들 덕분이었다. 지난밤에는 아주 짧은 시간밖에 주어지지 않았다. 의심이 많은 곤드레스는 힐라리아를 최대한 홀로 두지 않았고 상시 시녀들이 곁을 지키도록 했다. 그들이 잠든 밤이 적당한데…….

'수면제를 구해 오라고 해볼까?'

교대로 잠을 자는 듯한 그들이 전부 곯아떨어지도록. 하지만, 그건 최후의 수단으로 남겨두는 편이 좋겠다. 의심을 사게 될 테니까.

오늘 베아트리체가 오면 지시할 일들을 머릿속으로 정리했다. 같이 온 이들은 제3기사단과 정보국 사람 둘. 그들을 적절히 분배해 다른 두 왕국으로 보내야 한다. 정세는 급변하고 있었다. 오늘이 평화롭다고 해서 내일도 그러라는 법이 없으니 서둘러야 한다.

아마도 에벤에셀은 메일린을 움직여 아래서부터 연합에 압박을 가할 것이다. 그들이 프로이턴에 떠밀려 위쪽으로 이동하게 되면 결국 오스발트 지근으로 모여들게 되겠지. 에벤에셀은 아래에서 압박해 올라올 것이고 그들의 최종 종착지는.

'기네비어.'

기네비어가 최후의 전쟁터가 될 것이다. 나쁘지 않은 선택이었다. 기네비어 앞에는 드넓은 초원과 사막이 있었다. 자카리족이 살던 그 터전이 피로 물들게 되겠지만, 그게 피해를 가장 최소화할 수 있다는 데에는 이견이 없었다. 그렇게 힐라리아가 머릿속을 정리하고 있을 때였다. 케이티를 제외한 시녀들이 서로 내내 수군거리더니 힐라리아를 불렀다.

"힐라리아 님."

"무슨 일인가요?"

"……그게, 곤드레스 왕께서 찾으십니다."

저게 그렇게 망설일 일인가?

"오늘 연회에서 옆자리에 앉아주시길 청하셨습니다."

아, 그다음도 정했다. 자꾸만 말도 안 되는 요구를 하는 그 혓바닥을…….
혓바닥은 이미 했나? 힐라리아가 인상을 티 나지 않게 찌푸렸다.

***

에벤에셀을 먼저 찾아온 손님은 초대한 이가 아닌 불청객이었다.

여태까지 자숙하겠다며 무채색의 옷을 고수하던 것과는 다르게 화려한 드레스와 치장을 한 황태후였다. 그것만으로도 무슨 생각을 하는지 충분히 속내를 넘겨짚을 수 있었다. 다 끝난 싸움이라고 생각하겠지.

이 황성에는 에벤에셀을 비롯한 기네비어의 기사들 외에 정규 기사는 거의 남아 있지 않았고 제도에는 반역자들이 득시글득시글하다. 황태후와 손을 잡은 세 나라의 연합은 윈프리드 국경 주변으로 집결하고 있었고 황태후가 팔아먹은 무기들은 안전하게 오스발트에 보관 중이었다.

가장 큰 변수였던 힐라리아는 오스발트로 보내버렸으니, 이 황성은 전부 황태후의 편이나 다름없었다. 에벤에셀의 짐작처럼 황태후는 기세등등했다. 제도의 가장 큰 귀족들을 전부 손에 넣었다. 힐라리아의 우호 세력이었던 클라리넷과 제너시스를 포함하여. 더 이상 할 게 없을 정도로 완벽했다.

로벨리아의 어머니는 그녀를 통해 이 황실의 피를 이어 권력을 얻고자 하셨다. 하지만, 로벨리아는 라리나와 네이선을 낳은 이후로 불임 판정을 받았고 백작 부인의 꿈은 무너졌다. 그래서 백작 부인은 새로운 꿈을 꾸기 시작했다. 황실의 핏줄도 아닌 네이선에게 황제의 자리를 내어주는 꿈.

그리고 로벨리아도 그 꿈에 감화되었다. 모든 것을 잃었으니 다른 것이라도 얻고자 했다. 제 손으로 망가뜨린 알케스터 자작의 핏줄을, 가장 고귀한 자로 만드는 거다. 그게 로벨리아 나름의 속죄였다.

그래서 여기까지 왔다.

황태후의 입술 위로 독화처럼 아름다운 미소가 피어올랐다.

"오랜만입니다, 에벤에셀."

"그리 다정히 불러주시는 것도 오랜만입니다, 어마마마."

에벤에셀이 서늘하게 미소 지었다. 분명 웃고 있는데 방 안의 기온이 하락하는 것 같았다. 로벨리아의 얼굴에 빗금이 갔다.

"……언제까지 그렇게 당당할지 궁금하군요, 에벤에셀. 내가 뭘 하고 있는지, 무엇 때문에 황성에 기를 쓰고 남았는지 알고 있잖아."

황태후가 비릿하게 웃었다. 허리를 숙여 책상을 짚은 황태후가 에벤에셀을 향해 얼굴을 들이밀었다. 새파란 눈이 맞붙었다.

"나는 내가 원하는 걸 얻기 위해서는 뭐든 해."

"그건 짐이 어마마마를 닮은 것 같군요. 짐도 원하는 걸 갖기 위해서는 뭐든 합니다. 이 자리에 앉기 위해서 했던 일들처럼."

피가 강을 이루었었다. 에벤에셀의 손에 죽은 귀족의 수만 기백에 달할 것이다. 아직도 그때를 기억하는 귀족들은 에벤에셀을 무서워했다. 살아남은 자들은 에벤에셀의 치세에서는 절대로 자신들이 원하는 권력을 누리지 못할 것임을 깨달았고 새로운 줄을 찾았다.

그게 바로 황태후였다. 황태후는 네이선이 황위를 이어받게 되면 귀족 세금 감면을 비롯해 그들을 위한 혜택들을 주겠다고 약속했다. 귀족들을 억압하는 에벤에셀과는 다르게. 에벤에셀이 의도한 그대로였다.

"순순히 굴면 목숨이라도 살려줄 텐데. 사실 그대가 어떤 얼굴을 하고 있는지 궁금해서 왔는데, 걱정할 필요가 없을 것 같군요."

"그런 걱정을 다 해주시고. 항상 다정하신 어마마마다우시네요."

황태후가 그린 듯이 웃었다.

"……네이선이 들어올 겁니다. 자신의 자리를 찾기 위해서 말이지요."

자신의 자리라. 에벤에셀 주변의 공기가 얼어붙었다. 황태후에게 딱히 기대한 게 없었기 때문에 그녀의 발언으로 화가 났다거나 실망한 건 아니었다. 다만, 지금 에벤에셀의 기분이 좋지 않은 게 중요했다.

힐라리아가 떠났다. 그녀는 곤드레스 왕을 두려워한다. 그런데도 힐라리아는 오스발트로 향했다. 힐라리아는 곤드레스 왕의 목을 약속했다. 다른 이들은 호화로운 권력을 꿈꾸며 자신의 목숨은 귀히 여기는데 힐라리아는 언제든지 목숨마저 초개같이 내던질 수 있는 사람이다.

그런 그녀가 에벤에셀의 시야를 벗어났다.

'나를 지켜요. 내가 죽으면 당신 탓이야.'

그렇게 말해놓고 힐라리아는 기다리라는 말도 없이 떠났다. 힐라리아가 무슨 생각을 하는지 전부 이해하고 있음에도…… 힐라리아가 곁에 없다.

그녀가 떠난 후 에벤에셀의 의식의 흐름은 항상 힐라리아의 부재와 위험으로 귀결되곤 했다. 그리고 눈앞에 있는 황태후는 힐라리아의 위험에 항상 일조했던 사람이었다. 에벤에셀이 황태후를 적대할 이유는 충분했다.

단단하고 긴 손이 턱을 쓸어내리며 물었다.

"대체 무엇을 믿고 이러십니까?"

에벤에셀이 삐뚤게 물었다. 몸을 일으키는 에벤에셀의 기색이 평소와 다르다는 걸, 황태후는 그제야 이해했다. 성난 파도가 일렁이는 푸른 눈이 황태후를 직시하고 있었다. 여기서 물러나긴 싫어 황태후가 두 다리에 힘을 줬다.

"그야, 내 정의를 믿지요. 자식에게 가장 좋은 것을 주고 싶은 건 세상 어느 부모든 똑같을 겁니다."

에벤에셀이 날카로운 웃음을 터뜨렸다. 숨을 죽이고 에벤에셀의 기색을 살피는 황태후를 보며 느릿하게 입술을 열었다. 입술의 움직임마저 모두 읽을 수 있도록 느리게.

"그 부모가 당신이라 네이선과 라리나는 죽을 겁니다."

"에벤에셀!"

황태후가 날카로운 목소리로 외쳤다. 두려운 것도 잊고 에벤에셀에게로 바짝 다가온 황태후가 입술을 잘근잘근 씹었다.

"닥쳐라. 입에서 나간다고 다 말인 줄 아느냐?"

"그 말 그대로 돌려주지."

에벤에셀이 사납게 읊조렸다. 황태후가 그에 맞서 소리쳤다.

"대체 뭘 믿고 날뛰는 거지? 네게 무엇이 남았느냐, 에벤에셀. 네가 목숨을 구명했던 네 친구는 지금 어디 있는지 아느냐? 라리나와 함께……"

라리나……? 말을 멈춘 황태후가 뒤로 물러섰다. 에벤에셀이 한 말 중에 뭔가가 꺼림칙하다는 걸 이제야 알아차렸다. 네이선과 라리나.

'그 부모가 나라서……'

황태후가 입술을 벌렸다.

"……무엇을 알고 있는 거지?"

위협을 느낀 황태후가 물었다.

"라리나는 왜 끌어들이는 게야. 대체 무슨 이유로!"

여유로운 쪽은 에벤에셀이었다. 에벤에셀이 머리카락을 쓸어 넘기며 고개를 삐딱하게 기울였다. 그러게, 아까 물었잖아. 뭘 믿고 그리도 나서냐니까. 에벤에셀이 눈을 휘며 화사하게 웃었다. 그리고 또박또박 다시 말해주었다.

"짐이 뭘 알고, 뭘 쥐고 있는 줄 알고 이렇게 나서실까."

그 웃는 얼굴은 지독하게도 누군가를 닮아 있었다.

황태후가 눈을 가늘게 떴다.

'힐라리아!'

지긋지긋한 힐라리아의 망령이 에벤에셀 위로 덧씌워진 듯싶었다. 황태후나 올리비아가 무슨 짓을 하더라도 유유히 덫을 벗어나던 여자였다. 오히려 올리비아는 자신이 친 덫에 걸려 침몰했고 덕분에 황태후는 기반이 흔들려야 했다. 고작 몇 달 만에 그렇게 황실을 뒤흔들어 놨다.

그 지긋지긋한 여자가 지금 이 자리에 있었다. 힐라리아라면 황태후의 비밀을 알아챌지도 모른다고 생각은 했었다. 라리나를 황성에 데리고 들어온 대담한 여자이니 분명 무언가 알고 있는 거라고. 황태후가 눈을 깜빡이며 마른침을 삼켰다. 하지만, 이 자리에 있는 건 힐라리아가 아닌 에벤에셀인데……. 망연한 얼굴을 하는 황태후를 향해 에벤에셀이 속삭였다.

"이제부터는 무엇을 쥐게 될지가 아니라 무엇을 먼저 놓아야 할지를 고민해야 할 겁니다."

"핏줄, 피는 그렇게 중요하지 않아! 남들이 네이선을 황자라고 여기고 있는 게 중요하지."

파드득 떨며 황태후가 소리 질렀다.

하지만, 이미 손바닥이 흥건했다. 그녀는 이 기 싸움의 패자였다.

"네, 네가 죽고 나면 네이선은 정식으로 황제가 될 거야. 그다음은 다 괜찮아질 거라고. 네놈 같은 게 아니라, 내 아들이……!"

"당신이 그런 말을 할 줄은 몰랐군. 짐이 무엇을 쥐고 있느냐고 물었지."

에벤에셀이 입술을 비틀어 올렸다. 황태후 덕분에, 그리고 시벨로프 백작가 덕분에 이 모든 게 시작되었다. 그들이 힐라리아를 이 궁으로 불러들이게끔 상황을 만들어준 것은 고맙지만 그것 말고 남은 찌꺼기가 뭐가 있으랴. 지금은 힐라리아가 절실했다. 그녀를 다시 얻어야 했다.

"당신과 라리나, 네이선의 목숨 줄을 쥐고 있지."

에벤에셀이 이를 드러냈다.

"라, 라리나와 네이선은……!"

대답 없이 에벤에셀이 웃었다. 지금쯤 라리나와 반에이크는 시벨로프 저택에 들어갔을까? 제너시스 후작가로 간 기사들은 지금쯤 네이선 황자의 신병을 확보했겠지.

"짐이 가진 게 없다니. 힐라리아가 짐에게 남겨두고 간 것이 이리도 많은데 말이야."

황태후가 부들부들 떨다가 털썩 주저앉았다. 이제야 뿌옇던 머리가 개는 느낌이었다. 반에이크와 베아트리체에게 놀아났다!

대체 어떻게 이렇게 감쪽같이!

"당신이 마법사를 쓰길래 짐도 똑같이 해봤지. 당할 수는 없잖아?"

아…… 힐라리아, 이 망할 년. 오스발트로 끌려가서도 말썽이다. 황태후가 부들부들 떨었다. 에벤에셀이 손짓하자 블라디슬라프의 본궁을 지키는 시녀들이 들어왔다.

"어마마마를 구금하게. 아주 정중히 말이야."

오늘, 내일이면 모든 증거가 손에 들어온다.

도망치기 전에 늘어뜨려 놓았던 올가미를 옥죌 차례였다.

***

하아. 하필이면 왜 힐라리아 황비에게 들켜서는. 메일린 황녀는 힐라리아에게 제대로 이용당하는 중이었다. 뻑하면 메일린을 찾아와 위조 신분증을 요구하는 이들이나, 메일린을 황성으로 불러들이는 황제까지. 메일린이 아무런 반항도 없이 응하는 것은 힐라리아와 약속한 게 있기 때문이었다.

힐라리아는 그녀가 가지고 있는 정보로 프로이턴의 다른 이복형제들을 끌어내려 주겠다고 약속했다. 그리고 그 증명으로 메일린에게 황태자의 치부인 군사 비리를 건넸다. 국방비를 빼돌려 사병을 키운 증거들의 출처가 적힌 목록이었다. 대체 어디서 알았는지는 모르겠지만, 전부 메일린이 손에 넣고 싶었던 자료들이었다.

그리고 메일린은 비밀리에 프로이턴에 입국한 심복이 그 자료들을 힐라리아가 말한 곳에서 찾았다는 걸 확인했다. 힐라리아는 메일린을 황제로 만들어줄 힘이 있다는 것을 증명해냈다.

그렇다면 이제는 메일린의 차례다. 힐라리아를 이 자리에 돌려놔야 그 모든 것이 가능해질 테니. 메일린은 그 누구보다도 힐라리아의 귀환을 바라고 있었다. 그럼에도 이렇게 이용당하는 게 썩 기분이 좋지만은 않았다.

어느새 블라디슬라프가 목전이었다. 메일린이 후드를 깊게 눌러썼다.

"황제께서는?"

그녀를 마중 나온 시종장에게 물었다.

"따르십시오."

메일린이 고개를 끄덕였다. 그녀를 불안한 듯 바라보던 대사관과 시녀들은 마차에 고스란히 남겨둔 채로 메일린을 뱉어낸 마차가 다그닥, 다그닥 움직였다. 이 커다란 황실에 메일린 혼자 남게 된 것이다. 약간의 불안감을 품은 채로 메일린이 시종장에게 가까이 달라붙었다.

"어디로 가는 중이죠?"

"탁 트이지 않은 곳으로요."

"예?"

"아…… 어디라고 말씀드려도 모르실 듯해서요."

시종장의 웃는 모습이 이상하게…….

"이 성 사람들은 전부 힐라리아 황비를 닮은 겁니까?"

"네? 그게 무슨 말씀이신지."

"얼마 전에 저를 찾아와 위조 신분증을 뜯어간 이들부터 당신까지. 전부 힐라리아 황비를 조금씩은 닮은 듯해서."

"영광된 일이군요."

아. 간자들 말에 의하면 황성이 요새 힐라리아 추종자들 집합소라더니. 틀리지 않은 말이었구나 싶었다.

"여기가 어딘가요?"

"아까 말씀드린 장소이지요."

쫓다 보니 어둑한 복도를 걷고 있었다. 그중에서도 가장 깊은 어둠 속으로 걸어 들어가는 기분이었다. 메일린이 치맛자락을 움켜쥐었다. 아무리 에벤에셀이라도 메일린을 해치진 못한다. 그녀는 프로이턴의 황녀니까. 그럼에도 거대한 문을 눈앞에 둔 메일린의 손가락이 부들부들 떨렸다.

'괜찮아, 메일린.'

메일린이 흘낏 본 명패에는 커다란 글씨로 '정보국 제3부서'라고 적혀 있었다.

"여기가 어디……."

하지만, 질문을 끝맺기도 전에 스베인이 문을 열었다.

"들어가 보시지요."

안에는 에벤에셀 홀로 그녀를 기다리고 있었다.

"윈프리드의 황제 폐하를 뵙습니다, 메일린입니다."

"오랜만입니다, 메일린 황녀."

에벤에셀이 서늘하게 메일린을 마주했다. 반쯤 열려 있던 문이 스베인으로 하여금 닫혔다. 뭔가 퇴로가 막힌 느낌이랄까? 메일린이 불안함에 주변을 둘러봤다. 제3부서가 뭐 하는 곳인진 모르겠지만, 범상치 않다는 건 확실했다. 온갖 실험도구와 이상한 액체들이 널려 있었다. 게다가 바닥에 뭘 그렇게 그려둔 것인지. 으스스한 기분에 메일린이 두 팔을 감쌌다.

"여기는 어째서……."

"아, 짐이 한 가지 부탁드릴 게 있어서요."

뭐가 이렇게 당당해? 메일린이 입술을 삐죽였다.

"프로이턴을 이용해 북부의 세 연합에 압박을 가해주실 수 있으십니까? 그들을 기네비어로 몰아넣으려고 합니다만."

"안 그래도 그 방안에 대해서 생각하고 있었습니다. 곧 아버님께 편지를 쓰려고……."

"그건 늦습니다. 하여, 직접 말씀드리는 게 어떨까 합니다만."

"그게 더 늦지 않을까요?"

맹한 메일린의 물음에 에벤에셀의 웃음이 깊어졌다.

에벤에셀이 메일린을 향해 손짓했다.

"여기, 서 보십시오."

메일린은 에벤에셀의 위압감에 홀려 그가 움직이라는 대로 움직였다. 사실 제3부서의 바닥에는 비밀리에 그려진 마법진이 다수 존재했는데 에벤에셀은 그것을 아무런 거리낌도 없이 작동시켰다.

"해야 할 일이 무엇인지는 아실 겁니다, 황녀."

"그, 그래서요?"

"그 일 도와드리려고요."

"아, 안 돼!!!"

이건 아니잖아!!

마법진이 발동되자마자 메일린의 신형이 흐려지기 시작했다.

"야, 이 망할 것들아!!!!!"

할 일을 제대로 정리한 건 하나도 없는데 당장 강제송환을 당할 줄이야. 메일린이 고함을 질렀으나 속수무책이었다.

메일린이 완전히 사라지는 것을 지켜보던 에벤에셀이 머리를 쓸어 넘겼다. 프로이턴을 메일린에게 떠넘겼으니 이제 라리나와 반에이크에게 달려 있었다.

산을 하나 넘으면 산이라더니. 하지만 그 산조차도 지금은 제대로 보이지 않았다. 에벤에셀의 내면을 독차지하고 있는 건 당연히도 힐라리아였으니.

힐라리아가 보고 싶었다.

"하아……."

에벤에셀이 그의 손가락에 가만히 내려앉는 나비 힐을 응시했다.

"힐라리아?"

역시나 아무런 대답도 돌아오지 않았다. 메일린을 본국으로 송환시켰으니 이제 에벤에셀도 이곳을 벗어나야 하는데……. 습관적으로 힐라리아의 이름을 읊조리던 에벤에셀이 제 머리를 마구 문질렀다. 오늘 에벤에셀이 한 일들이 힐라리아에게 가는 한 걸음이기를 간절히 바랐다.

그날, 메일린은 의도치 않게 윈프리드에서 자취를 감추었다.

***

오래 버틸 수 있을 거라고는 생각하지 않았다.

베아트리체는 얌전히 저택 안에서 기다리라고 말했지만, 네이선의 삶은 한 번도 그렇게 녹록한 적이 없었다. 네이선은 황자라는 신분을 가졌다는 이유로 항상 최전선에 떠밀린 채로 살아가고 있었다. 원해서 가는 길이 아니었고 원하지 않는다고 가지 않을 수 있는 길이 아니었다. 네이선의 등을 떠밀고 있는 이들이 한둘이 아니었기에.

그래서 지금, 에벤에셀이 네이선을 잡기 위해 보낸 기사들이 그렇게 어색하지만도 않았다. 그저 종종 생각했었다. 이런 순간이 언제 올지. 이건 욕심의 대가였다. 황제의 자리, 한 번도 꿈꿔보지 않았다면 그건 거짓말이다. 언젠가는 그 자리에 앉은 자신을 상상하기도 했었고 또 언제는 황제가 되어 가장 먼저 할 일을 생각해보기도 했었다.

그러니 시벨로프만을 탓할 순 없었다. 네이선이 숨을 죽이고 그를 지켜보는 제너시스 후작가의 가솔들 사이를 걸었다.

"네이선 황자……."

제너시스 후작 부인이 말을 흐렸다. 그동안 제너시스 후작가에서 지내며 꽤 정이 들었던 탓에 제너시스 후작 부인의 눈가가 젖어 있었다. 근엄한 후작도 그녀의 뒤에 버티고 서 네이선을 보고 있었다.

"그동안 감사했습니다."

"……몸 조심히 가십시오."

네이선이 고개를 끄덕이고는 순순히 대문 밖으로 나갔다. 바로 문 앞에서 기사들이 네이선을 기다리고 있었다.

"마차에 오르십시오."

기사들은 절대로 네이선을 놓치지 않겠다는 듯이 그에게 밀착했다. 에벤에셀의 문양이 새겨진 황실의 마차가 네이선 앞에 서 있었다.

네이선의 눈동자가 흐려졌다. 항상 이렇게 티 나지 않는 부분에서 착한 사람이다, 에벤에셀. 가장 중한 죄로 여겨지는 반역을 저지른 이에게 이런 호사가 웬 말인지. 황태후는 황제의 자비 없음과 비인간적인 면모를 욕했지만, 에벤에셀만큼 인간적인 사람은 황성에 없었다.

에벤에셀은 정말로 네이선을 동생으로 대해줬다. 그 전에도 네이선을 살렸고 항상 네이선의 행동에 제약을 걸지 않았다. 네이선과 별다른 대화를 나누진 않았지만 이 마차처럼, 남들은 알아주지도 않는 방법으로 네이선을 배려한다. 망설이는 네이선을 기사들이 재촉했다.

"오르십시오."

네이선이 붉어진 눈을 숨기곤 마차에 올라탔다.

"더럽게 안락하네."

네이선이 쓸모없는 욕설을 짓씹고는 마차에 기댔다.

***

에벤에셀의 예상대로 라리나와 반에이크는 아침이 밝기 무섭게 시벨로프 백작저로 향했다. 시벨로프 백작은 라리나와 반에이크의 방문을 허락했고 두 사람은 시벨로프의 문턱을 넘었다. 시벨로프 백작 부인이 라리나를 끌어안았다.

"······어머니."

라리나의 목소리가 낮게 잠겨 있었지만 다행히 여기 있는 누구도 눈치채지 못했다. 오랜만에 라리나가 저택으로 돌아왔다는 사실에 빠져 있었기 때문이었다. 반에이크가 가라앉은 눈동자로 그들을 살폈다. 라리나의 기색을 끝까지 놓쳐서는 안 된다. 사람의 마음이 언제 돌아설지 모르니까.

여리게 떨리는 라리나의 어깨가 보였다. 감정도 흔들리고 있는 건가? 반에이크가 불안함에 입술을 질끈 깨물었다. 오늘 일이 수포로 돌아가고 나면 결국 내전이다. 전쟁을 앞두고 그런 위험 부담은 짊어질 수 없는데······.

이미 에벤에셀은 계획했던 대로 움직이고 있을 것이다. 황태후를 구금하고 네이선 황자의 신병 또한 확보해 황성에 구금했겠지. 반역의 주역들을 손에 넣고 난 에벤에셀은 반에이크만 기다리고 있을 것이다.

'실패할 순 없어.'

만약 정 안 된다면 라리나도 이곳에 두는 방법까지 생각했다. 그렇게 머리를 맹렬히 굴리고 있을 때, 라리나가 백작 부인에게서 떨어져 등을 돌렸다. 그리고 반에이크는 그의 걱정이 하등 쓸모없었다는 사실을 깨달았다.

라리나의 눈물은 앞으로 보지 못할 가족들을 향한 애도의 눈물이었다. 그들에게 라리나는 배신자가 될 것이다. 자존심 강한 시벨로프 백작과 부인은 절대로 라리나를 돌아보지 않을 테지. 이전 날 황태후가 결혼 전에 알케스터 자작과 인연을 맺었을 때도 그렇게 단호하게 내쳤다고들 했으니. 반에이크가 라리나를 의심한 자신을 반성하며 그녀의 여린 손을 움켜쥐었다.

"그만 울라니까, 얘는. 이제 식사를 하러 가는 게 좋겠군요."

"그 전에, 어머니. 저 잠시……."

"아 그래. 얼굴을 닦아야지."

라리나가 고개를 끄덕였다. 라리나가 평소 저택에서 그녀의 시중을 들어주는 시녀들과 함께 자리를 비웠다. 반에이크를 슬쩍 돌아보는 눈빛이 단단했다. 라리나는 분명 자신이 하기로 한 일을 제대로 해낼 것이다. 힐라리아처럼. 두 사람은 아예 다른 사람인데도 이상하게 라리나에게서 힐라리아의 모습이 엿보였다. 라리나가 다시 고개를 돌리고 곧게 걸어갔다. 이제 이 무대는 반에이크의 몫이었다.

"그럼 우리는 먼저 식당으로 가면 될 것 같습니다만."

"아, 그러는 게 낫지."

시벨로프 백작이 동의했다. 작위로 따지자면 반에이크가 한참 위였지만, 이제 반에이크는 라리나의 배필이 될 사람이었다. 격의 없이 구는 시벨로프 백작의 행동이 완전히 마음에 들지는 않았지만, 반에이크는 별다른 말을 하진 않았다. 그저 그를 따라 걸음을 옮겼을 뿐이다.

"잠시 나도 다녀올 곳이 있어요, 여보. 반에이크 공을 잘 대접해드리고 있을 수 있겠죠?"

백작 부인의 말에 반에이크의 심장이 철렁했다. 반에이크가 최대한 그것을 숨기며 백작 부인 쪽으로 고개를 돌렸다.

"무슨 일 있으신 겁니까?"

시벨로프 백작보다 반에이크의 물음이 빨랐다. 이상해 보일까 싶어 뒷말도 덧붙였다.

"제가 너무 급작스럽게 방문해 실례가 된 건가요?"

"그런 게 아니에요."

시벨로프 백작 부인이 가볍게 고개를 저었다. 그러면? 반에이크가 이제는 습관처럼 들고 다니는 마도구를 손에 쥐었다. 식은땀이 손바닥에 맺혀 자꾸만 미끄러지려는 마도구를 몇 번이나 추슬러 잡아야 했다. 하지만, 백작 부인은 조금의 이상 행동도 보이지 않았다.

"잠시……."

말끝을 흐리며 웃는다. 더 이상 파고드는 건 실례되는 일이었다.

"그럼 기다리고 있겠습니다, 부인."

백작 부인이 생긋 웃었다. 결국 지금 당장 반에이크가 할 수 있는 일은 백작과 함께 식당으로 가는 게 전부였다.

'라리나……'

라리나는 백작보다는 백작 부인을 조심하라고 얘기했었다.

아무 일도 없어야 할 텐데.

***

"라리나, 여기 있니?"

화장실을 다녀온다는 핑계로 자리를 비웠던 라리나다. 하지만, 백작 부인이 아무리 불러도 안에선 대답이 없었다. 그녀의 얼굴이 싸늘하게 굳었다.

"쯧. 제 어미를 닮아선."

그렇게 끼고 키웠는데 라리나도 로벨리아의 전철을 밟으려는 모양이다. 힐라리아의 궁에서 그 오랜 시간을 머물다가 갑자기 반에이크와 온다고 했을 때부터 의심했다. 백작 부인의 의심은 하루 이틀 된 게 아니었다. 항상 라리나의 행동을 주시하고 있었다. 언제나 순종하던 로벨리아가 그깟 사랑 놀음에 빠져 그렇게 되었으니 라리나도 그럴 수 있다고 여겼기 때문이었다.

한데, 역시나였다. 대체 어디에 마음이 쏠린 건진 모르겠지만, 이렇게 무른 모습을 보인다. 분명 뭔가 목적이 있어서 왔을 것이다. 백작 부인이 서늘한 낯빛으로 반백의 머리카락을 습관적으로 매만졌다.

'어디 있을까.'

자리를 비운 지 얼마 되지 않았으니…….

가늘게 뜬 눈으로 복도를 살피는 백작 부인을 따라 사용인들이 숨을 죽였다. 이 저택에 사람이 얼만데. 라리나의 행방을 찾는 건 그리 어려운 일이 아니었다. 백작 부인이 지나가던 하녀를 향해 손짓했다.

"지금 라리나는 어디에 있지?"

***

한편, 힐라리아는 베아트리체를 만나기 위해 욕실을 비웠다.

"다들 나가 계시겠어요?"

힐라리아의 요구에 시녀들은 망설였지만, 피곤해 보이는 힐라리아의 명령을 어길 수도 없는 노릇이었다. 어젯밤 힐라리아는 곤드레스가 원하는 대로 그와 함께 연회에 참석했었다. 오스발트의 귀족들은 윈프리드에서 왔다는 힐라리아를 향해 호기심이 가득한 시선을 던졌다.

그들을 상대하는 것만으로도 피곤한데 곤드레스는 자신이 윈프리드에서 데려온 전리품을 자랑하기에 바빠 힐라리아를 늦은 새벽까지 돌려보내 주지 않았다. 오스발트 사람들은 금세 같은 말을 쓰는 힐라리아에게 경계심을 누그러뜨렸고 그녀를 둘러싼 채로 수도 없이 질문을 던졌다.

결국, 힐라리아는 어제 새벽에 제대로 목욕도 하지 못하고 쓰러지듯 잠들었다. 머뭇거리는 시녀들을 향해 힐라리아가 한숨을 길게 내쉬었다.

"피곤하네요. 혼자 쉬고 싶어요."

힐라리아가 재차 말했다. 시녀들이 어쩔 수 없이 고개를 끄덕였다.

"무슨 일이 있으시면 반드시 부르셔야 합니다."

"그래요. 케이티도 나가 있어."

"네, 공주님."

시녀들은 케이티도 내보내는 힐라리아의 모습에 안도했다. 맨몸의 여자가 혼자 욕실에서 무엇을 하겠는가. 물론, 그들이 힐라리아에 대해서 잘 모르기에 할 수 있는 생각이었다.

그들이 나가자 힐라리아가 날카로운 눈으로 주변을 살폈다. 욕조에서 몸을 일으킨 다음 대충 물기를 닦아내고 가운을 걸쳤다. 목소리가 울리는 위험이 있긴 하겠지만, 소리를 차단하는 건 정령들에게 아무것도 아니다.

힐라리아의 새파란 눈이 금빛으로 번뜩이자 나비들이 욕실을 가득 채웠다. 사방을 가득 메운 나비들은 약간의 소음도 밖으로 나가지 못하게 하겠다는 듯이 촘촘히 벽에 들러붙었다.

'혼자 있을 때를 노리겠다며, 베베.'

힐라리아가 입술을 질끈 깨물었다. 약속된 시간이 아니었기에 걱정이 앞섰지만, 힐라리아가 아는 베아트리체라면 항상 그녀에게 귀를 기울이고 있을 게 분명했다. 그리고 힐라리아의 염원이 통한 것일까. 베아트리체가 나타났다.

"하아, 베베."

흐릿한 베아트리체의 신형을 향해 다가간 힐라리아가 희미하게 웃었다.

[어제 만나지 못해서 걱정했어, 힐.]

"연회에 다녀오느라고. 새벽까지 붙들려 있었어."

[세상에. 그래서 다음엔 곤드레스 왕의 어디를 자르기로 마음먹었니?]

베아트리체가 키득이며 물었다. 그건 힐라리아의 진심이었는데 베아트리체는 재미있나 보다. 힐라리아가 물기에 젖어 얼굴에 들러붙은 머리카락을 떼어냈다. 편하게 스툴에 기대앉으며 힐라리아가 혀를 찼다.

"그곳. 아주 소중히 여기는 곳."

힐라리아의 말에 베아트리체가 탄식했다.

[다리쯤 될 줄 알았더니. 왜?]

"그놈이 내 침실에 들어도 되느냐고 묻더군."

[어이쿠. 목숨을 단축하는구나. 하지만, 곤드레스는 네가 아이를 가졌길 바라고 있다며?]

"지금 당장을 말하는 건 아니었어. 아, 이 얘기 하지 마. 당장이라도 곤드레스를 죽이고 탈주하고 싶으니까."

베아트리체가 큰 소리로 웃음을 터뜨렸다. 이렇게 큰 소리를 막는 건 힘들다고 나비들이 항의했지만, 베아트리체와 힐라리아는 아랑곳하지 않았다. 즐거운 기색이 만연해 보이는 베아트리체를 힐라리아가 불렀다.

"베베."

[응?]

"너희가 해줘야 할 일이 있어."

이상하게 불길한 기분에 베아트리체가 눈살을 찌푸렸다. 그냥 적당한 시기에 힐라리아를 구해서 윈프리드로 돌아가면 될 줄 알았는데……. 해줘야 할 일이라니.

"어려운 건 아니고. 너 어렸을 때 기네비어에서 나랑 했었던 불꽃놀이 기억나?"

불꽃놀이라고 하면……. 베아트리체가 미간을 찌푸렸다.

[그, 그건 불꽃놀이가 아니었어! 기네비어 성을 전부 태워 먹을뻔했잖아!]

막 정령을 다루는 방법을 배우던 시기였다. 아직 어릴 때라 힐라리아가 자신이 부리는 정령들에게 푹 빠져 있던 시기이기도 했다. 베아트리체가 보는 앞에서 불의 정령을 다뤘고 덕분에 정말로 성을 태워 먹을뻔했었다. 헬레나미아가 있었기에 망정이지. 그때를 생각하자 기분이 한결 나아진 힐라리아가 웃었다.

[웃을 일이야? 나는 정말 죽는 줄 알았는데.]

베아트리체가 투덜거리면서도 힐라리아의 말을 들을 준비가 되었다는 듯이 시선을 던졌다.

"……너희가 해줘야 할 일은 간단해."

[그건 거짓말 같고.]

힐라리아는 아랑곳하지 않았다.

"사리프와 오이겐의 무기구와 식량고를, 불태워."

[뭐????!!!!]

"말 그대로야. 전쟁이 길어지면 다치는 쪽은 윈프리드야. 반역으로 내부가 시끄러운 상황에서 전쟁이 오래 지속되어선 안 된다고. 그러니 우리는 우리가 여기서 할 수 있는 최선을 다 하고……."

힐라리아의 눈빛이 침잠했다.

"떠난다."

[……돌아갈 생각이 있긴 한 거야?]

"물론이지."

베아트리체는 힐라리아의 말을 전부 믿지 않았다. 힐라리아는 죽음을 각오하고서라도 자신이 하려는 바를 이뤄내고 말 테니.

[나는 네 옆을 비울 생각이 없어. 사람들을 나눠서 사리프와 오이겐으로 보낼게.]

"고마워. 너희가 있어서 다행이야."

힐라리아의 말에 베아트리체가 한숨을 내쉬었다. 어떤 면에서 힐라리아는 너무 우직해서 탈이었다. 사람이 어떻게 이렇게 안 바뀌냐. 자신을 희생해서라도 지켜야 할 게 너무 많았다, 힐라리아에게는. 그래서 베아트리체는 망설이던 말을 전할 수밖에 없었다.

[기다리고 있겠다고 전해달래.]

"뭐……?"

주어가 빠진 말이었지만, 힐라리아는 대번에 알아들었다.

[많이 걱정하는 것 같았어. 직접 오지 못해서 힘든 것처럼 보였지.]

"베아트리체."

힐라리아의 만류에도 베아트리체는 말을 멈추지 않았다. 지금 에벤에셀만큼 힐라리아를 동요하게 할 수 있는 이는 없었으니까.

[얼굴이 창백했고 눈가는 거뭇했지. 차마 네게 기다리겠다는 말도 하지 못했다며 웃었어. 힐……. 돌아갈 거지?]

베아트리체가 다시 한번 물었다. 어떤 상황에서도 힐라리아를 기다리는 사람들을 잊지 말라는 당부이기도 했다. 힐라리아가 떨리는 손으로 얼굴을 매만졌다.

'기다리겠다고.'

에벤에셀이. 힐라리아가 입술을 질끈 깨물었다. 아프게 놓고 돌아서야 했던 마음이 그리움으로 물들었다. 놓고 싶지 않았던 손을 억지로 놓아야 했던 과거가 물씬 밀려들었다. 에벤에셀이 기다리겠다고 말하지 못했듯 힐라리아도 돌아오겠다고 다짐하지 못하고 돌아섰었다.

그런데 어쩌면. 아주 어쩌면. 저 말을 기다리고 있었는지도 모르겠다.

이 거지 같은 상황에서도 웃음이 나는 걸 보면.

"……노력할게."

그제야 베아트리체도 웃음을 되찾았다.

***

시벨로프의 복도에 서늘한 긴장감과 정적이 흘렀다.

백작 부인이 생긋 웃으며 하녀들을 재촉했다.

"라리나를 보았느냐고 물었는데 어찌 대답이 없어."

"그게……. 잘 모르겠어요."

백작 부인이 싸늘한 눈빛으로 이를 악물었다. 이럴 줄 알았다. 로벨리아의 딸이니 그녀의 전철을 밟는 것이겠지. 라리나를 홀린 것이 힐라리아라는 계집이라면 사사건건 훼방을 놓는 그녀를 절대로 가만 두지 않으리라. 오스 발트에 있다고? 오스발트야말로 그녀의 연고지가 아닌가. 백작 부인이 라 리나를 찾아 걸음을 옮기려 할 때였다.

"어머니?"

발갛게 볼이 상기된 라리나가 백작 부인을 멈춰 세웠다.

"……라리나?"

"왜 여기에 계세요?"

의아한 듯이 눈을 깜빡이는 라리나의 표정은 천진하기 짝이 없었다. 예전 에 보았던, 힐라리아의 궁으로 들어가기 전이랑 똑같은 얼굴이었다.

"너는 어디에 다녀오는 거니? 화장실을 간다지 않았어?"

백작 부인이 아무것도 아니라는 듯이 라리나의 등을 감싸며 물었다.

"아. 화장실을 가려다가 아무래도 화장도 고쳐야 할 것 같아서 방에 다녀 왔어요."

라리나가 볼을 매만졌다. 그러고 보니 화장을 고친 태가 났다. 붉게 달아 올랐던 눈가도 가라앉아 있었고 입술도 생기로 반짝이고 있었다.

"그게 더 편할 것 같아서……."

백작 부인이 천천히 고개를 끄덕였다. 생각해보니 라리나의 말에 틀린 곳 이 없었다. 라리나의 침실에는 욕실과 더불어 화장실도 딸려 있으니 1층에 있는 공용 화장실보다는 사용하기 더 나았을 것이다. 게다가 은밀히 화장을 고치기도 안성맞춤이니. 그런데 왜 이렇게 이상하단 느낌을 지울 수가 없을 까? 그녀가 망설이는 틈에 라리나가 백작 부인의 팔에 제 팔을 끼웠다.

"어머니, 제가 걱정돼서 오신 거죠? 또 울고 있을까 봐."

라리나가 애교 있게 웃으며 팔을 흔들었다. 물론, 전부 의도된 행동이었 다. 라리나가 저택에서 유일하게 믿을만한 제 시녀를 향해 손짓했다. 그녀 가 고개를 슬쩍 끄덕이곤 무리에서 이탈하는 것을 확인한 라리나가 백작 부 인을 끌어안은 팔에 좀 더 힘을 주었다.

"……그래. 너는 예전부터 마음이 약한 아이였으니까."

그 말에 내포된 의미를 지금의 라리나는 알아차릴 수 있었다. 마음이 약하니 언제든 누구에게라도 홀릴 수 있어 조심해야 한다는 뜻일 것이다. 라리나가 긴장된 마음을 억누르고 가까스로 웃음을 유지했다.

"어머니가 예쁘게 키워주셔서 그렇죠. 저는 어려운 건 하나도 모르고 자랐는걸요."

라리나가 살갑게 대꾸하며 백작 부인의 어깨에 고개를 기댔다. 그런 라리나의 애교에 백작 부인의 마음도 어쩔 수 없이 느슨해졌다. 라리나는 생김새만큼은 백작 부인을 똑 닮았다. 그러다 보니 라리나에겐 다른 이들보다는 무른 게 사실이었다.

"……식사해야지. 아버지 기다리신다."

"네, 어머니."

라리나가 고개를 끄덕였다.

이제 주사위는 던져졌다. 나머지는 시녀의 몫이었다.

***

라리나와 반에이크가 시벨로프에서 긴장된 식사를 이어가고 있을 무렵, 네이선도 황실에 도착했다. 기사들은 끝까지 네이선에 대한 예우를 잊지 않았다. 그렇게 오랜만에 발을 들인 황성에서 에벤에셀을 만나게 되었을 때, 네이선은 저도 모르게 무릎을 꿇고야 말았다. 에벤에셀이 웃고 있었기 때문이다. 항상 네이선을 대해왔던 것처럼 희미하게.

'제기랄……'

그 어떤 면에서도 네이선은 에벤에셀을 뛰어넘을 수가 없었다.

이런 상황에서도 저런 여유로움을 내보이다니.

"그럴 필요까진 없는데."

"폐하……."

"그렇게 딱딱하게 부를 필요도 없고."

집무실 책상에 앉아 있던 에벤에셀이 엉덩이를 뗐다. 이제 저녁에 접어든 창을 등지고서 에벤에셀이 네이선을 굽어보았다. 황태후를 닮은 얼굴이 에벤에셀을 올려다보고 있었다. 일렁이는 감정들이 고스란히 내보였다.

황태후에겐 자식이 둘 있었다. 라리나와 네이선. 두 사람은 알케이터 자작의 핏줄이나 황실의 자식으로 자랐다. 어느 정도 짐작은 하고 있었음에도 네이선의 황자 자격을 박탈하지 않은 건……. 에벤에셀이 입술을 늘어뜨렸다.

'형님!'

금지되어 있음에도 몰래 에벤에셀의 궁을 타넘어 오던 어린 네이선 때문이었다. 단풍잎 같은 손을 활짝 펼치며 에벤에셀에게 안겨들었었지. 황태후는 네이선을 어떻게든 황제로 만들기 위해서 해서는 안 될 짓들을 자행하고 있는데 어린 네이선은 그런 건 아무것도 모르는 얼굴로 환히 웃었었다.

에벤에셀을 끌어안고 스스럼없이 부르며…….

'형님, 울어요? 왜 울어요? 울지 마세요…….'

덩달아 울먹이며 그 고사리 같은 손으로 에벤에셀의 눈물을 닦아줬었다. 아마도 어머니가 돌아가신 그날이었을 것이다.

'흐어어어어엉……. 형님, 울지 말아요…….'

죽음이 뭔지도 모를 나이에 제가 더 서럽게 울며 에벤에셀의 주변을 맴맴 돌던 네이선이 왜 그리도 따뜻하고 애처롭던지. 그게 에벤에셀에게 주어진 유일한 온기여서일까. 사람들은 에벤에셀이 네이선을 배척하고 증오할 거라고 떠들어댔지만, 그건 틀렸다.

네이선은 에벤에셀에게 남은 인간성임과 동시에 자비였다.

어린 네이선이 에벤에셀에게 베풀어줬던 온기에 대한 대가이기도 했다.

"그리 울 필요도 없는데."

"형님……."

어린 시절의 기억을 더듬어 네이선이 떨리는 음성을 내뱉었다. 황태후가 본격적으로 욕심을 드러내기 전만 해도 둘 사이에는 우애라는 감정이 존재했었다. 그게 황실에서 태어난 자식들에게는 종잇장보다도 더 얄팍하다는 걸 알면서도. 에벤에셀이 다리를 굽히고 앉았다.

"짐은 항상 네게 관대했었다, 네이선."

"……알고 있습니다."

아무도 그렇게 얘기하지 않아도 네이선은 인지하고 있었다.

"그럼에도 네 어미는 욕심을 버리지 못하는구나."

"형님, 저는……."

에벤에셀이 눈가를 일그러뜨렸다. 라리나와 네이선을 죽이겠다고 황태후를 겁박했지만, 그러지 못한다는 걸 스스로도 잘 알고 있었던 탓이다.

에벤에셀이 네이선의 손등에 손을 얹었다.

"짐은 너를 죽일 수가 없다."

"……."

네이선이 소리 없이 눈물을 흘렸다.

"너는 짐에게……."

"무엇이든 하겠습니다, 형님. 죽으라고 하시면 죽고 떠나라 하시면 떠나고……."

"짐은 의심이 많은 자야. 네가 떠나면 그것 또한 불안함일 테고……."

에벤에셀이 네이선의 눈물을 손등으로 가볍게 쓸어내렸다. 장성한 어린 동생이 저렇게 울고 있는 게 그리 기분이 좋지는 않다.

"네가 죽는 것도 짐에게는 그리 달갑지 않구나."

"제가 무엇을 해드릴까요, 형님……. 저는 해드릴 수 있는 게 없습니다."

사실 황태후와 시벨로프가 저지른 일들에서 네이선은 항상 한발 물러서 있었다.

"아무것도 하지 않는 제가 환멸스러우면서도 할 수 없었습니다."

눈물이 계속해서 흘렀다.

"저는 무능하여……."

에벤에셀이 가벼운 한숨을 내쉬었다. 그의 시선이 창밖을 향했다. 어두운 밤이 내려앉은 밖은 고요한 침묵 속에 잠겨 있었다. 그러나, 그 속에서 들끓고 있을 욕망들이 낱낱이 읽히는 듯했다.

눈을 가늘게 뜬 에벤에셀이 천천히 읊조렸다.

"짐이 시키는 대로 하겠느냐?"

"……."

"네 어미를 버리라면 버리고 죽이라면 죽일 수 있겠느냐고 물었다."

"폐하, 저는……."

"대신 너와 라리나 영애의 목숨을 약속하마."

네이선의 눈동자가 크게 흔들렸다.

라리나. 차라리 황태후와 같이 죽겠다는 말을 하려던 네이선의 발목을 그 이름이 붙들었다. 라리나는 아무 잘못도 없었다. 네이선은 황자라는 직위로 반역에 가담했을지 모르지만, 라리나는……. 네이선이 고개를 떨구었다.

"……왜 저한테 그렇게까지 자비로우십니까."

에벤에셀이 설핏 웃었다.

"동생이라 하지 않았느냐. 짐의 하나뿐인 동생이라 차마 버릴 수가 없어."

에벤에셀의 목소리도 네이선만큼이나 낮게 가라앉아 있었다.

***

이른 초저녁. 시벨로프에는 좀 더 묵직한 어둠이 내려앉았다.

"다행이에요……."

라리나가 숨을 헐떡였다. 긴장이 풀려 가슴이 부푼 탓이었다. 라리나의 시녀는 약속한 대로 물통에 약을 타는 것에 성공했다. 강력한 수면제는 시벨로프를 침묵에 잠기도록 만들었다.

"수고했어요, 라리나."

반에이크가 라리나의 어깨를 토닥였다. 아무도 깨어 있지 않은 저택에서 필요한 물건을 찾는 건 어렵지 않았다. 어렸을 때부터 라리나와 함께 자란 시녀가 도왔기 때문에 더 쉬웠다. 라리나와 반에이크, 마지막으로 라리나의 시녀까지. 셋의 인영이 어둠을 틈타 시벨로프를 빠져나왔다. 다행히 반에이크는 클라리넷 저택에 라리나의 시녀가 머물 수 있는 곳을 내주었다.

숨 가쁜 밤이었다. 분명 쫓아오는 이가 없다는 것을 알고 있음에도 심장이 덜컥거려서 숨을 내쉬는 것조차 힘겨웠다. 라리나와 반에이크의 묵직한 시선이 테이블에 놓인 두터운 서류에 닿았다. 저건 제국을 뒤흔들 증거가 될 것이다. 복잡한 얼굴을 하는 라리나에게 반에이크가 속삭였다.

"나도 그랬어요."

"네?"

라리나가 의아한 눈빛을 던졌다.

"내 부모는 나라를 팔아먹고 황태후의 편을 들었죠."

반에이크가 씁쓸한 미소를 머금었다.

"당신이 겪고 있는 그 모든 감정과 고뇌를 나 또한 거쳐 왔다는 말을 하는 겁니다. 살아남는 것도 감사한 하루, 하루였습니다."

과거를 회상하는 눈가가 습윤하게 젖어 들었다. 어린 실로테를 끌어안고 에벤에셀 발끝에 엎드려 빌었다. 살려만 달라고, 죽은 듯이 살겠다고.

"예상보다 더, 에벤에셀은 자비로운 친구였고 나는 살아남았습니다."

게다가 이렇게 떵떵거리며 대귀족 노릇을 하고 있지 않은가.

"하지만, 여전히 그에게는 부채감이 남아 있지요."

라리나가 입술을 깨물었다. 앞으로 그것이 라리나의 삶이 될 것이기 때문이었다. 물론, 살아남는다면 말이다.

"그래도 종종 생각합니다. 살아 있어 다행이라고."

이게 당신에게 위로가 될진 모르겠지만.

***

곤드레스는 힐라리아를 '전시'하는 일에 맛 들인 모양이다. 한 번 연회에 끌고 간 이후로 부지런히 힐라리아를 데리고 다녔다. 왕비와 여러 후궁으로 서는 속 터지는 일이 아닐 수가 없었다. 이젠 그걸로도 모자랐는지 왕실 저녁 만찬에도 힐라리아를 끌어들였다.

별로 원하지도 않았는데. 힐라리아가 심드렁하게 주변을 둘러보았다. 살 쾡이 두엇과 귀여운 아기고양이 몇몇이 힐라리아를 향해 하악질을 하고 있는 게 보였다. 제국에서의 피 터지는 몇 달을 생각하면 그냥 우스운 수준이지만. 힐라리아가 태연한 얼굴로 자리에 앉았다.

'이러다 얼굴에 구멍 나겠네.'

그런 심심한 감상을 하며.

"이렇게 손님도 오셨으니 다들 친하게 지내면 좋겠군. 들어 알고 있겠지만, 힐라리아는 기네비어 공국의 공주이시니 배울 점도 많을 겁니다."

"반겨주시니 몸 둘 바를 모르겠군요. 많이 가르쳐주세요."

힐라리아가 고개를 까딱이며 늦은 인사를 건넸다.

"제국에서 황비로 계셨다고 들었습니다. 어쩌다가 여기로 오셨는지?"

"못 들으셨어요? 마녀라는 오명을 쓰셨다던데……."

"어머, 안타까워라."

이미 계획된 듯한 힐라리아 깎아내리기가 시작되었다. 곤드레스는 그런 상황은 모른 척하고 식사를 이어가고 있었다. 전쟁을 앞둔 상황에서 이렇게 태평하게 치정에나 신경 쓸 수 있다니. 힐라리아로서는 놀라울 따름이었다.

게다가 정말로 힐라리아를 죽이겠다고 달려들었던 황태후나 올리비아, 거기에 적대감을 내보이며 권력을 휘두르려던 실로테에 비해선 너무 얄팍한 수였다. 힐라리아가 고개를 기울였다. 삐딱하게 입술을 끌어 올리며 푸른 눈을 곱게 접어 웃었다. 아무것도 모르는 것처럼 곱상하게 시치미를 떼며.

"그렇다던가요?"

왕비와 후궁들이 힐라리아를 모욕하던 것을 멈추고 입을 꾹 다물었다. 가만히 있을 땐 몰랐는데 저렇게 웃는 모습을 보아하니 힐라리아가 대단한 미인이라는 걸 깨달은 탓이다. 힐라리아는 청량한 여름 같았다. 붉은 머리카락이 태양처럼 불타오르는 가운데 파도치는 시원한 바다를 지니고 있었다.

게다가 힐라리아에게서 뿜어져 나오는 위압감도 만만치 않았다. 나른한 듯 보이지만, 이따금씩 눈이 마주칠 때마다 야생 짐승의 눈빛을 마주한 듯한 느낌이 들었다. 그런데 본인은 아무렇지도 않은 듯이 식사를 이어가고 있으니. 뭔지 모를 꺼림칙함이 그들의 입을 다물게 했다.

'순진들 하기는.'

힐라리아가 이 끝으로 포크를 물었다.

최대한 느리게 씹으며 식사량을 줄이고 있지만, 의심은 여전해서 음식이 제대로 넘어가질 않았다. 이 속에 독이 들어 있지 않다고 어떻게 확신한단 말인가. 아무리 독에 내성이 있다고 한들 이렇게 안전하지 못한 곳에서 내상을 입을 순 없었다. 힐라리아가 눈을 아래로 내리깐 채로 힐긋 나비를 살펴보았다. 음식물에 들러붙은 나비들이 고개를 저었다. 다행히 지금 먹고 있는 음식에는 이렇다 할 독이 든 것 같지는 않았다.

[그래도 많이 먹지는 마세요. 정신을 혼미하게 하는 약이 들어 있어요.]

[이걸 뭐라고 하더라?]

[최음제?]

입맛이 떨어진 힐라리아가 손에 들고 있던 포크를 내려놓았다. 고작 이 정도의 최음제에 정령들이 보살피는 몸이 중독되지는 않겠지만…… 힐라리아가 곤드레스를 힐끗 보았다. 그녀를 향해 와인잔을 들어 올리는 꼴이 역겨울 정도였다. 누가 어떤 의도로 힐라리아의 음식에 최음제를 탔는지 충분히 짐작 가능했다.

'가장 비참하게 죽어라.'

힐라리아가 속으로 읊조렸다.

'영광되지 못한 장소에서, 개돼지만도 못한 비참한 모습으로.'

힐라리아가 아래로 내린 주먹을 움켜쥐었다. 그 죽음을 선사하는 주인공이 힐라리아, 그녀 자신이 되길 바라며 입 안의 살을 짓씹었다. 비릿한 피 냄새가 입 안을 가득 채웠다. 아래로 고개를 내리깐 힐라리아 덕에 아무도 그녀의 표정을 보지 못했다. 살기로 들끓고 있는 그녀의 금안을.

힐라리아 주변을 맴돌던 나비들이 키야아아악 소리를 내며 공격성을 드러냈다. 호전적인 불의 정령들이 당장이라도 곤드레스를 태워 죽일 것처럼 그 주변을 맴돌았다. 힐라리아가 살아서 윈프리드로 돌아가고 싶은 마음이 없었더라면 당장이라도 저 파렴치한의 목을 땄을지도 모르겠다.

'돌아와야 해, 힐라리아.'

'힐. 어미가 기다리고 있으마.'

'……돌아오세요.'

차마 마주 보고 말하지 못했던 에벤에셀까지…… 윈프리드에 두고 온 이들이 많아 경거망동할 수 없었다. 힐라리아가 눈을 천천히 내리감았다. 오늘 밤을 어찌 피하고 나면 그다음 밤, 그리고 그다음 밤이 찾아올 것이다. 곧 있으면 힐라리아에게 매일같이 보내던 의사도 보내지 않을 것이고 아마도 그날이 곤드레스가 침실을 여는 날이 될 것이다.

그때까지 죽지 않고 참을 수 있을까?

'세상에. 그래서 다음엔 곤드레스 왕의 어디를 자르기로 마음먹었니?'

'그곳. 아주 소중히 여기는 곳.'

아하. 죽이기 전에 해야 할 일이 있었지. 힐라리아가 비소를 머금었다.

그날이 바로, 곤드레스가 소중한 곳을 잃는 날이다.

***

계획대로 모든 문건이 에벤에셀의 손에 들어왔다.

밤늦은 시간에도 반에이크를 향해 황성의 문이 열려 있었기에 가능한 일이었다. 에벤에셀이 손에 쥔 두터운 문건을 물끄러미 내려다보았다. 고작이런 종이들이 사람의 목숨을 좌우할 수 있다니. 꽤 우스운 일이다.

"……기분이 조금 나아지신 것 같습니다."

"나아질 기분이라는 게 있습니까."

에벤에셀이 싸늘한 미소를 덧그린 채로 문건들을 책상에 올려두었다. 상념에 잠긴 그가 문건 위를 손가락으로 쓸었다. 이것을 갖기 위해 힐라리아가 깔아두었던 초석들이 지금 빛을 발하고 있었다.

'뭘 하고 있을까.'

힐라리아가 이 문건들을 봤다면 고양이 같은 표정을 지으며, 당연하다는 듯 말했겠지.

'제가 뭐라고 했나요, 에벤에셀? 필요한 건 전부 손에 쥐게 될 거라고 말했잖아요.'

힐라리아의 웃음, 말소리, 손짓. 그 모든 게 선연하게 눈앞에 그려지는 것만 같다. 당사자가 곁에 없을 뿐. 에벤에셀이 신경질적으로 머리를 쓸어 넘겼다. 제대로 먹지도, 자지도 못하는 일상이 이어지고 있었다.

힐라리아가 없이는 잠들지 못한 지 꽤 되었으니 자지 못하는 건 당연했고 그녀가 그곳에서 당하고 있을 부당함을 생각하면 먹을 것도 넘어가지 않았다. 그럼에도 견딜만한 건. 릴리와 요한으로부터 힐라리아와 연락이 닿았다는 소식을 전해 들었기 때문이었다.

그때, 반에이크가 에벤에셀의 눈치를 살피며 입을 열었다. 그가 아직 귀가하지 못하고 에벤에셀 앞을 서성이는 건 라리나에 대한 처결이 궁금하기 때문이었다.

"내부적인 일은 마무리되지 않았습니까. 그 정도 증거면 즉결 처결 당해도 할 말이 없을 겁니다."

"……이번에는 자비롭지 않을 겁니다."

에벤에셀의 뇌까림에 반에이크의 심장이 쿵하고 내려앉았다. 그 자비롭지 않음에 라리나가 포함되는 걸까? 라리나에게 스스로를 대입하기 시작하니 그녀를 향한 연민과 애틋함이 생겨났다.

부모의 죄를 알고, 그들의 좌초를 지켜보며 숨죽이고 울어야 했었던 과거가 떠올랐다. 실로테는 그 시절을 제대로 기억하지도 못한다. 제 눈앞에서 부모가 칼을 맞고 죽었는데 어린아이의 정신으로 버텨낼 리 없었다.

하지만, 반에이크는 견뎌내야 했다. 반에이크에게는 지켜야 할 실로테가 있었고 죽기 싫다는 열망이 있었다. 어린 시절에는 거리낌 없이 친구로 지냈던 에벤에셀 앞에 머리를 조아려 빌면서도 조금도 억울하거나 부당하다고 여기지 않았다. 그렇게 실로테를 궁으로 들여보내는 대신 실로테의 목숨을 구명했고 반에이크의 평생을 저당 잡히는 대신에 가문과 스스로를 구했다.

반에이크가 목이 졸린 것 같은 목소리로 물었다.

"……라리나 영애는 어찌할 생각이십니까?"

욕심이지만, 그녀가 살았으면 좋겠다. 반에이크가 그랬듯이.

에벤에셀이 날카롭게 웃었다.

"이제는 여유가 생기나 봅니다. 타인도 돌아볼 줄 아시고."

"……."

반에이크의 녹안이 음울하게 가라앉았다.

"……보기 좋습니다."

"폐하……."

"이제 와 이런 말들이 무슨 소용인가 싶다마는."

"……."

"그대라서 괜찮았던 겁니다. 반에이크, 너라서."

반에이크가 고개를 들어 올렸다. 과거의 참담했던 그날 이후, 처음으로 에벤에셀에게 듣는 편한 어투였다. 에벤에셀은 의외로 선선하게 웃고 있었다.

"내가 클라리넷을 구명하고 네 동생의 목숨을 살렸던 건, 자존심 강한 네가 내 앞에 머리를 찧고 눈물을 흘렸기 때문에 그랬다고 말하는 거야."

조금은 누그러진 목소리였다.

"에벤에셀……."

반에이크가 울렁이는 목소리로 그를 불렀다.

"너는 늘 내게 빚을 진 것처럼 굴었지. 내가 부당한 요구를 해도, 혹은 하지 않아도. 너는 이 제국을 위해선 뭐든 했어."

에벤에셀의 푸른 눈이 그를 따라 일렁였다.

"이번 일이 끝나면 쉬어도 좋아. 네가 하고 싶은 일을 하고 너의 가치를 되찾는 일을 해도 좋겠지. 너를 놓아주겠어."

"……."

항상 생각하는 거지만, 에벤에셀은 잔정이 많았다. 그리고 누군가를 벌하는 것에 망설임이 없는 만큼 용서하는 것도 그랬다. 과거의 그날 이후로 반에이크는 부채감을 얻었지만, 아마 에벤에셀은 그 일을 마음에 담지 않았을 것이다.

"다만."

이런 꼬리가 달리긴 했지만. 반에이크가 어쩔 수 없다는 듯이 웃었다.

"라리나는 네가 책임져, 반에이크."

"……뭐?"

"내가 라리나를 뭘 믿고 살려주겠어. 나는 라리나에게 가장 훌륭한 감시자를 붙여둘 생각인데, 그건 네가 적임자일 것 같거든."

"……질투로군."

반에이크는 굳이 그에게 라리나를 떠넘기는 이유를 알아차렸다.

"알고도 여태 모른 척해준 걸 다행으로 여겨야지. 힐라리아는 내 사람이야, 반에이크."

역시나.

"라리나가 자네와 결혼 생활을 유지한다는 조건 하에 그녀를 살려주지."

"비열해."

반에이크가 투덜거렸으나, 표정만큼은 밝았다.

"하지만, 황태후를 비롯한 시벨로프의 다른 이들은 죽음을 면치 못할 거야."

에벤에셀이 어두운 눈으로 밖을 내다보았다.

"한 번 용서하면 자비로운 자가 되지만, 똑같은 죄를 두 번 용서하면 멍청이가 되는 거거든."

그 말엔 반에이크도 동의했다. 시벨로프의 사람들을 또 한 번 용서한다면 또 이와 같은 일이 발생할 테니. 그렇다고 황실의 핏줄이 조금이라도 섞인 자들을 전부 죽일 수도 없잖은가. 이번에 시벨로프와 황태후를 본보기 삼아 황실의 위엄을 드높여야 했다.

"내 대답은 충분한 것 같은데."

반에이크가 수긍했다. 에벤에셀은 그가 원한 대답을 전부 들려주었다. 내일이면 이 제도가 피로 물들 것이다. 문건이 명시한 자들은 전부 끌려 나와 처형될 것이고 처형장이 핏물로 낭자해지겠지. 300년 전에 벌어졌던 마녀사냥 못지않은 사건이 될 것이다.

반에이크가 물러가고 에벤에셀이 홀로 남아 문건을 다시금 매만졌다. 원하지 않는다고 해서 피할 수 있는 일이 아니기에 더 이상 미룰 수도, 망설일 여유도 없었다. 에벤에셀이 종을 울렸다.

"네, 폐하."

스베인이 고개를 조아렸다.

"준비해뒀던 것을 가지고 네이선에게 가."

"……예, 폐하."

피의 광시곡을 시작하는 건 아무래도…….

'황태후가 좋겠지.'

이미 밖에는 에벤에셀의 명을 받은 기사들이 집합해 있었다. 신호만 떨어지면 에벤에셀이 원하는 대로 검을 휘두를 것이다. 그동안 반에이크의 증언을 토대로 틈틈이 작성했던 반역자들의 목록 또한 이미 그들의 손에 들려 있었다. 황실의 전력을 전부 뽑아내 국경과 기네비어로 보낸 탓에 황성에 남은 건 기네비어의 기사들뿐이었다.

그들의 지휘는 위베르가 맡았다. 기네비어는 예로부터 검에 자비가 없기로 유명했으니 아무도 살아남지 못할 것이다.

에벤에셀의 손끝에 나비 힐이 내려앉았다. 기운 없이 어둑한 빛만을 뿜내고 있으나, 곁에 있어주는 것만으로도 위로가 되는 존재였다. 나비 힐은 힐라리아가 살아 있다는 증명이었으니까. 에벤에셀이 나비의 날개를 부드럽게 어루만졌다. 여전히 나비에게 남아 있는 온기가 미약하게나마 느껴져 에벤에셀이 숨을 천천히 내쉬었다.

'살아 있어…….'

***

'오랜만이네.'

이렇게 황녀의 정복으로 갈아입고 화려하게 치장한 건 정말 오랜만이었다. 애초에 프로이턴으로 돌아온 것도 간만이었으니. 메일린이 프로이턴 황성 회랑을 느릿하게 걸었다. 그동안은 병을 핑계로, 혹은 제국을 여행한다는 거짓말을 하며 윈프리드에서 무기 중개상 일을 했다.

고틀리프에는 일전에 프로이턴으로 유학 왔었던 친구가 살고 있었다. 그자의 도움을 톡톡히 받았다. 그자는 고틀리프에서도 뒷골목의 왕으로 불리는 자였다. 윈프리드의 정세를 알고 일부러 그를 이용해 무기를 팔아 쌓은

부가 막대했다.

애초에 황제가 에벤에셀과 메일린의 정략혼을 염두에 두고 있다고 말하지만 않았어도 메일린이 윈프리드를 표적으로 삼지 않았을 것이다. 윈프리드가 망하면 황제가 그런 생각 자체를 못 할 테니. 프로이턴은 철저한 자본주의였다. 황제의 자리마저 돈으로 살 수 있다는 소문이 나돌았다. 메일린은 윈프리드에서 번 돈으로 황제의 자리를 살 생각이었다.

하지만, 그 전에.

힐라리아는 메일린에게 그녀가 무탈하게 황제가 될 수 있도록 돕겠다고 말했다. 다른 황위 후보들의 약점이 무엇인지 알고 있노라고. 쉬운 길이 있으면, 쉬운 길로 가야지. 하니 힐라리아는 살아 돌아와야 한다.

"황녀께서 드십니다."

"들라 이르게."

황제의 집무실 문이 열렸다. 가장 높은 곳에 앉아 아래를 굽어보는 모습이 오만하고 고귀하다. 그리고 메일린은 고귀한 자리를 열망하고 있었다. 불꽃이 일렁이는 눈으로 제 아버지를 바라보던 메일린이 간신히 눈을 떼어냈다.

"아버님."

"그래, 메일린. 그동안 여행을 하고 있었다고는 들었다. 잘 다녀왔느냐?"

"예. 많은 것을 보고, 느끼고, 배웠습니다."

메일린이 고개를 조아렸다.

"무엇을 배우고 느꼈는지 말해보라."

다정한 음성이 들려왔다. 지금이다. 메일린이 심호흡을 하며 살갑게 웃었다. 황제를 향해 내딛는 한 걸음, 한 걸음이 무거웠다.

"아버님, 저는 세 왕국연합에 대해 수많은 고찰을 해보았습니다."

"세 왕국연합?"

"예, 아버님. 오이겐과 사리프, 오스발트까지. 그들은 본토를 탐내고 훗날엔 우리 프로이턴마저 욕심낼 탐욕스러운 자들이었습니다."

"하고 싶은 말이 있는 모양이구나, 메일린."

"이번에는 윈프리드의 손을 들어주십시오, 아버님."

"다음에는 윈프리드가 우리의 손을 들어줄 것 같으냐? 그들이 세 왕국연합의 뿌리임을 잊어선 안 돼."

메일린은 그녀가 보고 겪었던 일들을 털어놓을 때가 되었다는 걸 깨달았다. 품에 숨기고 있던 이복형제들의 치부책을 황제의 책상 위에 올렸다.

"……메일린."

황제의 한숨이 깊어졌다.

"꽃으로 살라고 하지 않았느냐. 그냥 힘들지 않게 사랑받으며 살라고 하지 않았어."

"그렇게 말씀하셨지요. 저를 비롯한 모든 황녀에게. 하지만, 저는 다릅니다, 아버님. 그리 살고 싶지 않아요."

메일린이 황제를 향해 한 걸음 더 내디뎠다.

"사실은 윈프리드에 다녀왔습니다."

"……흐음."

황제가 불편한 침음을 흘렸다.

하지만, 이미 내던진 패다. 메일린은 더 이상 물러설 수가 없었다.

"못마땅하셔도 어쩔 수 없어요, 아버님. 저는 이미 다녀왔고……. 사실 윈프리드에 배울 점이 있다는 건 아시잖아요. 굴곡진 역사를 딛고도 여전히 제국의 칭호를 달고 있을 만큼 강대국이니."

황제가 침묵으로 동의했다.

메일린이 안도의 한숨을 짧게 내쉬고는 앞으로 나섰다.

"그곳에서 저는 저보다 아름다운 꽃을 보았어요."

"……."

"꽃이되 검보다 더 강한 사람이었습니다."

메일린이 입술을 축였다. 메일린이 힐라리아의 감시를 당하듯 그녀 또한 힐라리아를 감시했다. 그녀의 행적을 좇으며 메일린은 몇 번이고 감탄했다. 이런 황제가 되어야지, 이렇게 강한 사람이 되어야지. 수도 없이 생각했다.

"다른 이가 짠 계략도 자신의 것으로 만드는 담대함과 실행을 망설이지 않는 용기, 자신의 사람을 대하는 태도, 내 사람으로 만드는 방법, 책임감. 그녀를 이루고 있는 모든 요소가 감동적이었습니다."

"그게 누구였느냐?"

"힐라리아 기네비어 윈프리드. 기네비어의 공주이자 에벤에셀 황제의 총애를 독차지한 사람이었어요. 그녀를 알게 된 사람은 모두 홀린 것처럼 빠져들더군요. 그 이유가 궁금했습니다. 그런 사람이 되고 싶었고요."

"대신 지금은 오스발트에 포로로 가 있지 않느냐. 그게 꽃처럼 살지 못한 대가다. 황실에서 쫓겨나 위험한 곳으로 가지 않았느냐."

메일린이 가만히 고개를 저었다. 이어 책상 위에 놓인 황제의 손을 맞잡았다.

"이 전쟁에서 윈프리드가 승리한다면 그건 전부 힐라리아 덕분일 겁니다. 그녀는 자처해서 오스발트로 갔으니까요. 원했기에 누명을 뒤집어썼고 황제는 그녀를 붙잡지 못한 겁니다. 내쫓은 게 아니라요."

"……크흠."

황제가 머리를 짚었다. 사실 메일린만큼 적격자가 없다는 사실은 알고 있었다. 그녀는 똑똑했고 판단력이 있었으며 스스로의 것을 지킬 줄 아는 강단이 있었다. 게다가 시류를 읽을 줄 아는 능력은 배우는 게 아니라 타고나는 것 아니던가. 메일린에겐 그게 있었다. 그의 다른 후계자들이 수많은 비리를 저질러 왔다는 걸 인지하고는 있다.

"하지만……."

"제가 최선이라는 걸 아시지 않습니까, 아버님. 최악을 피해 차악을 고르는 선택을 하지 마십시오. 최선을 선택하세요."

메일린이 간청했다.

"윈프리드를 도와 세 연합을 압박하시고 그들에게 빚을 얹어주십시오.

힐라리아는 빚을 잊을 사람이 아닙니다."

"메일린⋯⋯."

황제가 고개를 떨구었다. 프로이턴도 그동안 대륙의 정세를 지켜보고 있었다. 메일린의 말대로 윈프리드가 승리하게 된다면⋯⋯. 프로이턴의 다른 멍청한 후계자들이 세 연합은 이길 수 있을지 모르겠지만, 윈프리드는 이기지 못할 것이다.

"네 말대로⋯⋯ 최선이 필요할지도 모르겠구나."

황제가 읊조렸다.

책상 위에 올려져 있던 종을 울리는 황제의 눈동자가 어둡게 침잠했다.

"예, 폐하."

부름을 받은 시종이 들어왔다.

"제독을 불러들이게. 각 가문에 연락을 돌려 사병들을 차출하고 기사단을 결집시키게."

"⋯⋯예, 폐하."

메일린의 눈에 눈물이 차올랐다. 그만큼 가슴 벅찬 순간이었다.

황제가, 메일린의 손을 들었다.

'드디어⋯⋯.'

힐라리아, 나는 당신과 이야기한 대로 황제가 됐어.

이제, 그대가 돌아와서 빚을 갚을 차례야.

***

한편, 오스발트의 왕성.

"뭐, 뭘 하시려고요?"

케이티가 경악해서는 물었다.

"쉿."

힐라리아가 검지를 입술 앞에 세우고는 생긋 웃었다. 창문 밖으로 고개를 내민 힐라리아가 주변에 아무도 없다는 걸 확인하고는 난간 위에 앉았다.

"잠시 다녀올 테니까, 여기 있어."

"……저, 저도 데려가세요!"

"왕이 찾으면 내가 아프다는 말을 해줄 사람은 있어야지."

힐라리아가 냉소했다. 파렴치한 곤드레스를 생각하면 분노가 치솟는 까닭이었다. 힐라리아가 심호흡을 하고는 난간 밖으로 몸을 던졌다.

'꺄아아아악.'

케이티가 입을 막은 채로 비명을 내지르곤 헐레벌떡 난간으로 뛰었다.

'흐윽. 힐라리아니이이이임……'

***

베아트리체의 지휘 아래 그들 일행은 세 무리로 갈라졌다.

베아트리체와 제이나, 요한은 오스발트에 남았고 발 빠른 릴리와 제이나의 오빠, 골리엇은 가장 먼 오이겐으로 떠났다. 마지막으로 여타 기사들과 어린 요셉은 사리프로 향했다.

베아트리체와 제이나, 요한이 남은 것은 힐라리아를 돕고 그녀와 연락을 지속하기 위해서였는데 셋 중엔 가장 안락한 조합이었다.

일단, 릴리와 골리엇은.

"으아아아악! 처, 천천히!!!"

"이걸 빠르다고 하시면 어떡합니까! 우리는 최대한 빨리 다녀와야 하는데! 남자가 이렇게 허약해서야!"

"로, 로마노프는 배 위에서 강한! 우우우욱!"

"꺄악! 뭐 하시는 거예요!"

푸드드득- 어둠에 잠들어 있던 새들이 갑작스러운 소음에 날아올랐다.

그리고 커다란 푸른 늑대도 퍼뜩 날아올랐다. 늑대의 주둥이에는 축 늘어진 성인 남성이 물려 있었다.

그리고 요셉과 기사들은.

"……음, 저 꼬맹아?"

요셉은 사람과 대화를 많이 해보지 않았는지 또래보다 말이 어눌하고 의사 표현도 서툴렀다. 뭐가 그렇게 무서운지 덜덜 떨며 뒤를 돌아보기 일쑤였고 조금만 큰 소리가 들리면 주변에 불을 놓았다. 요한이 한 말이 딱 들어맞았다.

'**통제 안 되는 망아지 녀석이라고 생각해도 좋아. 아, 아니다. 폭탄?**'

기사들이 조심스럽게 주머니를 뒤적여 사탕을 꺼냈다.

단 걸 좋아한다고 했으니까…….

"이걸 먹을래?"

"응! 좋아!"

요셉이 고개를 끄덕였다.

그리곤 사탕을 다 먹기 무섭게 다시 경계 모드로 돌아가는 것이다.

"요한 어디 갔어?"

똑같은 말만 되뇌며.

"……사탕 하나 더 먹을래?"

"응! 좋아!"

불안하다……. 기사들이 눈을 마주쳤다.

***

그들이 그렇게 곤란한 일을 겪고 있을 때 베아트리체는 힐라리아에게 그들이 무사히 국경을 넘었다는 사실을 알렸다. 릴리는 늑대로 변할 수 있으니 빠르고 오래 달릴 수 있었고 요셉은 다루긴 힘들지만, 뛰어난 마법적 능력을 가지고 있었다. 그들은 임무에 실패하지 않을 것이다.

"그럼 우린 이제 뭘 하면 될까?"

제이나가 베아트리체에게 편히 물었다. 같이 길을 떠나오면서 많이 친해진 덕이었다. 베아트리체가 어깨를 으쓱했다.

"그건 우리가 결정하는 게 아니야. 분명 힐라리아가 뭔가를……. 저기 봐."

왕성에 불꽃이 치솟았다.

밤을 밝히는 거대한 불이 연기와 함께 하늘을 수놓고 있었다.

"뭔가 할 거라니까……."

베아트리체가 허탈한 한숨을 내쉬었다. 기어이 못 참고 일을 저지른 모양이다. 저 위치면 아마도 오스발트의 군량미가 있는 곳일 테다. 이미 세 연합의 군대는 기네비어 쪽으로 결집하고 있었다. 군대는 이동을 시작했는데 그 뒤를 뒷받침해줘야 할 물자를 잃은 것이다.

"우리는 힐라리아를 기다리면 돼."

"……대단한 사람이네, 여전히."

제이나의 눈동자에 새빨간 불꽃이 비쳤다. 그 불꽃이 왜인지 힐라리아처럼 여겨졌다. 더 이상 위험한 일은 안 했으면 좋겠는데…….

"늘 긴장하고 있어야겠어. 요한."

"네."

불구경을 하고 있던 요한이 대답했다.

"왕성 지하로 잠입하는 마법진은 아직인가?"

"좌표를 제대로 구하질 못해서요. 조금만 시간을 주시면……."

"저길 봐. 지금 조금만 시간을 줄 수 있는 상황인지."

베아트리체가 불이 난 곳을 턱짓했다. 이럴 때는 약간 답답했다. 연금술을 익힌 베아트리체와 마법사가 구사할 수 있는 마법진은 판이하게 달랐다. 차라리 직접하고 있으면 마음이라도 편할 텐데.

요한이 입술을 삐죽이며 말했다.

"최선을 다 하고 있어요."

"불만이 생길 것 같으면 황제를 생각해. 저기에 그가 가장 사랑하는 사람이 있다고."

"아……."

갑자기 없었던 비장함이 생긴 요한이 고개를 끄덕였다.

"이 일에 걸려 있었던 것 중에 제 목숨도 있었군요."

뒤늦은 깨달음이었다.

***

"하아아아……."

다리가 풀린 케이티가 풀썩 주저앉았다. 힐라리아의 어깨엔 정령의 날개가 달려 있었다. 정령들의 비호를 힘입어 밤의 장막에 몸을 감춘 채로 하늘을 고고히 비행하고 있었다.

"저런 건 또 언제 익히신 거야……."

케이티가 눈물을 꾹 눌러 닦고는 침대 쪽으로 달려갔다. 침대에 베개를 늘어놓고 이불을 덮어 누군가가 누워 있는 것처럼 위장했다. 오스발트의 기후에 적응하느라 열병이 나 앓아누웠다고 말해둔 참이었다. 물론, 힐라리아는 기후에 적응하지 못해 아플만한 사람이 아니었지만.

시녀들은 힐라리아가 약을 먹고 잠드는 것을 확인하고는 방을 빠져나갔다. 물론, 힐라리아가 먹은 쓸모없는 약은 불의 정령들이 깔끔하게 태워버렸을 것이다. 케이티가 다리를 떨다가 불안감에 침대보를 매만졌다.

"으으……."

그러고는 괜히 힐라리아의 마석이 든 주머니를 만지작거렸다가 방 안에 잔류하고 있던 정령들을 노려보기도 했다. 마치 그들이 힐라리아라도 된 것처럼.

그리고 얼마나 지났을까. 똑똑. 누군가 문을 두드렸다. 꼭 이럴 땐 오지도 않던 이들이 찾아오는 법이다. 케이티가 침을 꿀꺽 삼켰다.

"힐라리아 공주, 나예요. 루이지나."

루이지나라면…….

'왕비잖아!'

케이티가 울상으로 발을 동동 굴렀다. 대체 힐라리아는 지금 이 밤에 어딜 간 것인지 모르겠다. 그만한 힘을 쓰려면 마석을 아주 수십 개를 갈아 마셔야 할 텐데. 이러다가 들키는 건 아닐까? 그만한 힘을 썼다는 건 무언가 계획을 앞당기기로 했다는 건데, 그게 뭔지를 모르겠다.

'제발 저한테 말씀 좀 해주시지…….'

언제 돌아올지, 무엇을 하고 돌아올지 가늠할 수 없는데 이 상황을 어떻게 타개해야 한단 말인가. 케이티가 벌떡 일어나 욕실로 향하는 불을 켜고는 욕조에 물을 콸콸 틀었다. 그리곤 정리해두었던 침대를 헝클이고는 물컵에 물을 받아다가 침대에 골고루 뿌렸다. 케이티가 문을 열었다. 무언가 못마땅한 얼굴을 한 오스발트의 왕비가 그 앞에 서 있었다.

"……기네비어에서는 예절 교육도 시키지 않는 모양이군. 감히 왕비를 기다리게 하다니."

왕비가 케이티를 밀치고 안으로 들어왔다.

"……어디 갔지?"

"욕탕, 욕탕 안에 계십니다."

"아프다면서? 시녀들에게 그리 전해 들었는데."

"여, 열이 나시어 땀을 많이 흘리신 터라 목욕을 잠시 하고 싶다고 하셔서요."

루이지나가 침대 쪽을 힐끗 보았다. 여기저기 젖어 있는 게 보이긴 했다. 루이지나가 눈살을 찌푸리고는 욕실로 시선을 던졌다.

"언제쯤 나오는 거지?"

"어…… 여쭤볼까요?"

힐라리아가 욕실에서 나올 때까지 기다리겠다는 의지를 표명하는 왕비를 보며 케이티가 침을 삼켰다. 루이지나가 이마를 짚고는 소파에 앉았다.

'으……. 어떡해…….'

케이티가 욕실로 들어가 텅 빈 욕실을…….

"히, 힐라리아 님……!"

"뭘 그렇게 겁먹고 있니?"

힐라리아가 욕조 난간에 앉아 생긋 웃으며 높이 묶었던 머리를 끌러 내렸다. 그녀가 손을 맞부딪히니 힐라리아가 입고 있던 옷들이 정령의 힘으로 타들어 가기 시작했다. 옷이 아무것도 남지 않았을 때, 힐라리아가 욕조에 몸을 담갔다. 난간에 팔을 걸친 힐라리아가 케이티에게 손짓했다.

"나가서 입을 옷이나 가져오렴."

여유롭고 느긋한 말에 케이티가 울컥했다.

그래도 시간 맞춰 와준 게 고마워서 케이티가 크게 고개를 끄덕였다.

"이것 드시고 계세요. 눈이……."

"아."

케이티가 주머니에 숨겨두었던 마석 주머니를 내밀었고 힐라리아가 그것을 한 입에 털어 넣었다. 금빛으로 일렁이던 눈이 도로 푸른빛이 되었다.

"곧 나오신답니다, 왕비 마마."

케이티가 욕실 밖으로 나가며 외쳤다. 케이티의 뒷모습을 지켜보던 힐라리아가 긴 한숨을 내쉬곤 욕조 난간에 몸을 기댔다. 눈을 깜빡이며 뿌연 수증기를 응시했다. 베아트리체에게 전해 듣기로 다들 국경을 벗어났다고 했다. 곧이어 사리프와 오이겐의 군량미와 무기들도 불타버리겠지.

힐라리아가 먼저 나선 것은 의심을 피하기 위함이었다. 물론, 지금 이 사건으로 힐라리아를 추궁하겠지만, 확신은 못 할 것이다. 하지만 두 번째, 세 번째가 되면? 확신이 없더라도 힐라리아를 범인으로 모는 이들이 많아질 테니 힐라리아는 첫 번째여야 했다. 그리고 마지막 불꽃이 피어오르기 전에 무기 창고를 태우고 이곳에서 도망쳐야 한다.

물론, 곤드레스의 목과 함께. 힐라리아가 비릿한 미소를 지었다. 그거에 비하면 밖에서 그녀를 기다리고 있는 루이지나는 아무것도 아니다. 힐라리아가 욕조에서 몸을 일으켰다. 적당히 열이 오른 볼을 톡톡 두드리고는 케이티의 도움을 받아 옷을 걸쳤다.

"어때 보이니?"

숨죽여 묻는 말에 케이티가 고개를 저었다.

"뭐든 공주님만큼은 아니세요."

"나보다 안 예쁘다는 거지?"

"……예에."

케이티가 입술을 삐죽이고는 문을 열었다. 루이지나는 처음에 본 그대로 신경질적인 인상을 지니고 있었다. 하긴. 제 남편의 바람기가 그 정도라면 저런 강퍅한 성정을 가질 만도 하지. 힐라리아가 제 스스로 수긍하고는 루이지나의 맞은편에 앉았다.

"기다리게 해드려 죄송합니다. 몸이 좋지 않아서……."

아픈 척 이마도 한 번 짚었다. 힐라리아의 기선을 제압하겠다는 듯이 눈에 힘주고 있는 게 가엽다. 게다가 곧 있으면 온 왕성이 난리가 날 텐데 여기 와서 저러고 있는 게 조금 우습기도 했다.

"그러셨군요. 열이 아직도 많이 나시나 봅니다."

"그래도 많이 나아졌습니다. 신경 써주신 덕분에요."

"……내가 오늘 여기에 온 건 당부할 말이 있어서입니다."

왕비가 손에 쥐고 있던 유리병을 테이블 위에 올렸다.

"이게 무슨……."

"왕께서 공주에게 무슨 마음을 품고 있는지는 나도 똑똑히 보았습니다. 그러니 만일의 사태에 대비해야지요."

힐라리아가 눈살을 찌푸렸다.

"고생해 낳은 아이를 천덕꾸러기로 만들고 싶진 않을 거라고 생각합니다. 차라리 안 낳는 편이 낫지."

왕비가 서늘하게 미소 지었다.

"아."

저게 무엇인지 알아차리는 건 어렵지 않았다. 아마도 자궁을 망가뜨리는 약일 확률이 높았다. 힐라리아가 유리병 안에 출렁이는 액체를 보며 피식 웃었다. 그렇게 많은 후궁이 있는데 곤드레스에게 왜 아이가 적은지 그 비밀을 알 것 같았다.

'왕비가 유력한 가문의 딸이라고 했었나.'

아마도 이렇게 대놓고 행동하는 걸 봐서는 왕이 묵인하고 있다는 건데. 곤드레스 왕도 후계 구도가 복잡해서 좋을 게 없다는 걸 인지하고 있었던 모양이다. 힐라리아가 아래로 눈을 내리깔았다.

지금 이 상황이 우습기 짝이 없다. 밖은 전쟁으로 난린데 안에서는 이런 우스운 짓거리나 하고 있다니. 여전히 왕을 놓고 총애를 다투고 제 욕심을 채우기 위해 반인륜적인 행위도 서슴지 않는다. 이들의 행동에서 힐라리아는 한 가지 사실을 깨달았다. 오스발트의 그 누구도 전쟁을 두려워하지 않으며 그들이 질 거라는 생각을 하지 않는다.

'대단한 자신감들이로군그래.'

그녀마저도 죽음을 각오하고 이 자리에 서 있는데 말이다. 대체 무엇을 믿고 이렇게 날뛰는 것인지. 아, 여태까지의 일이 너무 잘 풀려왔던 건가?

'지금부터는 아닐 텐데.'

밖에서 고함 소리가 오가는 게 창문을 넘어 힐라리아에게까지 들렸다. 나비들이 이야기하길, 불을 끄기 위해 물을 끌어오고 있지만 속수무책이라고 한다. 정령들의 불은 그리 쉬이 꺼지는 게 아니다. 이 시기에 저만한 식량을 어디서 구하겠는가. 힐라리아가 비소를 흘리며 유리병을 손에 쥐었다.

이들은 두려움을 모르니 오만하여 지게 될 것이다. 그러니 이런 약쯤은 얼마든지 마셔줄 수 있었다. 잠시나마 이들의 의심을 피할 수만 있다면 더더욱.

"왕비 마마의 뜻이 그러시다면 제가 이걸 마셔야지요."

힐라리아가 약병을 열었다.

그녀의 손 주변에 들러붙은 나비들이 빠르게 날개를 파닥였다.

[왜 자꾸 독을 마셔!]

[이건 정말 안 좋아, 응?]

이 약이 안 좋다고 한들 지금 이 상황만 하겠는가. 힐라리아가 약을 피해서 안 먹는다면? 왕비는 왕에게 뭐라고 떠들어댈까.

'힐라리아 공주는 왕을 침실에 들일 생각이 없어 보입니다. 그렇다면 다른 목적이 있지 않을까요?'

그렇게 떠들어 대지 않을까? 힐라리아가 유리병을 기울였다.

"한동안 몸이 좋지 않을 겁니다. 왕을 모시지 못하시겠지요."

힐라리아의 목으로 액체가 넘어가는 것을 확인한 루이지나가 활짝 웃었다. 이렇게 그녀의 아이의 미래를 지켰다는 생각에 뿌듯했다.

"하아. 염두에 두겠습니다, 왕비 마마."

"오늘은 푹 주무세요."

"염려 감사합니다."

힐라리아가 생긋 웃었다. 이제 볼일은 다 끝났다는 듯이 왕비가 침실을 나갔다. 힐라리아가 부글부글 끓는 배를 끌어안았다.

"왜, 왜 그렇게……."

케이티가 달려와 힐라리아를 끌어안았다. 겁도 없이 왜 그런 걸 마시냐고 타박하고 싶은데 상황을 지켜본 케이티로서는 할 수 없는 말이었다. 힐라리아는 언제나 최선을 다하고 있었다. 지금 힐라리아의 선택도 아마 최선이었을 것이다.

"살아남아만 달라길래……."

힐라리아가 피식 웃었다. 자꾸 그녀를 붙드는 이들이 있어서 이 목숨을 놓을 수가 없기에. 최악 대신에 차악을 선택하는 길을 걷는 중이었다. 이곳을 빠져나가 윈프리드로 돌아가기 위하여.

"……얼른 이 지긋지긋한 전쟁이 끝났으면 좋겠어요."

"나도……."

힐라리아가 입술을 달싹여 대답했다. 짜릿한 열감이 몸을 휘어 감았다. 힐라리아에게 침투한 독과 싸우는 정령들의 불이 몸을 들쑤셨다. 핏줄이 가닥가닥 일어서는 느낌이었다. 배를 찢어 갈기는 것만 같은 고통 속에서 힐라리아가 눈을 감았다. 그녀가 마지막으로 떠올린 것은.

'지킬 기회를 줘…….'

'사랑해.'

끝까지 힐라리아에게만큼은 착해빠졌던 에벤에셀의 얼굴이었다.

'보고 싶어…….'

힐라리아가 한숨을 길게 내쉬었다. 그의 품에 안겨 오늘 있었던 일을 재잘재잘 떠들고 나면 아무 일도 아닌 것처럼 여겨질 것 같았다. 매일같이 곤드레스에게 성희롱을 당하고 그것을 감내해야 했던 일들. 군량미에 불을 지르고 돌아와 독약을 마셔야 했던 일들. 그런 것들 말이다.

에벤에셀은 아마도…….

'왜 자꾸 위험한 일을 하는 거야, 힐. 나는 보이지도 않아?'

그렇게 타박할 테고. 그러면, 그러면 힐라리아는…… '그럼 에벤에셀이 나를 지켜줘. 내가 다친다면 에벤에셀 탓이야.'라고 속삭이겠지.

힐라리아가 그리운 날을 떠올리며 눈을 감았다.

***

네이선이 손에 쥔 병을 꾹 움켜쥐었다. 지난밤을 한숨도 자지 못하고 앉은 모습 그대로 보냈다. 차가웠던 병이 따뜻해질 때까지 쥔 채로, 그렇게.

에벤에셀이 황태후의 목숨을 요구했다. 그것도 그녀의 자식에게.

한데 이것 또한 황태후와 네이선에 대한 자비임을 알기에 네이선은 그 어떤 불평도 할 수 없었다. 황태후의 품위를 지켜주는 일 아닌가. 황태후는 그 누구에게도 자신의 목숨을 내맡기지 않은 채 고고하게 죽을 수 있는 기회를 얻었다. 설령 그것이 네이선의 속을 파먹는 일이라도.

침잠한 네이선의 눈이 유리병 속의 액체에 못 박혔다. 수도 없이 고민했다. 차라리 이 액체를 네이선이 먹는다면 더 이상 황태후가 욕심을 부리지 않을 텐데. 그렇게 되면 에벤에셀도 황태후를 살려주지 않을까 하는, 생각.

하지만, 스베인의 말이 네이선의 마음을 무겁게 짓누르고 있었다.

'더 이상 황제 폐하의 자비를 기대하지 마십시오. 시키신 대로만 하시면 됩니다. 시키신 대로만.'

오직 그것만 용인하겠다던 그 차가운 시선이 네이선을 지켜보는 듯했다. 라리나와 네이선을 살려주는 대가.

이 일엔 네이선뿐만 아니라 라리나의 목숨도 걸려 있었다.

"라리나……."

그 애만큼은 살게 해주고 싶었다. 그리고 아주 솔직히 이야기하자면 네이선 또한 살고 싶었다. 여태껏 황태후에 의해 재단되어 왔던 삶 아닌가. 스스로의 선택으로, 스스로를 위해서 살아보고 싶었다.

'이기적이긴. 불효막심하군, 네이선.'

스스로를 비난하면서도 그러한 마음을 놓을 수 없는 건 네이선 그 또한 인간이기 때문이리라. 떠오른 햇빛의 찬란함 앞에 추악한 인간의 본심이 드러난 것이다. 네이선이 손가락으로 독약이 든 병을 천천히 쓸었다.

그 위로 눈물이 번졌다.

"……."

이 순간 떠오르는 얼굴은 힐라리아도, 그 누구도 아닌, 베아트리체였다.

'우리 괜찮은 친구가 될 수도 있을 것 같아서요.'

햇살만큼이나 따뜻한 사람이었는데……. 음침하고 외로운 네이선과는 어울리지 않는 사람이었다. 그런 사람이 잡아준 손으로 어머니를 죽여야 한다. 배덕감이 네이선을 진창으로 끌어내렸다. 아마도 이게 아무 말도 하지 못하고 황태후에게 끌려다니던 네이선에게 주는 벌인가 보다.

"……라리나 시벨로프를 불러주게."

네이선이 잔뜩 갈라진 목소리로 말했다.

***

"이런, 미친 프로이턴 개자식들. 받아먹은 게 얼만데 이제 와서……."

세 왕의 회의에서 가장 중요한 의제로 떠오른 것은 프로이턴이었다. 프로이턴의 기사들이 아래서부터 치고 올라와 압박을 가하고 있었다. 마치 작정한 것처럼 국경을 넘어 오이겐과 사리프의 군대를 쫓아내고 있었다. 프로이턴의 군대는 그들을 침략하는 것보다는 몰이하는 것에 중점을 둔 것처럼 굴었다.

"윈프리드와 프로이턴이 손을 잡은 정황이 있었습니까?"

곤드레스의 물음에 오이겐의 왕이 고개를 저었다. 가장 인접한 오이겐에서 프로이턴으로 간자를 보낸 것은 오래된 일이었다. 그들은 꾸준히 연락을 취해왔기에 프로이턴의 정세를 속속들이 알 수 있었다. 프로이턴이 근자에 윈프리드와 은밀한 연락을 주고받았다는 이야기는 없었다.

다만, 프로이턴의 후계 구도가 바뀌었다는 이야기는 들었다.

메일린 황녀가 새로운 후계자가 된 것이다.

"메일린 프로이턴이 친 윈프리드 정책을 펼치려나 보군요."

곤드레스가 입술을 끌어 올렸다. 프로이턴 황제의 마음을 움직일 정도였으면 메일린이 대단한 무언가를 손에 쥐고 있다는 것일 텐데…….

세 왕국 연합이 뒤에서 몰래 지원하고 있던 2황자가 완전히 실각했다는 소식도 들려오고 있었다. 황제는 메일린에게 완전히 힘을 실어주기로 한 것인지 고작 하루 만에 다른 후계자들을 모두 잡아들여 유배지로 보냈다. 명백한 죄목이 있어 반박하지도 못하는 상태로 끌려갔다고 들었다.

"……우리가 윈프리드와 전쟁을 치르는 동안 프로이턴이 태세를 전환해 공격해온다면 오이겐은 버텨낼 힘이 없습니다. 오이겐의 군대는 돌려야 합니다."

오이겐 왕의 주장은 타당했다. 그들이 친 윈프리드 정책으로 돌아섰다면 언제든 태세를 전환해 오이겐을 공격할 수 있었다. 오이겐부터 먹혀들어 간다면 그다음은 사리프, 오스발트다. 항상 여유롭던 오스발트 왕의 표정이 싸늘하게 굳었다.

"좋습니다. 오이겐의 군사를 돌리세요."

쉽지 않을 거라고 예상은 했지만, 막상 이런 반격을 당하고 나니 속이 쓰린 건 어쩔 수 없었다. 그나마 지금 이 순간 위안이 되는 건 루이지나가 건넨 독약을 먹고 앓아누웠다는 힐라리아였다. 그 대단한 황제, 에벤에셀이 잃어버린 보석을 그가 가지고 있다는 사실이 곤드레스를 들뜨게 만들었다.

밤사이 불타버린 군량미도 왕국민들을 박박 긁으면 어떻게든 충당하게 되어 있다. 나라가 있어야 국민이 있는 거 아닌가. 그들이 굶어 죽어도 그들의 후세는 살아갈 테니 감사하게 생각할 일이다.

"그리 힘든 상황은 아닙니다. 우리의 군대가 분산되듯 윈프리드의 군대도 분산되어 있으니까요. 그들이 전부 집결하기 전에 기네비어를 치면 됩니다."

"하지만……."

"걱정하지 마세요, 여러분. 우리에겐 기네비어의 공주가 있습니다. 언제고 최고의 인질이 되어줄 사람 아니겠습니까?"

곤드레스의 눈이 잔혹하게 빛났다.

언제든 힐라리아를 앞세워 전쟁터에 뛰어들 수 있는 사람처럼.

***

힐라리아가 나른한 숨을 내쉬었다. 독약에 의한 열감으로 체온이 올라간 상태라 그런지 평소보다 좀 더 멍했다.

[또 독약을 먹었다면서?]

대체 어떻게 안 것인지 힐라리아 주변을 맴돌며 잔소리하는 베아트리체만 아니었다면 잠들었을지도 모를 일이다. 힐라리아의 정령들은 힐라리아에 대한 충성심도 없는지 곧잘 베아트리체에게 몸을 빌려주곤 했다.

[⋯⋯미아 님에게⋯⋯ 했으니까⋯⋯.]

그럼에도 베아트리체의 목소리가 점차 멀어졌다. 힐라리아가 침대에 누운 채로 천천히 눈을 감았다. 몸이 뜨겁다. 이대로 타버릴 것처럼.

[하아⋯⋯.]

그래서 힐라리아는 베아트리체가 하는 말을 듣지 못했다. 만약, 끝까지 들었더라면 안간힘을 써서라도 깨어 있었을 텐데. 힐라리아를 돌보고 있던 케이티가 방 안을 채우는 물의 힘에 굴복해 무릎을 꿇었다. 헬레나미아가 힐라리아의 정령의 몸을 빌려 이 자리에 강림한 것이다.

"헬레나미아 님⋯⋯!"

"이 아이는 아직도 무모하여 용감하구나. 여전히."

헬레나미아의 서늘한 손바닥이 힐라리아의 머리를 쓸었다. 사실 무모한 용기를 부린 건 헬레나미아도 마찬가지였다. 하지만, 사지에서 독약을 먹고 앓고 있다는 딸을 외면할 수는 없었다. 헬레나미아의 불안정한 신형이 일렁였다.

"감시하는 자들은 없는 거니?"

"힐라리아 님이 아프다는 걸 확인한 이후로는 모두 물러갔습니다."

애초에 힐라리아를 모시기 위해서가 아니라 감시하기 위해서였으니 움직이지 못하는 힐라리아를 두고 잠시 자리를 비운 것이다. 헬레나미아가 힐라리아의 침대 곁에 앉았다. 헬레나미아의 힘이 스며들어 간 덕에 힐라리아의 표정이 조금이나마 편안해졌다.

"내가 해줄 수 있는 건 고작 이런 것뿐이구나."

쓸쓸한 미소가 헬레나미아의 입가에 맴돌았다. 과거의 일로 힘이 반절 소실된 이후로 이렇게 공간을 넘나드는 것도 힘에 부쳤다. 지금도 몸의 형태를 유지하고 있는 게 힘들었다. 그럼에도 안간힘을 다해 윈프리드와 기네비어를 지키려고 하는 힐라리아의 얼굴이나마 보고 싶었다.

"힐라리아……."

헬레나미아가 식은땀이 송골송골 맺힌 힐라리아의 이마에 입을 맞췄다.

"보고 싶었단다. 너를 황성으로 보낸 이후로 한 번도 제대로 잠든 적이 없었지……."

지금쯤 기네비어와 윈프리드의 연합 본진에 있을 길리어스도, 황성에서 에벤에셀과 임무를 수행하고 있을 위베르도 걱정되긴 매한가지였으나 힐라리아만큼은 아니었다. 힐라리아는 끝을 본 아이였다. 게다가 헬레나미아를 가장 닮은 딸이었다.

최선을 선택하기 위해서 노력하고 있을 위베르나 길리어스와는 달리, 힐라리아는 최악을 피하고 차악을 선택하기 위해 노력할 게 뻔했다. 스스로를 갉아먹어서라도, 제가 따르는 정의를 위해서라면 그러고도 남을 아이였다. 헬레나미아가 서글픈 미소를 머금은 채로 힐라리아를 보듬었다. 야윈 뺨을 매만지는 손길은 애틋하기 그지없어 케이티의 눈시울을 붉어지게 할 정도였다.

"그만 아파야지?"

나지막하니 부드러운 목소리와 함께 헬레나미아에게서 시원한 푸른빛이 쏟아져 힐라리아에게로 흘러들어 갔다. 현신할 정도로 끌어모은 힘을 전부 힐라리아에게 불어넣은 것이다. 헬레나미아의 몸이 다시 기네비어로 돌아가는 듯 새파란 빛으로 흩어지기 시작했다. 마지막까지 힐라리아에게서 눈을 떼지 못하던 헬레나미아는 딸의 숨결이 편안해지는 것을 확인하고 돌아갔다. 마지막 빛 한 조각이 사라지고 나서야 힐라리아가 힘겹게 눈을 떴다.

"……어머니?"

작은 목소리로 웅얼거리며.

***

네이선의 부탁을 에벤에셀은 허락해주었다. 라리나가 입궁한 것이다. 엄중한 감시 속에 있는 네이선의 궁에 라리나가 도착했다. 홀로 방 안에 웅크리고 있던 네이선이 라리나의 발소리를 듣고서야 고개를 들었다.

"……오셨네요, 이모님."

"다 알고 있으면서……. 그렇게 부르지 마, 네이선."

네이선이 애달프게 웃었다. 베아트리체에게 사실을 털어놓을 적에 이미 직감했었다. 머지않아 라리나도 그들의 추악한 진실에 대해서 알게 될 것이라고. 그리고 라리나의 창백한 얼굴과 붉은 눈두덩을 보아 그녀도 모든 사실을 알게 되었다는 걸 알아차렸다.

착하고 정의로운 라리나는 아마도 힐라리아와 윈프리드의 손을 들었을 것이다. 선택도 못 하고 질질 끌려 다니기만 하던 네이선과는 다르게.

"라리나……. 너는 선택을 했구나."

피곤하고 지쳐 보이는 얼굴임에도 홀가분해 보이는 것이 라리나의 마음 상태를 대변하는 듯했다. 라리나가 네이선의 손에 들린 약병을 물끄러미 보았다.

"정의를 위한 선택을 했지. 그런데 네게 주어진 선택지는 그리 정의롭지만은 않은 모양이야."

"그런 선택을 할 수 있는 기회는 이미 지나가 버렸거든."

그동안 에벤에셀은 네이선에게 수많은 기회를 주었다. 과거의 일이 벌어졌을 때도, 그가 유배지에 있는 동안도, 그리고 돌아오고 나서도. 에벤에셀은 네이선의 걸음에 제한을 두지 않았으니 언제든 그에게 백기를 내보이고 정의를 따르는 방법도 있었다.

하지만, 네이선은 선택하지 않았다.

언제는 욕심으로, 또 언젠가는 우유부단함으로, 그리고 언젠가는 발목이 붙잡혀서. 그런 기회를 놓치고 나니 독약이 손에 들어온 것이다.

"……네가 죽으라는 건 아닌 것 같고."

그랬다면 이미 죽었을 거라는 어조였다.

"……어머니께서 마실 독약인가 보네."

라리나가 어두운 얼굴로 중얼거렸다. 그 여상하고 담담한 어투는 언젠가 이렇게 될 줄 알았다는 것처럼 들렸다.

"라리나……."

"예상했었어. 힐라리아의 옆에서 세상을 보면서 내 세상이 산산이 부서 졌지. 나를 둘러싸고 있었던 요람은 전부 허상에 불과했던 거야. 타인의 희생을 그러모아 만든 허상. 그러니 그에 합당한 벌을 받으셔야겠지."

최대한 덤덤히 말하려 해도 서글픈 마음은 감출 길이 없어 붉어진 눈으로 눈물을 톡톡 흘려보냈다. 라리나의 손톱이 제 손바닥을 파고들었다.

"너를 부른 건, 그래도 어머니의 마지막을 봐야 할 것 같아서였어. 원한다면……."

"안 갈래."

라리나가 고집부렸다.

"보고 싶지 않아."

"라리나……."

"차라리 내가 아직까지 아무것도 모르고 있다고 생각하시는 게 속 편하실 거야."

네이선의 부름을 받고 수도 없이 고민했다. 어차피 고인이 될 황태후다. 마지막 가는 길이 힘겨울 텐데, 라리나마저 짐이 되고 싶진 않았다. 황태후를 보게 되면 그 앞에 엎드려 눈물을 터뜨릴 것만 같아 도저히 갈 수가 없었다. 네이선이 이해한다는 듯이 고개를 끄덕였다.

묻기 위해 라리나를 부른 것이지 그녀에게 강요하기 위해 부른 것이 아니었다. 라리나가 결정을 내렸다면 그 결과는 라리나의 몫이다.

"……다음에 봐."

조용히 뇌까린 라리나가 몸을 돌렸다. 찰칵- 그 소리는 네이선이 완전히 홀로 남겨졌음을 알리는 신호와 같았다. 네이선은 자신의 진심을 깨달았다. 라리나를 부른 건 그녀를 위해서가 아니라…… 스스로를 위한 것이었음을.

'비겁한 겁쟁이.'

이번에도 혼자 가는 게 두려워 타인을 끌어들이려 한 것이다. 네이선이 헛웃음을 지었다. 이렇게 유약하니 일을 이 지경까지 끌고 왔겠지만. 네이선이 무거운 몸을 일으켰다. 더 이상 미적거려봤자 누구도 네이선의 손을 잡아주진 않을 테니.

'이기심은 그만 부려.'

네이선이 스스로 문을 열고 나갔다.

* * *

먼발치에서 라리나가 네이선을 지켜보고 있었다. 말은 차갑게 했지만, 네이선을 혼자 보낼 수도 없었고 황태후의 마지막을 방관할 수도 없었기 때문이었다. 흔들리는 라리나의 어깨를 반에이크가 감싸 쥐었다.

"……울지 말라는 말은 못 하겠네."

허탈하게 중얼거리면서도 표정은 침착했다. 에벤에셀은 시벨로프의 남은 이들에게 평생 형벌이 될 선택을 했다. 하지만, 에벤에셀을 원망할 수도 없었다. 그것 또한 에벤에셀의 자비일 것이기에. 소리 없이 눈물을 흘리며 네이선의 뒤를 쫓는 라리나의 옆을 반에이크가 조용히 지켰다.

"……차라리 그곳이 편하실지도 몰라요."

라리나의 목소리가 한껏 떨렸다.

"욕심도, 굴레도 전부 두고 가실 테니……"

그건 스스로를 설득하는 거나 다름없는 힘없는 중얼거림이었다.

"그러실 겁니다. 이곳보다는 좀 더 따뜻한 곳일 테니."

반에이크의 대꾸에 라리나가 왕- 눈물을 터뜨렸다.

"흐으…… 어떡해요…… 어떡해…… 네이선도 불쌍하고……."

말은 안 했지만, 라리나의 착한 성정이라면 황태후를 향한 연민도 품었을 것이다. 그 욕심 끝에 이토록 비참한 죽음이라니. 하지만, 반에이크에게는 불쌍한 사람이 한 명 더 보였다.

"나는 당신이 가장 불쌍합니다. 울지 말아요……."

하지 않으려던 말을 기어이 하게 만드는 라리나.

라리나가 가장 불쌍했다. 아무것도 모른 채로 평생을 살다, 진실을 알게 된 이후에는 전부 잃게 된 그녀였으니. 반에이크가 한숨을 내쉬며 라리나의 머리 위에 손을 얹었다. 어떻게 위로해야 할지 모르겠다는 얼굴이었다.

'위로할 길이 있긴 한가.'

***

미리 에벤에셀의 전언을 들은 기사들이 네이선에게 길을 터주었다. 황태후가 갇혀 있는 맨드라미 궁을 주시하는 살벌한 감시가 온 피부로 느껴졌다.

'어머니……'

반평생을 황태후라는 긍지로 사신 분인데 얼마나 치욕스러우실까. 그조차도 자격이 없다는 걸 알지만, 그래도 한 핏줄이라 팔이 안으로 굽는 건 막을 수가 없었다. 네이선이 서글프게 웃었다.

허탈함이 공존하는 텅 빈 미소였다. 내딛는 걸음, 걸음이 무거웠다. 손에 들린 작은 약병은 그보다 더한 무게로 느껴졌다. 하지만 아무리 느린 걸음이라고 해도 끝에는 도달하는 법이다. 어느새 네이선은 황태후의 침실 앞에 서 있었다. 기사들이 가로막은 문을 물끄러미 응시하던 그가 말했다.

"열어주게."

네이선이 황태후의 침실에 발을 디뎠다. 몇 번이고 왔었던 곳인데 지금처럼 두렵게 느껴진 건 처음이었다. 스스로가 두려웠기 때문일까. 어느새 지고 있던 태양이 오늘의 마지막 붉은 빛을 흩뿌리며 침실을 비추고 있었다. 황태후는 방 한가운데의 의자에 앉아 밖을 보고 있었다. 네이선의 인기척을 알아차렸을 텐데도 그를 향해 고개 한번 돌리지 않았다.

"어머니……."

"……이제야 오는구나."

낮게 갈라진 목소리가 들려왔다. 몇 번이고 황태후가 네이선을 불러들였음에도 이제야. 황태후가 나지막한 목소리로 읊조렸다.

"나는 모든 게 우리 계획대로 되어가고 있다고 여겼는데, 우리가 에벤에셀의 계획대로 놀아나고 있더구나. 이게 깜찍한 힐라리아의 짓인지, 아니면 영악한 에벤에셀의 짓인지……. 여전히 구분이 가질 않아."

황태후가 눈을 가늘게 떴다. 여기에 감금된 이후로 해가 뜨고 지는 것을 가만히 쳐다만 보고 있었다. 모든 판세를 손에 쥐고 있다고 여겼는데 그녀의 자식들이 시벨로프와 황태후를 고스란히 에벤에셀에게 가져다 바쳤다. 머리가 차가워진 이후에야 이게 어떤 상황인지 제대로 인지할 수 있었다.

라리나와 힐라리아, 반에이크. 네이선과 베아트리체.

힐라리아의 사람들을 빼돌렸다고 생각했는데 역으로 그녀의 자식들을 고스란히 빼앗긴 꼴이었다. 대체 무엇에 홀린 것인지 네이선과 라리나는 힐라리아의 수중으로 넘어가 그녀가 원하는 대로 치부책을 찾아다 바치고 이렇게……. 황태후가 느리게 고개를 돌렸다.

네이선이 붉어진 눈가로 입술을 앙 다문 채로 서 있었다. 어릴 적부터 속상한 일이 있을 때면 버릇처럼 하던 얼굴이다. 저런 얼굴로 발을 동동 구르며 눈물을 뚝뚝 흘리는 모습이 얼마나 사랑스러웠는지. 일부러 괴롭혀 울린 적도 있었을 정도였다. 라리나를 향한 죄책감은 네이선을 향한 집요한 애정으로 이어졌다. 네이선의 모든 삶을 통제하지 못해 안달이었고 그녀의 뜻대로 움직여주지 않는 네이선 덕에 화가 나기도 했다.

그리고 이제는 인정해야 할 것 같았다. 더 이상 네이선도, 라리나도 품 안의 자식이 아니라는 사실을. 스스로 결정을 하고 자신의 신념에 따라 행동하고 있다는 것을. 그리하여 네이선은 지금 로벨리아의 죽음을 인도하려 이자리에 서 있는 것이다.

황태후가 입술을 비죽이 끌어 올렸다. 옳고 그름의 경계에서 고민하던 어린 날은 이미 사그라든 낙엽과도 같았다. 황태후에게, 로벨리아에게 더 이상 그런 건 중요하지 않았다. 알케스터 자작을 죽이고 이 자리에 오르던 그때부터, 황태후의 정의는 옳음이 아니라 스스로의 목표에 있었다.

시벨로프의 어머니가 그녀에게 자행했던 일들에 대한 보상으로 네이선을 황제로 만들고자 했으니. 그게 황태후의 정의였다. 한데 결국 이런 꼴이다. 자식의 손에 독약을 들게 하고 저런 얼굴을 하게 만들었다.

'당신이 살아 있으면 이것보단 나았을까.'

왜 하필 이런 순간에 죽은 알케스터 자작의 얼굴이 떠오르는지 모를 일이다. 화는 낼 줄도 모르는지 항상 황태후의 부당한 고집에도 한 수 접어주던 착한 연인이었다. 자신보다도 황태후를 우선으로 여기고 항상 그녀의 뜻을 존중해줬다. 알케스터 자작에게로 가는 길은 늘 설렘의 연속이었고 그와 함께하는 시간은 행복으로 점철되어 있었다.

그런 사랑을, 그녀도 했었다. 죽음의 목전에 서서 저물어가는 제 인생을 바라보는 건 꽤 나쁜 기분만은 아니었다. 텅 빈 것처럼 허한 가슴을 제외하면.

"왜 우니."

"어머니……."

"항상 네게는 내가 못 할 짓을 하는구나. 네 어깨에 얹어준 무거운 짐들이 눈에 걸리던 날도 있었지. 분명 그랬는데……."

황태후가 가느스름해진 눈초리로 네이선의 면면을 살폈다.

"……머리를 다듬고 수염을 깎아야겠구나. 옷은 왜 이리 구겨진 게야."

눈에 들어오는 거라곤 이런 것뿐이다.

"밥은 안 먹고 다니니? 왜 이리 상해서는."

네이선이 얼굴을 왈칵 일그러뜨렸다. 황태후가 긴 숨을 내쉬었다.

긴 생을 이제야 마무리할 수 있다고 생각하니 어쩌면 홀가분한 것도 같았다. 죽음 이후에는 알케스터를 만날 수 있을까 하는 미약한 기대도 들었다. 하지만, 착한 그이는 편안한 곳에서 쉬고 있을 테고 그녀는 죄에 대한 대가를 치러야 할 테니 만남은 좀 더 늦어질지도 모르겠다.

"네게는 미안하구나."

나른하게 중얼거리며 황태후가 손을 내밀었다.

그들은 실패했다. 황태후의 정의는 빛을 잃었고 더 이상 힘을 내 앞으로 나아갈 자신도 없었다. 포기하고 싶었던 적이 없었느냐고? 그럴 리가. 라리나를 떼어낼 때도, 울고 있는 네이선을 볼 때도, 망가져 가는 스스로를 보면서도. 몇 번이고 포기하고 싶었다. 그럴 때마다 로벨리아를 일으켜 떠밀던 손길이 있었다. 바로 어머니. 부모를 넘어서지 못해 기어이 자식들에게까지 그 짐을 물려주는 꼴이라니.

'꼴사납군.'

황태후가 나긋이 손짓했다.

"내놓거라."

"어머니, 이건……."

"무엇인지 안다. 네게 더 이상 무거운 짐을 짊어지게 하지 않으마. 나는 네게 끝까지 짐이 되는 못난 어미이고 싶지 않아. 그러니, 내 스스로 하마."

이게 네이선을 위해 해줄 수 있는 마지막 배려이겠거니 싶었다. 네이선의 손에서 떨어진 약병이 바닥을 뒹굴었다. 네이선 심성에 차마 그녀에게 병을 건네지 못할 것은 짐작하고 있었지만.

"너를 이리 유약하게 키운 기억이 없는데, 너는 늘 정이 많았지."

황태후가 중얼거리며 기력 없는 몸을 일으켰다. 다행히 러그 덕에 깨지지 않은 병을 주워들었다.

"어머니……. 어머니는 끝까지……."

네이선의 입술이 바르르 떨렸다. 차마 끝맺지 못한 원망들이 네이선의 입 안을 맴돌았다. 독단적이고 자신의 뜻을 강압적으로 관철시켰을지라도, 그녀는 네이선을 낳은 어머니였다. 한때는 네이선을 위해 밤을 지새운 적도 있었고 아픈 그를 업고 자장가를 불러준 적도 있던 그런 어머니였다.

죄악감이 네이선을 뒤덮었다.

"내가 또 뭘 잘못했나 보구나. 어쩔 수 없지. 나는 항상 네게는 못된 사람이었으니. 이번에도 내가 나쁜 사람이라 그렇다고 생각하렴."

황태후가 선선히 읊조렸다. 황혼에 젖어든 방 안에 네이선과 황태후의 그림자가 길게 늘어졌다. 그녀는 일 초도 망설이지 않았다. 여태껏 모든 일에서 그러했듯이 죽음마저도 초연히 받아들였다. 긴 여정의 끝이 이토록 허망할 줄 알았다면 그리 발버둥 치진 않았을 텐데.

바닥으로 쓰러지며 로벨리아가 아들을 향해 손을 내밀었다.

"……행복하렴, 네이선."

"어머니!!!"

마지막 소원이 네이선에게 제대로 닿았는지 모르겠다. 그녀를 닮은 푸른 눈에 가득한 눈물을 보며 로벨리아가 천천히 눈을 감았다.

초라한 악역의 퇴장이었다.

***

황태후의 부고는 바로 에벤에셀에게로 전해졌다. 에벤에셀이 여상한 얼굴로 뒷짐 지고 창가에 섰다. 서늘한 겨울을 물들인 새빨간 석양이 에벤에셀의 발끝도 적시고 있었다. 그건 마치 황태후의 죽음을 찾아온 사신 같았다.

"후우."

에벤에셀이 숨을 길게 내쉬었다. 이 순간 힐라리아가 곁에 있었다면 조금은 괜찮았을까? 복잡하고도 미묘한 감정이 에벤에셀을 뒤흔들었다. 홀가분할 거라 여겼는데 꼭 그렇지만도 않았다. 힐라리아를 알기 전이었다면 자신의 감정을 외면하고 차갑게 얼어붙은 인간처럼 웃었을지도 모르겠다.

하지만……. 에벤에셀이 눈을 아래로 내리깔았다. 허망하게 흩어진 황태후의 욕망이 눈앞에 보이는 듯 선연해서 웃을 수만은 없었다.

"스베인."

"예, 폐하."

"기사들을 움직여 숙청을 시작하라."

엄숙한 명령이었다. 황태후의 죽음은 도화선이 되어 윈프리드 전역을 뒤덮을 것이다. 반역을 꿈꾸고 윈프리드를 산산조각 내 팔아치울 작정이었던 자들을 불러들여 죗값을 치르게 하고 이 나라를 지켜낼 것이다. 힐라리아에게 약속했던 대로. 그녀의 발끝이 닿는 곳에 온전한 윈프리드가 있도록.

'그대의 노력이 헛되지 않도록…….'

에벤에셀의 손끝에 나비 힐이 내려앉았다. 뜨거운 나비의 날개에 입을 맞추며 에벤에셀이 눈을 감았다. 나의 노력 또한 그대에게 닿기를…….

***

그날 밤, 제도를 물들인 비명은 끊이질 않았다고 전해진다.

두려움에 문을 닫아건 사람들마저 공포에 질리게 한 말발굽 소리가 거리를 가득 메웠고 떵떵거리며 살던 유력가들의 피가 강을 이뤘다고들 떠들어

댔다. 윈프리드의 역사에 기록된 대로, 그게 '로벨리아의 난'이라 기록된 일의 진상이었다.

아무도 로벨리아의 감정, 기억, 이유들에 대해서는 관심을 기울이지 않았지만……. 하지만, 살아남은 이들은 죽을 때까지 기억할 것이다. 로벨리아의 일생을. 그게 로벨리아가 그들에게 남긴 유일한 유산이었다.

***

오랜만이지. 이렇게까지 무력해져 보는 건.

힐라리아가 어둠 속에 발을 디뎠다. 어둠의 끝에 무엇이 있을지는 이미 알고 있었다. 지금 힐라리아는 죽음과 삶의 경계를 헤매고 있는 게 분명했다. 이전에 미래를 엿보고 돌아왔던 그날에도 같은 꿈을 꿨었다.

힐라리아의 발밑에 아가리를 벌리곤 그녀를 잡아먹을 것만 같은 어둠이 뱀처럼 똬리를 틀고 있었다. 차라리 이대로 죽음에 이르면 편히 쉴 수 있겠거니 싶다가도. 그녀를 기다리고 있을 이들을 생각하면 끈을 놓을 수가 없었다. 아무 말도 하지 못하고 입술을 달싹이던 에벤에셀이 다른 이의 입을 통해서야 전할 수 있었던 진심은 힐라리아를 붙드는 힘이 되었다.

'기다릴 테니 돌아와. 나를 두고 가지 마…….'

에벤에셀의 목소리가 들려오는 듯했다. 이렇게 될 거라고는 상상도 못 했었는데. 황성으로 처음 갈 때는 빨리 그곳을 빠져나올 생각뿐이었다. 힐라리아에게는 책임져야 할 것들이 많았고 황실은 그저 족쇄처럼 여겨졌다.

하지만, 황성도 사람 사는 곳인데 어찌 인연이 생기지 않을 수 있겠는가. 수많은 사람들이 힐라리아의 손을 잡았다. 실로테, 첼로스테, 제이나…… 그리고 에벤에셀. 그 외에도 많은 사람들이. 다시는 그곳을 돌아보지도 않게 될 거라 여겼었는데, 지금은 간절히 바라고 있었다.

다시 한번 그곳으로 돌아갈 수만 있다면. 에벤에셀을 끌어안고 그 달콤한 입술에 입을 맞추고 그의 체온에 뺨을 기댄 채로 속삭여주고 싶었다. 한 번도 전하지 못했던 뜨거운 진심을. 그래서 주저앉지 못하고 부지런히 걸었다.

어둠 속에 몸을 감추고 있는 빛을 향해서.

***

베아트리체가 발을 동동 구르며 힐라리아의 연락을 기다리고 있었다. 힐라리아가 쓰러지고 나서 벌써 두 번의 해가 떠올랐고 벌써 해가 뉘엿뉘엿 지려 하고 있었다. 붉은 석양이 왜 이리도 불길하게만 여겨지는지. 윈프리드에선 낭만적이라고 생각했던 저 붉은 석양이 지금은 새빨간 핏빛처럼 여겨졌다. 베아트리체가 불안한 얼굴로 자꾸만 밖을 힐끔거렸다.

'힐라리아…….'

다른 일행들은 목적지에 이미 도달했다고 알려왔다. 능력자들이 함께하니 가는 길이 아무래도 수월했던 모양이다. 고작 하루 만에 국경을 넘을 수 있을 정도라면. 이제 약속대로 군량미와 무기창고를 불태워 저들의 후방을 치기만 하면 된다. 이미 기사들과 군사들이 대거 빼돌린 물자들이지만……. 한데 들리기로는 오이겐의 기사들이 발을 돌려 왕국으로 향하고 있다고 했다.

'잘 피해서 와야 할 텐데.'

하지만 그곳에 간 게 릴리와 로마노프의 기사라 그리 걱정할 필요도 없을 것이다. 둘이 상극 같아 보이긴 했지만, 몸놀림만큼은 날랜 이들이었으니. 게다가 그들보다 걱정되는 건 힐라리아였다.

'왜 여전히 연락이 없지?'

적진에서 독약을 마셨다는 소식을 듣고는 얼마나 놀랐던지. 힐라리아가 옆에 있었다면 멱을 잡고 일으켜 세웠을지도 모른다. 차라리 윈프리드였으면 나았을 텐데……. 그래서 부러 멀리 있는 헬레나미아에게 연락을 취했다. 그 과정에서 요한이 마력을 쏟아부은 통에 갈려 나간 채로 허덕이며 누워 있긴 했다.

"정말 괜찮아지는 거야? 기네비어 공왕비께서 무슨 방도가 있으셔서 그 먼 거리에서……."

"힐라리아가 헬레나미아 님의 딸이잖아."

"아……."

제이나가 단번에 이해했다. 힐라리아를 키운 어머니라면 무슨 수라도 낼 것 같았기 때문이었다. 게다가 정령술사들이라고 했으니……. 제이나가 불안한 마음에 계속해서 검을 만지작거렸다. 힐라리아가 선물해준 검이다. 만약 이대로 힐라리아가 연락이 닿지 않는다면…….

'이 검을 가지고……!'

그렇게 생각하며 불끈 검을 쥘 때였다.

[하아……. 어머니를 부른 거야, 베베?]

힐라리아였다.

"힐! 히이이일! 괜찮은 거야? 몸은 어때! 응?"

제이나는 베아트리체의 엉덩이 부근에서 강아지 꼬리를 본 것 같다고 생각했다.

***

몸이 가뿐했다. 헬레나미아가 부리는 물의 정령들의 기운이 몸을 휩쓸고 나가 독 기운이 완전히 빠져나간 덕이었다.

힐라리아가 눈 뜨는 것을 확인한 케이티는 다리가 풀려서는 주저앉았다. 헬레나미아가 다녀간 이후로도 하루를 꼬박 앓은 탓이다. 잠시 정신을 차리는 것 같던 힐라리아는 도로 정신을 잃고 쓰러져 여태 일어나지 못했다. 케이티의 속이 새까맣게 타들어 갈 때까지.

"……케이티."

"공주님!"

"며칠이 흘렀지? 지금 상황은 어때?"

지금 그런 게 중요한가.

케이티가 입술을 삐쭉이며 힐라리아의 옆 이불에 얼굴을 묻었다.

"이틀이요. 이틀밖에 안 흘렀어요……. 그동안, 별다른 일은 없었고요. 곤드레스 왕이 왕국민들을 핍박해 군량미를 걷고 있다는 거하고……. 크흥."

웅얼거리며 말을 잇는 케이티의 머리를 힐라리아가 쓰다듬어주었다.

왜 이렇게 주변에 손이 가는 사람들이 많은 거지?

***

"황태후께서 돌아가셨다고?"

올리비아의 목소리가 사시나무처럼 떨렸다. 그간 황태후의 권력에 기대 기생충처럼 살아왔던 그녀 아닌가. 게다가 이상하게 어제부터 밖하고 연락이 닿지 않고 있었다. 새로운 에라스모 자작은 아직 어리숙한 구석이 있어 절대로 연락을 느슨히 하지 말라고 몇 번이나 일러두었는데.

올리비아가 손톱을 질근질근 씹었다. 돌아가는 꼴이 이상했다. 홀로 황성에 남게 되었을 때는 그녀가 유일한 승리자라고 생각했는데 이상하게 유일한 패배자가 된 것처럼 느껴지기 시작했다.

올리비아의 곁을 지키던 이들이 하나, 둘씩 사라지고 있었다. 이제 올리비아의 곁에 남은 거라곤 힐라리아를 배신하고 온 첼로스테와 안나라는 수상한 하녀뿐이다. 보통 하녀와 시녀장의 신분 차이는 하늘과 땅처럼 엄청난 차이가 있는데 이상하게 첼로스테는 안나에게 꼼짝 못 하는 듯 보였다. 게다가 안나가 올리비아를 보는 시선이 종종 소름 끼칠 때가 있었다.

물론 중요한 건 이게 아니지만…….

올리비아가 불안함을 감추지 못하고 방 안을 오갔다.

"왜 그러세요? 황비 마마."

첼로스테의 부름에 올리비아가 움직임을 멈췄다. 미소를 짓고 있는 첼로스테의 익숙한 얼굴이 기묘하게 일그러져 보인다. 멈칫했던 올리비아가 첼로스테에게 물었다.

"……연락은? 에라스모 자작이 연락을 해왔니?"

"아니요. 아직이에요."

익숙한 방 안에 낯선 정적이 가득 채워졌다. 겨울을 면피하기 위해 피워 둔 벽난로가 방 안을 뜨겁게 달궜다. 그런데도 이상하게 춥게 느껴지는 건 왜일까. 올리비아가 두 팔을 감싸 안았다. 서늘한 소름이 올리비아의 뒷목에 오소소 돋는 듯했다. 아직이라는 말이 심장이 오그라들 정도로 불길했다.

벽난로의 불길이 첼로스테의 얼굴 위로 기묘한 그림자를 드리웠다. 아니다. 저건 그림자가 아니라, 첼로스테 본연의 표정이었다. 붉은 빛이 첼로스테의 낯에 어른거리는 것은 벽난로 때문이 아니라…… 첼로스테의 감정 때문이었다. 목을 옥죄어오는 느낌에 올리비아가 목을 더듬었다.

'아무것도 없는데…….'

게다가 주인을 배신한 첼로스테가 어디로 간다고 올리비아를 해한단 말인가. 이건 그냥 불안함이 불러일으킨 기시감이 분명했다. 항상 하늘은 올리비아의 편이질 않았던가. 에라스모 백작이 모든 죄를 뒤집어쓰고 감옥에서 죽어갈 때조차도 올리비아만큼은 비켜 갔다. 아무도 건드리지 못할 철옹성으로 생각했던 힐라리아를 꺾고 홀로 황성에 남은 장본인이기도 했다.

'하늘은 내 편이야.'

올리비아가 애써 불안함을 떨쳐버렸다.

"연락이 오면 바로 알리렴."

"네, 황비 마마."

첼로스테가 고개를 조아리고는 방을 나갔다.

***

"흐음."

밖에서 기다리고 있던 안나가 콧소리로 첼로스테를 불러 세웠다. 물론, 그녀는 진짜 안나가 아니라 실로테의 겉가죽일 뿐이었다.

"그런 눈빛으로 올리비아를 본 거야?"

실로테가 여전히 콧노래를 부르는 것처럼 물었다.

"그러다 들키겠는데?"

"……황비 마마께서나 들키지 마세요. 매번 저 여자 앞에서 고개조차 숙이지 못하시면서."

"나는 힐라리아 앞에서만 숙일 거야. 저깟 년 앞에서 내 귀한 고개를 숙일 순 없지."

"하아. 그런 욕설은 또 어디서 배우신 겁니까?"

"왜애? 잘 어울리지 않니?"

실로테가 까르르 웃었다. 이상할 정도로 이 생활에 잘 적응하고 있는 실로테였다. 하녀들과 어울려 다니며 별의별 것을 다 배워오곤 했는데, 거칠어지고 있는 말씨가 그중 하나였다.

실로테가 뒷짐을 지곤 앞서 걸었다. 그 뒤를 첼로스테가 따랐다.

사실 실로테가 아니었더라면 그녀가 하는 일들이 조금 힘들었을지도 모른다. 실로테는 눈 하나 깜빡하지 않고 이 궁의 시녀들을 모함해 내쫓았다. 올리비아의 보석을 훔친 죄, 궁의 예산을 빼돌린 죄, 올리비아의 명을 제대로 수행하지 못한 죄. 별의별 죄를 만들어 뒤집어씌웠는데 그게 진실인지 아니면 실로테가 만들어낸 일인지는 아직 첼로스테도 모르고 있었다.

그저.

'이거 의외로 적성에 맞아. 재밌잖아.'

힐라리아를 닮은 표정으로 그리 말했을 뿐이다. 애초에 실로테는 이 성에서 가장 오래도록 살아남은 사람이었다. 이런 권모술수에 능한 건 당연했다. 힐라리아는 실로테가 가장 쓸모 있을 곳으로 보내준 것이다.

덕분에 첼로스테의 행동반경이 넓어지는 데 한몫했다. 아무도 첼로스테를 감시하지 않았으니까. 결국 실로테는 올리비아의 궁에 첼로스테 홀로 남고 나서야 멈췄다. 그녀마저 건드리지는 않았지만, 그저 가끔 묘한 눈으로 첼로스테를 보곤 했다. 지금처럼. 그리고 이번엔 입도 열 생각인 것 같았다.

"너는 왜 대체 그렇게까지 하니?"

"예?"

"사실 가끔 나도 내가 이상하거든. 힐라리아가 이 성에 머문 게 고작 두 계절 남짓이었나. 그런데 이상하게 이러고 있잖아. 힐라리아를 위해선 뭐든 할 사람처럼."

"그야……."

너무 당연하다고 생각했던 일이라 실로테의 말이 오히려 이상하게 여겨졌다. 힐라리아는 당연한 사람이었다. 힐라리아는 정의를 향해 올곧게 걸어가는 사람이었고 다른 이들을 희생하는 것보다 스스로를 희생하는 방법을 선택했다.

힐라리아가 이상한 힘을 가지고 있다는 사실은 알고 있었다. 먼 곳의 대화를 엿듣는 것처럼 행동하기도 했고 남들은 하지 못할 일들을 수도 없이 저지르곤 했었다. 못 알아차릴 리가 있나. 그런데도 그 모든 것들이 설명이 되니까…….

'힐라리아 황비 마마는 윈프리드를 위해서라면 무슨 짓이든 해.'

그 말 한마디가 모든 걸 설명해주니까. 윈프리드에서 나고 자란 것은 첼로스테도 마찬가지였다. 하지만, 힐라리아처럼 온몸을 던질 용기는 없었다. 남들은 엄두도 못 내는 것들을 힐라리아는 아무렇지도 않게 하곤 했다. 절로 경외심을 불러일으킬 만큼. 그 복잡하고 미묘한 감정을 어떻게 말로 설명하란 말인가. 한데 실로테는 대답을 들은 것처럼 생긋 웃었다.

"너와 나는 다르지 않구나."

실로테가 고개를 앞으로 돌렸다.

왠지 누군가를 뒤따르는 것처럼 여유롭고 느긋한 발걸음이었다.

"나는 내가 평생 모실 사람을 힐라리아로 정했거든. 그 애라면 이 제국을 넘겨도 조금도 아깝지 않을 것 같아서. 그럴만한 사람이잖아."

그래. 저게 정답이었다.

"······제발 잘 돌아와야 할 텐데, 걱정이야."

실로테가 뒷짐 쥔 손을 꽉 맞잡았다.

"한 올이라도 상해서 온다면 내가 좀 많이, 많이 화가 날 것 같거든."

첼로스테가 온몸을 부르르 떨었다. 싸늘한 오한이 그녀를 사로잡은 탓이었다.

"그러니 너도 눈빛을 좀 조심하도록 해. 들키면 안 되잖니?"

그건 첼로스테를 향한 실로테의 조용한 경고였다.

***

힐라리아가 눈을 뜨자마자 한 일은 헬레나미아에게 연락을 취하는 일이었다. 마력을 뭉텅이로 깎아 먹는 일이기는 했지만, 필요한 절차였다. 까뜨득, 마석을 씹으며 힐라리아가 정령을 향해 손짓했다. 정령들끼리는 공명을 할 수 있었고 얼마든지 헬레나미아의 정령에게 접촉할 수 있었다.

마석만 충분하다면.

"어머니."

역시나. 힐라리아의 부름에 헬레나미아가 응했다.

[힐. 이제는 괜찮은 거니?]

"고맙습니다, 어머니. 무리하신 거 알아요."

이전 날 후작 부인을 살리기 위해서 힘을 반절가량 소모한 뒤로 아직도 회복하지 못하고 있으니 당연히 무리가 갔을 게다. 그럼에도 힐라리아를 위해 여기까지 오신 것이다.

"왜 그러셨어요……."

힐라리아가 작게 웅얼거렸다.

"왜 어머니를 상하게 하시면서 저를 살려주세요."

[너는 당연한 걸 묻고 그러는구나.]

피로에 젖은 헬레나미아의 목소리가 넘어왔다.

[자식이 아프다는데 망설이는 부모가 어디 있다니. 내 살을 깎아서라도 살릴 수 있다면 해야지.]

"……그러지 마시라니까. 감사합니다, 어머니."

[당연한 일이래도.]

조금의 망설임도 없는 대답이었다.

케이티가 저도 모르게 촉촉해지는 눈가를 톡톡 닦아냈다.

[그런데 어쩐 일이니. 중한 일이 아니면 이렇게 마력을 소모하지 않았을 게 아니냐.]

속을 들켰다는 듯이 힐라리아가 설핏 웃었다. 헬레나미아는 항상 속일 수가 없었다. 이전 날, 몰래 기네비어를 떠나 황성으로 올 때도 그랬듯이.

"……어머니, 이제 움직이실 때가 된 것 같아요."

[……]

"기네비어의 문을 열고 갇혀 있던 자들에게 자유를 주세요. 그들이 이번 전쟁에서 공을 세울 수 있게 해주세요."

[……과거의 일이 반복될 수 있다. 정령술사들은 아직도 과거의 공포를 잊지 못하고 있어. 마녀라고 지탄받고 화형대에 올라 억울하게 죽은 선조들을 잊지 않았어.]

"저를 믿어주세요, 어머니. 절대로 그렇게 만들지 않아요."

힐라리아의 푸른 눈이 굳게 반짝였다. 이 일을 위해 차근차근 준비해온 것이 있지 않던가. 과거처럼 억울한 죽음을 맞이하게 할 생각은 없었다. 오히려 그들에게 예전과 같은 자유를 주려 하는 것뿐이다. 미래의 자손들에게 지금과 같은 삶을 물려줄 수는 없었다.

"제가 언제 어머니를 실망시킨 적이 있었던가요?"

[……정말 다 나았나 보구나.]

헬레나미아가 한숨 섞인 목소리로 대답했다.

[네가 원하는 대로 하마.]

원하는 대답을 얻어낸 힐라리아가 부드럽게 미소 지었다.

기네비어에 갇혀 좁은 세상에서 살아가고 있는 이들에게는 자유를, 고향으로 돌아오지 못한 외부의 사람들에게는 고향을 선물할 것이다. 마녀라는 오명에 숨어 웅크리고 있는 게 아니라, 당당히 제국의 영웅이 되어. 안타깝게도 다른 이를 제물 삼아. 하지만, 그이도 정당한 삶을 산 이는 아니었으니 억울할 일은 없을 것이다. 힐라리아는 받은 그대로, 돌려주는 것뿐이니.

***

새하얀 눈이 내리는 날이었다. 겨울에 죽은 황태후를 배웅하듯이 하늘은 끊임없이 눈을 토해냈다. 배덕감이 느껴질 정도로 새하얀 눈들이 대지를 덮고 죄를 덮고 바닥을 적신 피를 덮었다.

"으아아아악! 나는 아니야!!!!"

비명을 지르며 온몸을 비트는 사내가 단두대 위에 올려졌다. 무감한 표정으로 죄인들의 죽음을 언도하는 자들의 손끝이 얼어붙을 정도의 추위였다. 유례없는 폭설에 따뜻한 핏물마저 묻힐 정도였다.

에벤에셀은 그 모습을 담담히 자신의 눈에 새겼다. 만약 에벤에셀이 실패

했더라면 그의 사람들이 저곳에 서 있었을 것이다. 그들은 반에이크, 스베인을 비롯한 기사들이기도 했고 때로는 힐라리아이기도 했다. 죄인들의 죽음에 귀애하는 자들의 죽음을 대입하며 에벤에셀은 다시 한번 전의를 다졌다.

세 연합의 군대가 기네비어 앞에 집결했다.

말의 투레질 소리와 고함소리가 황야로 변한 초원을 뒤덮었다는 보고가 들어왔다. 전운이 감도는 그곳을 기네비어의 기사들과 황실의 기사들이 함께 지키고 있었다. 호전적인 기네비어의 기사들과 전략을 중요시하는 황실의 기사들이 다툼 없이 한데 어우러지고 있는 건 하나의 목표를 달성하기 위함일 것이다.

'윈프리드와 기네비어를 지키기 위하여.'

기네비어가 독립 국가로 인정받고 있으나 그들은 엄연히 윈프리드에 속해 있는 국가였다. 치외법권으로 인정받고 독자적인 체계로 운영되고 있지만 윈프리드의 영향력이 여전히 미치고 있는 곳이었다. 기네비어 사람들은 스스로를 윈프리드의 사람이라고 여겼다. 윈프리드 사람들도 기네비어를 배척하긴 했어도 한 번도 같은 핏줄이 아니라고 여겨본 적이 없었다.

그러니 그들의 목표는 같을 수밖에 없었다. 길리어스를 위시한 기사단장들이 머리를 맞대고 세운 전략을 따라 그들은 일사불란하게 움직였다. 기네비어 공왕의 조력이 이를 뒷받침하고 있었다.

그리고 비밀스러운 힘 또한 그들을 지키고 있었다. 헬레나미아가 나섰다. 기네비어에 몸을 숨기고 있던 정령술사들이 모습을 드러냈다는 것이다. 전쟁에 손을 보태 승리로 이끌기 위해서였다.

오스발트는 작금의 전쟁을 오랜 시간 준비해온 게 분명했다. 사라졌다고 여겨졌던 마법사들이 적진에 둘이나 존재하고 있었다. 마력과 인력이 뒤섞인 희대의 전쟁이 될 것이다. 역사에는 가장 치열하고 수치스러운 전투로 기록되겠지. 오스발트와 사리프, 오이겐 또한 윈프리드에서 갈라져 나간 이들이니 동족상잔이 아니고 뭐겠는가.

처형식이 끝나고 나면 에벤에셀도 전쟁터로 향할 예정이었다. 마법사를 붙드는 건 정령술사들만의 힘으로는 부족할 것이다. 마법사들은 생명을 매개 삼아 마력을 운용하지만, 정령술사들은 정령들을 매개 삼는다.

하나, 엘라임이 정령계에서 모습을 감춘 이후로 균형이 무너졌고 정령술사들의 힘은 점점 약해지고 있었다. 정령계의 시간은 인계와는 다르게 흐른다. 인계에서야 엘라임이 사라진 지 그리 오랜 시간이 지나지 않았지만, 정령계에서는 아주 머나먼 과거인 것이다.

'미뤄왔던 일을 해야겠군.'

에벤에셀은 하늘을 힐끗 올려다보며 목에 걸고 있던 펜던트를 매만졌다. 체온과 같은 서늘함이 손끝에 만져졌다.

그의 상념을 깨뜨린 건 누군가의 웃음소리였다.

"아하하하하하!"

시벨로프 백작 부인이었다. 온몸을 뒤트는 여자의 눈에는 새빨간 광기가 맴돌고 있었다. 그간의 고상함은 내던진 채로 미친 사람처럼 웃는다.

"결국, 결국 이리되는구나."

여자의 눈동자가 증오로 번들거렸다. 가지고 싶었던 것을 가지지 못한 미련이 득실거리는 눈이었다. 여자의 눈이 에벤에셀을 노려보았다.

"보아라, 에벤에셀! 네 욕심이 이렇게 많은 자들을 죽이는 거야! 이들이 누굴 원망하며 죽어갈지 생각하고 또 생각해라! 인간이라면 죄책감에 몸부림치며 죽어가는 거지!"

그게 한없이 기껍다는 듯이 또다시 광소를 터뜨린다.

하지만, 에벤에셀이 보기엔 우습기만 했다. 이런 순간에 에벤에셀의 인간성을 기대하다니. 그는 에벤에셀이기 이전에 정령이었고 정령이기 전에는 황제였다. 피가 파란색이라고 회자될 정도로 냉철함을 자랑해야 하는 황제. 애초에 반역도를 처리하는 일에 안타까움을 가질 수 있는 자리가 아니었다.

"착각하고 있군."

분명 먼 거리였는데도 시벨로프 부인의 귓가에는 속삭이는 것처럼 또렷이 들려왔다. 시벨로프 백작 부인이 눈을 멍하니 깜빡였다.

"짐이 무엇 때문에 죄책감을 가져야 합니까? 이것은 그대가 저지른 일입니다. 그대들이 짊어져야 할 죗값이지요. 모두가 죗값을 치를 겁니다. 라리나와 네이선도 당연히."

"그 애들이 왜……. 네놈의 편에 서지 않았더냐."

"평생 부채감과 죄책감을 가슴에 안고 살 테니. 그대는 짐에게 짐을 얹어주는 대신, 자손들에게 얹어주는 데 성공했군요."

에벤에셀이 의도적으로 생긋 웃었다.

"축하합니다."

죽음을 앞둔 자에겐 잔혹한 속삭임이었다.

***

불안함은 기우였을까. 에벤에셀은 기네비어의 전쟁터로 떠나며 올리비아에게 전권을 위임했다. 수도에 스베인과 반에이크가 남긴 했지만, 올리비아는 그들쯤은 제 손으로 언제든 자를 수 있다고 여겼다.

하지만, 당장 그런 짓을 하지 않는 것은 여전히 스베인과 반에이크가 에벤에셀의 수족이었기 때문이었다. 올리비아가 목을 큼큼 가다듬고는 에벤에셀의 자리에 앉았다. 스베인과 반에이크가 그 앞에 섰다.

"앞으로 잘 부탁해요, 스베인 시종장. 그리고 반에이크 공."

사실 올리비아는 황태후 일가의 몰락에 반에이크가 연관되어 있다는 게 영 꺼림칙했다. 네이선은 황실 내부에 구금되어 있었지만, 살아남은 또 다른 시벨로프는 반에이크의 수중에 있었다. 반에이크가 그간 황태후를 농락하고 그들을 배신했다는 것인데…….

올리비아의 눈에 반에이크는 자신의 이익을 따라 언제든 배신할 수 있는 자로 보였다. 황제를 배반했다가 또다시 황태후를 배반한 남자.

'왜 폐하께서는 이자를 곁에 두시는 거람.'

그나마 다행인 건 에라스모 자작이 그 난리에서 살아남았다는 것이다. 올리비아가 입술을 삐죽였다. 올리비아 뒤에는 실로테와 첼로스테가 나란히 서 있었다. 그녀가 뒤의 두 사람을 손짓으로 가리키며 소개했다.

"그리고 이쪽은 첼로스테 시녀장과 하녀 안나. 앞으로 이렇게 네 명이 나를 도와 국정 대리 일을 해야 하니 안면 정도는 익혀두는 게 좋지 않겠어요?"

"지당하신 말씀이십니다, 마마."

"성심성의껏 보필하겠습니다."

반에이크와 스베인이 올리비아에게 정중히 인사했다. 그사이에 올리비아를 제외한 네 사람의 시선이 교차했다. 번뜩이는 눈빛에 벼려진 칼날을 올리비아만이 알아차리지 못했다. 올리비아가 에벤에셀의 의자에 기댔다.

'이렇게 위급한 상황에서 기댈 수 있는 건 역시 나뿐인 거지.'

에벤에셀이 돌아오고 나면 얼른 그에게 황후의 자리를 졸라야겠다. 올리비아에게 국정 대리를 맡길 정도면 그녀에게 품은 감정이 퍽 대단하다는 건데……. 올리비아가 새침하게 머리를 쓸어 넘기고는 웃었다. 다른 이들이 어떤 속을 품고 있는지는 전혀 모르는 얼굴이었다.

'와……. 지금 등 뒤에 칼날을 세워놓고 웃음이 나오다니.'

'전혀 모르는 것 같지 않나.'

스베인과 반에이크의 눈이 마주쳤다. 첼로스테 옆에 선 안나는 대체 어떤 하녀이길래 저렇게 살벌한 얼굴로 올리비아의 뒤통수를 노려보고 있단 말인가. 저만한 살기를 알아차리지 못하는 올리비아가 대단할 지경이었다. 스베인과 반에이크의 시선을 알아차린 안나가 생긋 웃었다.

'실로테.'

그게 무슨……. 안나가 자신을 가리켰다.

'실로테.'

아……. 반에이크와 스베인이 속으로 탄성을 내질렀다. 실로테의 행보를 전혀 알 수 없다 했더니 올리비아의 등에 칼을 꽂을 준비를 하고 있었던 모양이다. 저렇게 위험을 등에 업은 상태에서 밥이 넘어가고 잠은 오는 건지. 올리비아의 오만함에서 기인한 멍청함이 그녀를 갉아먹고 있는 게다.

실로테가 생긋 웃었다. 오한이 들었다.

'피, 피바람이 불겠군.'

Chapter 14.
불안의 종말

에벤에셀을 위시한 기사들을 기네비어로 송환하기 위한 대규모 마법진이 열렸다. 이제 황성에 남은 것은 황실 기사로 위장한 클라리넷 가문의 사병들뿐이었다. 이건 에벤에셀이 반에이크와 스베인에게 내리는 마지막 시험이었다. 사실 에벤에셀은 의심을 끝까지 놓지 못하는 본질을 가진 자라. 신임하는 자들도 수도 없이 시험하고 또 시험해왔다.

여태껏 에벤에셀이 그런 기준과 잣대를 들이대지 않은 것은 힐라리아뿐이었다. 에벤에셀이 황성을 뒤로하고 무거운 발걸음을 옮겼다. 기네비어 정령술사들의 거대 마법진이 연무장 한가운데에 그려져 있었다.

"다들 준비됐습니까?"

"예, 폐하."

위베르가 고개를 숙였다. 반역자들을 처단하며 수많은 피를 본 기네비어의 기사들은 지치지도 않는지 호전적인 면모를 뽐내고 있었다. 에벤에셀이 가장 먼저 마법진 위에 발을 올렸다. 이제 힐라리아와 가장 가까운 곳으로 가는 것이다. 기네비어를 넘어 초원을 통해 오스발트로.

에벤에셀의 푸른 눈이 가름하게 휘어졌다. 그의 주변을 맴돌고 있는 나비 힐이 에벤에셀의 어깨 위에 내려앉았다. 에벤에셀이 눈을 아래로 내리깔았다. 어디선가 힐라리아를 닮은 초록의 냄새가 나는 것만 같다. 스산한 바람이 뒤덮은 겨울의 끝자락에서 에벤에셀이 입술을 혀끝으로 쓸었다. 건조한 공기에서 비릿한 혈향이 묻어났다. 에벤에셀이 천천히 눈을 들어 올렸다.

'내가 갈게, 힐.'

**

힐라리아가 침실을 천천히 둘러보았다. 케이티가 있는 솜씨, 없는 솜씨를 전부 부린 방 안에 치렁치렁한 붉은 천이 여기저기 드리워져 있었다.

곤드레스가 곧 있으면 출전한다는 소식은 힐라리아에게도 흘러 들어갔다. 오이겐의 왕은 오이겐으로 돌아가되 사리프의 왕은 곤드레스와 기네비어 쪽을 향할 것이다. 그 전에, 힐라리아도 정리할 일이 있었다. 이 연합의 우두머리의 머리를 베고 약속한 대로 돌아가는 것. 이곳에 남아서 누군가 구해주길 바라며 짐이 될 생각은 없었다. 힐라리아가 입술을 붉게 칠했다.

왕비는 힐라리아의 회복이 못마땅한 듯 식사 시간마다 그녀를 쏘아보곤 했지만, 곤드레스는 음심에 빠져 제 아내의 불만을 돌봐주지 않았다. 힐라리아는 매번 최선을 다해 치장했다. 처연하고 애잔한 모습. 곤드레스의 취향 그대로였다. 그 노력이 빛을 발한 것인지 곤드레스는 손쉽게 힐라리아에게 넘어왔다. 출전하기 전, 힐라리아의 침실에서 묵고 간다는 전언이 왔다.

왕비가 보내준 시녀들은 주인에게로 돌아갔다. 곤드레스의 지시 사항이었다. 아무래도 눈치 보인다는 거겠지. 그게 어떤 재앙을 초래할지 모르고.

"후후……."

"……불안하네요. 위험한 일을 꾸미는 건 아니시죠?"

"이곳에 있다는 사실 자체가 위험한데 뭘 그런 걸 따지고 그래."

"위험한 일 하시려는 거군요."

케이티가 음울한 얼굴로 중얼거렸다. 그런 케이티를 외면한 힐라리아가 베아트리체를 찾았다.

"베베."

[응.]

"임무는 잘 완수된 거니?"

[당연하지. 오이겐의 무기와 군량미는 전부 불탔고 사리프는…….]

말을 망설이는 베아트리체 덕에 힐라리아의 눈썹이 추켜 올라갔다.

"사리프는?"

[왕성이 전소됐어.]

"뭐?"

힐라리아가 예상하지 못했다는 듯이 되물었다. 그런 명령은 한 번도 내린 적이 없었다. 대체 무슨 일이 있었던 거지?

[하하하하. 인원들 사이에 조금 의견 차이가……. 있었던 모양이야.]

베아트리체가 어색하게 웃었다.

***

사실 베아트리체로서도 예상치 못한 상황이었다.

요셉이 아직 어려 통제가 제대로 되지 않아 벌어진 일. 게다가 여태껏 자카리족 사이에서 당해온 일이 있어서 그런지 두려움이 극대화되면 더 심해졌다. 불을 통제하지 못한 요셉이 왕성을 전소시켰다. 그 과정에서 요셉을 만류하던 기사들 두어 명이 다친 것 같은데 다행히 경미한 부상이라고 들었다. 뭐라고 설명해야 할지 몰라 얼버무리던 베아트리체가 말을 돌렸다.

"그래서. 내가 이제 뭘 하면 돼?"

[오늘 새벽 왕성을 탈출할 거야. 준비해.]

탈출이라. 드디어 가는구나. 베아트리체가 환히 웃으며 고개를 끄덕였다.

힐라리아는 용건이 끝나자마자 바로 연락을 끊었다. 아마 왕성을 나오기 전에 해결해야 할 일이 있을 터다.

"제이나. 우리 돌아갈 때가 된 것 같아."

"힐라리아가 나온대? 구하러 가지 않아도 되는 거야?"

"나온다고 했으니 나올 거야. 그 전에, 요한?"

"예?"

"뭐가 좋아서 아까부터 웃고 있어?"

"아. 될성부른 잎을 본 것 같아서 기쁩니다. 얼마나 아름다운 광경이었을까요. 마법으로 지른 불은 일반 불과는 달리 색상부터가 화려하니 아름답습니다. 직접 봤어야 했는데……."

쟤도 제정신은 아니구나. 다행히 마법으로 제한한 불은 생명이 아닌 무생물만 전소시키고 그대로 꺼졌다고 기사들이 전언을 보내왔다. 하지만, 그들은 그걸 불지옥이라고 표현했는데, 아름답다니.

"게다가 제가 매개를 인간의 피가 아닌 동물의 피로 운용하는 방법을 가르친 지 얼마 되지 않았는데도 그 정도 응용이 가능하다지 않습니까. 어중이떠중이가 아닌 제대로 된 마법사가 태어난 것이지요."

아하. 제이나가 떨떠름하게 고개를 끄덕였다.

***

모든 준비는 끝났다.

사리프와 오이겐의 인원도 오스발트를 탈출한 이후 합류하게 될 것이다. 그리고 이곳을 떠나 윈프리드로 돌아가게 되겠지. 힐라리아가 나비들이 숨이 막힐 정도로 가득 메우고 있는 방 안을 둘러보았다. 나비들은 힐라리아의 감정과 공명해 '키이이익-' 하고 날카로운 울음소리를 내며 살기를 방출하고 있었다. 케이티는 기가 질린다는 얼굴을 하고는 마석 주머니를 손에 꼭 쥐고 있었다. 그게 생명줄인 것처럼.

"케이티."

"예, 공주님."

"곧 우리는 이곳을 나가게 될 거야. 밖에서 준비하고 있을 수 있겠니? 네 정령을 오랜만에 불러내야겠구나."

힐라리아의 말에 케이티가 고개를 끄덕였다. 결연함으로 빛나는 케이티의 온순한 눈이 금갈빛으로 물들었다. 그동안 억누르고 있었던 정령의 힘이 풀려나 날뛰고 있는 게 보였다. 케이티 또한 기네비어의 사람이다. 애초에 기네비어의 공주를 보좌하는 시녀인데 아무런 능력도 없이 뽑혔을까.

케이티는 대단한 무언가를 하진 못해도 이 정도 정령을 실체화해 부릴 수 있는 능력이 있었다. 케이티는 땅의 속성을 가진 자. 불과도 상성이 괜찮았다. 힐라리아가 케이티의 손에 들린 주머니에서 마석을 절반 정도 덜어 케이티의 손바닥에 올려주었다. 땅의 마석이 아니라 불의 마석이기에 효과는 반절밖에 되지 않을 테지만 없는 것보단 나을 테니.

"후우…… 이제 괜찮아요, 공주님."

케이티가 생긋 웃었다.

"밖에서 기다리고 있으렴. 정령들을 붙여주마."

힐라리아의 눈짓을 알아차린 나비들이 떼거리로 케이티를 따랐다. 만약 케이티에게 일이 생기면 주저하지 말고 그녀를 지키라는 명령을 받은 채로. 키이이이익-! 정령들의 울음소리가 왕성을 가득 채웠다.

밤하늘이 붉게 물들고 있었다. 힐라리아가 풀어놓은 정령들이 방출하는 힘 때문이었는데 평범한 사람들의 눈에는 정령이 보이지 않으니 불길한 날이다 하여 문을 걸어 잠갔을 뿐이다. 힐라리아가 눈을 가늘게 뜨고는 맨 위 단추를 잠갔다. 몽환적인 향내가 풍기고 있는 이곳이, 힐라리아가 미래에서도 머물렀던 이곳이 곤드레스의 마지막이 될 것이다.

힐라리아의 붉은 머리카락이 휘날리고 불로 빚어진 단검이 생성되었다.

마석을 전부 집어삼킨 힐라리아가 붉은 미소를 머금었다. 뚜벅뚜벅- 멀리서 이곳으로 향하는 걸음 소리가 들려왔다.

곧이다, 곧.

***

기네비어에선 짙은 정령들의 냄새가 나고 있었다. 오히려 황성보다 이곳이 편안하게 느껴지는 건……. 에벤에셀이 펜던트를 매만졌다. 에벤에셀이 엄숙한 표정으로 공왕비 앞에서 묵례했다. 황제가 보이는 최대의 예우에 헬레나미아가 생긋 미소 지었다.

"항상 감사드립니다, 헬레나미아."

"오히려 기회를 주셔서 감사합니다, 폐하."

헬레나미아가 천천히 고개를 숙였다.

"격조했습니다."

헬레나미아가 덧붙였다. 아주 어린 시절, 인간의 모습을 하고 있던 엘라임이 죽은 이후로 처음이었다. 헬레나미아는 그날, 고집을 부려 인간의 삶을 살다가 긴 잠에 빠진 엘라임을 데리러 직접 황성의 담을 넘었었다. 기네비어에서 한 번에 황성으로 이동하는 일은 헬레나미아에겐 아무것도 아니었기에 만남은 쉬웠다.

모두가 잠든 늦은 시간, 울면서 잠이 든 에벤에셀을 찾아온 헬레나미아는 그에게 한 가지를 약속했다. 네 어미를 살려주겠노라고. 이전의 그 사람이 아닐 수는 있겠지만, 이대로 가게 하지는 않겠노라고.

엘라임은 이곳, 기네비어에 잠들어 있었다.

"……이제 엘라임을 깨워야겠습니다, 헬레나미아."

정령은 호칭에 얽매이지 않는다. 아니, 자식을 낳는다는 개념 자체가 희박한 이들이니 어머니라 칭하는 것보다 이름을 부르는 게 훨씬 더 자연스러웠다. 다시 깨어날 엘라임은 에벤에셀을 기억하지 못할 수도 있고 전혀 다른 성정을 지니고 있을 수도 있었다. 그럼에도 괜찮았다. 엘라임은 살아 있었고 그것만으로도 에벤에셀은 괜찮았으므로.

"……그녀도 준비가 되었습니다, 폐하."

인간의 탈을 벗어 던지고 다시 정령의 왕으로 깨어날 준비가.

***

문이 열렸다.

술을 한잔한 듯 달아오른 얼굴로 곤드레스가 방 안을 둘러보았다. 힐라리아가 이런 식으로라도 그에게 아양을 부리는 게 썩 나쁘진 않았다. 보기만 해도 음심이 돋는 여자 아닌가. 에벤에셀의 여자였던 것도 참 마음에 드는 일이지만, 외모도 곤드레스의 취향이었다. 곤드레스가 겉옷 단추를 푸르며 힐라리아를 향해 다가갔다.

"이렇게 보니 더 아름답군요, 힐라리아."

침대에 기대앉은 힐라리아의 위로 그림자를 드리우며 곤드레스가 침대에 무릎을 얹었다. 힐라리아가 미소를 머금은 채로 나긋한 손길을 곤드레스에게 뻗었다.

"여전히……."

"음?"

"아둔하고 오만하여 제 뜻대로만 상황을 재단하지."

힐라리아가 곤드레스의 목을 불시에 끌어당겨 안으며 서늘하게 속삭였다. 허벅지로 상체를 압박해 침대 위로 곤드레스를 돌려 눕힌 힐라리아가 단검을 곤드레스의 목에 겨눴다. 힐라리아 주변의 정령들이 날갯짓을 강하게 하며 그녀 주변을 빙글빙글 돌기 시작했다. 공격성이 강한 불의 정령들이 혈향을 맡은 것이다.

"이런 건방진 년을 보았나. 예쁘다, 예쁘다 해줬더니……!"

곤드레스가 이를 아득 갈고는 힐라리아의 긴 머리채를 잡았다. 하지만, 고개가 뒤로 젖혀지면서도 힐라리아는 곤드레스에게 가하고 있는 압박을 그만두지 않았다. 이깟 머리칼. 힐라리아의 눈이 금빛으로 불타올랐다.

후두둑, 후두둑.

가감 없이 잘라낸 긴 머리가 재로 화하며 방 안에 눈처럼 내렸다. 곤드레스가 허망해진 손을 멍하니 보고 있던 차에 검이 목에 박혀 들었다.

"크흐, 악!"

그가 뒤늦게 검을 손으로 잡아챘지만 늦은 후였다. 술기운에 벌겋게 달아올랐던 낯이 창백하게 질려가기 시작했다. 파드득 떠는 다리가 침대보를 흐트러트리며 마구 움직였다.

"이, 개…… 흐……!"

"다시는 태어나지 않는 게 좋을 거야, 곤드레스. 네가 무엇으로 태어나건 나는 항상 네 죽음이 되어 찾아갈 테니."

힐라리아가 사근사근 속삭였다. 눈을 곱게 휘어 웃는 얼굴이 달콤하다. 울컥 솟아오른 피가 손을 적시는 것에 아랑곳하지 않고 힐라리아가 손을 움직였다. 분수처럼 튄 피가 힐라리아의 흰 얼굴을 괴기스럽게 적셨다. 까드득 소리를 내며 뼈가 갈려 나갔다. 힐라리아가 검을 고쳐 쥐었다.

두렵지 않느냐고? 배덕감이 들지 않느냐고? 글쎄.

점점 생명의 빛이 떠나는 곤드레스를 마주한 채로, 힐라리아가 붉은 웃음을 머금었다. 이 순간을 얼마나 기다렸던지……! 힐라리아가 곤드레스의 머리를 손에 쥔 채로 나비들에게 잔혹한 명을 내렸다.

"조금도 남기지 않고 먹어치워."

그 명이 떨어지기가 무섭게 방 안 여기저기에서 번쩍 빛이 났다. 정령들의 불이 사체를 완전히 전소시켰다. 침대에는 누군가가 흘린 핏자국만 선연한 채 아무것도 남지 않게 되었다. 힐라리아가 손에 든 것을 물끄러미 보았다. 이것은 기네비어와 정령술사들을 구원할 무기가 될 것이다.

힐라리아가 창으로 고개를 돌렸다. 악마가 그곳에 있었다.

손을 들어 볼에 묻은 피를 닦아냈다. 번지는 선홍빛의 흔적이 잔혹했다. 처음부터 악마로 태어난 것은 아니다. 악마를 키운 것은 혼잡한 이 시대와 괴물들이었으니, 이것 또한 그들이 치러야 할 죗값이리라.

"그러니 적당히 욕심부렸어야지, 곤드레스."

잘린 힐라리아의 머리카락이 목덜미에서 흔들렸다. 아무것도 남지 않은 비참한 최후였다. 다짐했던 대로 사지를 잘라 죽이진 않았으나 정령들의 양분이 되어 전소해버렸으니 그것 또한 만족스러운 결말이었다. 눈도 감지 못한 머리 빼곤 남은 것이 없잖은가.

힐라리아가 손에 든 것을 갈무리해 마법 주머니에 챙겼다. 흥분한 불의 정령들이 힐라리아 주변에서 날카롭게 울어댔다. 그들이 발산하는 열기에 방 안이 빨갛게 보일 지경이었다.

힐라리아가 조금의 망설임도 없이 바깥으로 몸을 날렸다. 활강하는 힐라리아의 등에 나비들이 날개처럼 들러붙었다. 힐라리아의 몸을 허공으로 띄워 그녀가 원하는 곳으로 날아가도록 도왔다.

귓가를 스치는 거센 바람 소리에 심장이 두근거렸다.

'성공했어!'

이 순간에 오기까지 힐라리아가 인내해야 했던 수많은 시간들이 그녀의 등 뒤로 사라지는 듯했다. 힐라리아의 푸른 눈에 투명한 눈물이 고였다. 허공으로 방울방울 떠오르는 액체들은 힐라리아의 온갖 감정의 집합체였다. 농도 짙은 눈물이 정령의 열기에 떠밀려 금세 기체로 화해 사라져갔다. 마치 힐라리아의 감정처럼.

어둠에 잠긴 오스발트의 왕성이 마치 죽음 직전의 고요처럼 스산하다. 힐라리아가 향한 곳은 무기고였다. 일전에 그랬던 것처럼 무기고에 망설임 없이 불을 지른 힐라리아가 몸을 돌렸다. 이제 케이티와 합류해 왕성을 탈출하기만 하면 됐다.

하지만 아직 끝이 아니었다. 이쪽을 향해 가까워져 오는 발소리들이 점점 커지고 있었다. 힐라리아를 둘러싸고 있는 나비들도 그녀를 향해 위험을 경고하고 있었다. 전에 군량미가 전소된 사건을 계기로 경비가 강화되었다. 연기가 피어오르자마자 전과 달리 경비대가 몰려오는 것도 그 이유일 테지.

힐라리아가 입을 악문 채로 몸을 위로 띄우려던 순간이었다.

"거기, 뭐야! 불이 났다! 다들 나와봐! 저기 범인이 있다!!"

힐라리아의 나비들보다 그들의 눈이 더 빨랐다. 허공 위를 배회하는 수상한 이를 발견한 경비대들이 점점 더 몰려들었다. 파락- 힐라리아의 날갯짓에 정령들의 뜨거운 바람이 경비대 쪽으로 강하게 불었다. 열기에 제대로 눈을 뜨지도 못하는 이들을 뒤로하고 힐라리아가 힘차게 날갯짓을 시작했다.

"놓치지 마!!! 저 여자가 반역자다! 쫓아!"

힐라리아를 향해서 화살이 쏟아지기 시작했다. 그나마 다행인 것은 힐라리아의 뒤를 지키고 있는 정령들이 화살을 집어삼켜 힐라리아에겐 아무런 영향도 없었다는 것이다.

하지만, 정령들의 힘으로 하늘을 나는 것은 마석을 많이 소모하는 일이었다. 힐라리아의 흰 이마에 식은땀이 맺혔다. 당장이라도 바닥으로 고꾸라질 수도 있다. 실시간으로 마력이 뽑혀나가는 게 느껴질 정도였다.

'조금만 더.'

나비들이 최대한 빠르게 날개를 팔락이며 힐라리아를 이끌었다. 그녀의 주변을 맴도는 나비들의 수가 점점 줄어들기 시작했다. 저 멀리, 힐라리아를 기다리고 있는 케이티가 보였다. 힐라리아의 기운을 느낀 케이티가 고개를 돌렸다.

"공주님!!"

힐라리아의 날개가 점점 흩어지는 것을 알아차린 케이티가 정령의 위에 올라탔다. 케이티가 다루는 땅의 정령은 동물의 모습으로 화할 수 있었는데 보통 말의 모습을 취하곤 했다. 케이티를 태운 정령이 땅을 박차고 뛰어올랐다. 허공에서 떨어지려 하는 힐라리아를 낚아채기 위해 케이티가 손을 뻗었다. 그러던 순간.

"헉!"

힐라리아의 몸이 뒤로 꺾였다. 정령들이 힘을 소진하며 텅 비어버린 등 뒤를 노린 화살이 힐라리아의 등에 박혔다. 작렬하는 고통이 힐라리아를 집어삼켰다. 마력은 힐라리아의 부상으로 흩어져버렸고 나비들은 비명을 지르며 사라졌다.

"공주니임!"

케이티가 입술을 꾹 깨문 채로 말에서 거의 떨어질 정도로 몸을 뺐다. 간신히 힐라리아를 품에 안은 채로 기어이 땅으로 곤두박질치려는 케이티를 정령이 등으로 받았다.

"큽! 고마워, 노임."

힐라리아를 안은 채로 모든 충격을 온몸으로 완화시킨 케이티가 숨을 헐떡이며 몸을 일으켰다. 노임은 케이티와 힐라리아에게 아주 잠깐의 시간밖에 주질 못했다. 뒤에서 쫓아오는 이들이 있었기 때문이었다.

케이티가 안간힘을 써서 힐라리아와 함께 노임의 등에 올라탔다. 화살이 등 뒤에 박힌 탓에 힐라리아를 뒤에 앉힐 수밖에 없었다. 케이티가 힐라리아의 팔을 제 허리에 둘러 잡은 채로 잇새로 되뇌었다.

"괜찮으시죠? 괜찮으신 거라고 믿어요. 공주님, 이대로 돌아가시면 안 돼요. 알죠?"

하지만, 헐떡이는 힐라리아의 숨소리가 심상치 않았다. 케이티가 마음을 다시금 다잡았다. 베아트리체에게 가면 어떻게든 해줄 것이다. 힐라리아에게 전해 듣기로는 이미 떠날 준비를 끝내두었다고 했다. 베아트리체를 비롯한 이들과 합류하면 돌아가는 것이다.

그리운 고향, 기네비어로. 보고 싶은 이들이 있는 윈프리드로.

"공주님……."

힐라리아가 가물가물한 눈을 깜빡였다. 무리하게 마력을 끌어 쓰고 있던 몸에 가해진 충격과 고통은 쉬이 가시지 않았다. 힐라리아를 잡아먹을 것 같은 열감이 이곳저곳을 들쑤셨다. 힐라리아의 내부에 소용돌이치는 불은 화살촉에도 들러붙었고 열기에 녹아내린 화살촉이 피부 속에 들러붙는 게 느껴졌다. 힐라리아가 숨을 몰아쉬었다. 어디에 맞은 건지도 확실하지 않았다. 등 부위가 불에 덴 것처럼 홧홧해서 느낄 수가 없었다.

"케이티."

"네, 공주님!"

"……미안해."

힐라리아가 느리게 뇌까렸다. 무엇에 대한 사과인지는 모르겠다.

"그런 말 하지 마세요!"

힐라리아가 천천히 눈을 감았다.

'에벤에셀.'

보고 싶은 이가 보이는 것만 같다. 힐라리아의 미련이 될까 두려워 돌아오라는 말도 직접 하지 못했다던 다정한 그 사람이 보고 싶었다. 죽는다면, 다시 죽어야 한다면 그 사람 품에서 죽고 싶었는데. 애초에 이루지 못할 꿈이었던 것이다.

'사랑해…….'

마지막으로 하지 못했던 말이 자꾸 입 안을 맴돌아 가슴이 북받쳐 올랐다. 천천히 힘을 잃어가는 힐라리아의 볼을 타고 투명한 눈물이 흘러내렸다. 힐라리아의 손에서 힘이 빠지는 것을 느낀 케이티가 힐라리아의 이름을 울부짖었다.

***

이상하다. 에벤에셀이 그의 주변을 맴도는 나비 힐의 날개 끝이 투명하게 변하고 있다는 것을 알아차렸다. 절대로 그럴 리가 없는데, 그래서는 안 되는데 자꾸만 이상한 생각이 드는 이유가 무엇일까?

"……헬레나미아."

"일을 서두르셔야 할 것 같습니다."

에벤에셀이 느낀 것을 헬레나미아도 느낀 듯했다. 기네비어의 가장 깊은 지하, 진정한 마녀들의 요람이라고 불리는 곳은 육각형으로 축조되어 있었다. 그리고 그 귀퉁이 중 한 곳에 엘라임이 잠들어 있었다. 진실은 마녀들의 요람이 아니라 정령왕들의 쉼터였던 것이다.

"……어머니."

에벤에셀이 투명한 관 위를 손가락으로 쓸었다. 에벤에셀 같은 변종을 태어나게 한 엘라임은 푸른 물속에 잠긴 채로 깊은 잠에 빠져 있었다. 뽀글뽀글 올라오는 물방울들이 엘라임이 살아 있다는 것을 시사하고 있었다.

에벤에셀의 손끝이 닿은 곳부터 관이 얼어붙기 시작했다. 엘라임을 둘러싸고 있는 푸른 생명수까지 얼어붙었고 에벤에셀이 서걱이는 얼음을 파괴해 엘라임을 끄집어냈다.

"허어억!"

오랜만에 들이마시는 인간계의 공기에 몸을 떨며 앞으로 쓰러지는 엘라임을 받아 안은 에벤에셀이 그를 여태껏 지켜주었던 펜던트를 잡아당겨 끊었다. 엘라임이 마지막 남은 힘을 모아 에벤에셀에게 준 것이다. 엘라임의 힘의 정수나 마찬가지였다.

"빌려주신 거 돌려드릴게요, 어머니."

새파란 빛이 요람을 둘러쌌다. 정령들의 고아한 노랫소리가 물처럼 출렁이며 터져 나왔다. 마치 영혼을 씻어내는 것처럼 투명하고 맑은 기운이 요람을 가득 채웠다.

[에벤에셀…….]

엘라임이 천천히 눈을 떴다. 완연한 정령의 모습으로. 그와 동시에 함께 잠들어 있던 정령왕들이 준동하기 시작했다. 눈을 뜬 이들 중에는 당연히 이프리트도 속해 있었다. 불의 정령왕, 이프리트. 불로 이글거리는 이프리트의 입술이 천천히 열렸다.

[죽음을 목전에 두고 있구나…….]

누구를 지칭하는지는 굳이 묻지 않아도 알 것 같았다. 휘청이는 헬레나미아를 에벤에셀이 부축했다.

"아직 죽지는 않았다는 말씀이십니까?"

어떤 모습이어도 좋다. 불구가 되어도 좋고 에벤에셀을 기억하지 못해도 좋고 죽은 듯 숨만 쉬고 있어도 좋다. 그저 돌아오기만 했으면 좋겠다. 사지가 잘렸다면 에벤에셀이 업고 다니며 밥을 먹여줄 것이고 기억하지 못한다면 에벤에셀이 대신 기억하면 된다. 그녀가 깨어날 때까지 그 곁을 영원토록 지키더라도 좋다. 그러니, 제발…….

"돌아오는 길 위에 있는 겁니까?"

돌아오기만. 당신이 내게 오고 있는 것이기를.

[엘라임과 윈프리드의 아들이여. 모든 것은 하늘의 뜻에 달려 있으니 그대들은 해야 할 소임을 다하라. 그 길의 끝에 나의 딸도 있을 것이니.]

명확하지 않은 말이었다. 힐라리아의 꿈과 소망이 윈프리드에 있다는 것은 에벤에셀도 알고 있었다. 하지만, 희망을 갖기로 했다. 이 전쟁의 끝에 서 있는 것이 힐라리아의 꿈뿐만 아니라, 그녀 자체일 것이라고.

에벤에셀이 뜨끈한 눈을 감았다가 떴다. 그의 어깨를 엘라임이 짚었다. 모든 힘을 회복한 엘라임까지 깨어났으니, 바야흐로 새로운 정령의 시대가 막을 올린 것이다. 진짜 전쟁의 시작이었다.

***

쿠구구구구궁!

땅의 정령왕, 노아스가 불러일으킨 지진으로 적진 한가운데가 푹 파였다.

"으아아악!"

벌건 입을 벌린 땅속 지옥불로 적군이 우수수 떨어져 내렸다. 정령술사들을 매개로 한 정령들이 강력한 힘을 펼치며 전황을 종횡무진하고 있었다. 콰앙! 사막의 오아시스를 끌어온 엘라임이 아군의 쪽으로 몰려오는 적군을 최대한 멀리 쓸어냈다. 그 위로 춥고 강력한 바람이 불었다. 바람의 정령왕, 미네르바에게 복종한 바람이 엘라임을 도와 적군을 최대한 멀리 밀어냈다.

물론 그들뿐만 아니라 이곳에서 가장 활약을 펼치고 있는 것은 이프리트였다. 이프리트는 마치 이곳의 전부를 태우기 전까지는 멈추지 않을 것처럼 굴었다. 그건 아군의 입장으로선 다행인 일이었지만.

에벤에셀이 거친 숨을 몰아쉬며 검을 휘둘렀다. 정령의 힘을 사용하는 것보다 이렇게 검을 휘두르는 게 쉬운 것도 같다. 에벤에셀의 얼어붙은 검 끝이 적군을 베어내고 힐라리아를 향해 한 걸음 더 다가섰다.

물론 세 왕국의 연합군 사람들이 가만히 있었던 것은 아니다. 그들에 의해 뼛속까지 세뇌당한 마법사들이 정령들을 막고 있었다.

"으아아아악!"

전쟁터만큼 마법사들에게 최적인 장소가 있을까? 얼마든지 끌어서 쓸 수 있는 피가 여기저기 널려 있었다. 마법진에서 튀어나온 마물들이 윈프리드 기사들의 목을 물어뜯었다. 말 그대로, 아비규환이었다.

누구의 생존도 예상할 수 없는 그런 나날이었다.

***

앉아 있지 못하고 서성거리던 베아트리체가 저 멀리 달려오는 노임의 기척을 느꼈다.

"힐……!"

이미 사리프와 오이겐으로 갔던 인원들도 돌아왔다. 힐라리아와 케이티만 오면 돌아갈 수 있도록 준비를 마친 뒤였다. 커다란 짐 마차와 가장 비싸고 좋은 말들, 모든 것이 준비되어 있었다. 왕성에 피어오른 연기를 보자마자 베아트리체가 가장 먼저 한 일은 짐 마차를 수배하는 일이었다. 힐라리아는 자신의 몸을 사리지 않는 사람이다. 혹시나 하는 마음이었다.

힐라리아와 케이티가 곧 모습을 드러냈다. 그 뒤를 쫓아오는 오스발트의 기사들도 보였다. 비릿한 피 냄새가 이 멀리서도 나는 듯했다. 짧아진 붉은 머리카락과 눈물로 젖은 케이티의 얼굴, 그리고 힘없이 케이티에게 기대고 있는 힐라리아.

"베아트리체 님!!!"

베아트리체가 입술을 꾹 깨문 채로 요한을 향해 손짓했다. 오스발트의 추격은 이미 예상했던 일이다. 케이티가 그들이 정해놓은 경계를 넘기 무섭게, 요한이 손바닥을 맞부딪혔다. 쿵, 쿠구구궁! 하늘에서 돌들이 떨어져 오스발트의 추격대를 깔아뭉갰다.

베아트리체가 천천히 손에 든 화살을 들어 올렸다. 연금술로 만들어낸 화살과 활이 유독 차갑다. 아니, 사실 차가운 것은 베아트리체의 이성과 긴장으로 굳어진 손끝일지도 모르겠다.

'많이 안 다쳤을 거야, 제발.'

베아트리체의 화살이 앞으로 쏘아져 나갔다. 힐라리아와 케이티의 뒤를 쫓던 마지막 오스발트의 기사까지 말에서 떨어졌다.

"흐어어어엉……. 베아트리체 님, 우리 공주님, 공주님 좀 살려주세요!"

케이티의 울먹이는 목소리가 베아트리체의 귓가에 선연히 와 닿았다. 확장된 베아트리체의 금안에, 힐라리아가 비쳤다. 눈을 감고 있는 힐라리아의 얼굴이 창백하게 질려 있었다. 베아트리체 옆을 지키고 있던 제이나가 힐라리아를 말 위에서 끌어 내렸다.

그제야 베아트리체의 눈에 확실히 들어왔다. 힐라리아의 등에 꽂힌 두 대의 화살과 그녀의 몸 안을 배회하고 있는 뜨거운 열기를.

"힐라리아!!!"

베아트리체의 눈물 어린 비명이 숲을 뒤흔들었다. 케이티가 숨을 헐떡이며 바닥에 주저앉았다. 케이티 또한 이제야 힐라리아의 부상을 확인한 것이다.

"어으으으……. 어흑……!"

케이티가 바닥을 기어 힐라리아의 옆에 엎드렸다.

"안 돼, 안 돼요……. 공주님……."

힘이 풀린 베아트리체가 짐 마차에 손을 얹은 채로 주저앉았다.

"이런, 제기랄."

"마을에서 의사라도 한 놈 잡아가야겠는데."

릴리와 골리엇이 차례로 중얼거렸다. 아까 베아트리체가 약재상을 들러 이것저것을 쓸어 담을 때 왜 그러나 싶었는데 지금 이 상황을 대비한 듯싶었다.

"일단 출발해야 하니 저분들을 짐 마차에 고이 모시도록."

넋을 잃은 일행들을 향해 릴리가 손짓했다. 제너시스의 기사들이 그들을 하나, 둘 등에 업어 짐 마차에 태우는 것을 확인한 릴리가 출발을 지시했다.

"릴리 님은요?"

"의사가 필요할 것 같다지 않나."

릴리가 푸른 머리카락을 높게 묶었다. 오스발트의 기사들이 아마도 마을에 쫙 깔려 있을 것이다. 하지만, 힐라리아를 살려내 가지 못하면 여기까지 온 보람이 전혀 없다. 아우우우우- 푸른 늑대로 변한 릴리의 등 위를 골리엇이 익숙한 듯이 올라탔다. 미약한 힐라리아의 숨소리가 자꾸만 두려워졌다. 짐 마차와 말들이 출발했다. 기네비어를 향해서.

***

"죽으면 죽여버릴 거야."

베아트리체가 정신을 차리기 무섭게 한 말은 그것이었다. 그녀가 머리를 질끈 묶고는 엎드려 누운 힐라리아에게 다가갔다. 피로 들러붙은 승마복 상의를 베아트리체가 찢어냈다. 덜컹이는 마차의 흔들림에 제이나가 힐라리아의 얼굴을 자신의 무릎 위에 올려놓았다. 두꺼운 담요를 여러 장 겹쳐 깐 위에 누워 있다지만, 힐라리아의 얼굴이 바닥에 맞닿아 있는 것이 안쓰러운 까닭이었다. 케이티의 울음소리가 간헐적으로 짐마차 안을 울렸다.

"요한. 최대한 마차를 흔들리지 않게 해줄 수 있어요?"

"예, 베아트리체 님."

요한이 손가락 끝을 뜯어 짐마차 바닥에 마법진을 그렸다. 급한 상황에 매개체를 신경 쓸 겨를이 없었다. 게다가 원래 마법이란 마법사의 피가 매개일 때 가장 강력한 힘을 발현하기 마련이었다.

곧 화사한 빛이 마차 안을 가득 채웠다. 베아트리체의 명으로 미리 짐마차 안에 실어두었던 따뜻한 물과 수건으로 케이티가 힐라리아의 등을 천천히 닦았다. 엉엉 울면서도 해야 할 일은 잊지 않고 챙겨서 하는 중이었다.

"그만 울어, 케이티. 누가 죽었니?"

베아트리체가 날카롭게 쏘아붙이고는 힐라리아의 등 위에서 흔들리는 두 대의 화살을 노려보았다.

"기네비어에 무슨 일이 있는 것 같아. 케이티, 너도 느꼈지?"

"네, 네……. 허헝……. 잠들어 계시던 정령왕들께서 깨어나신 것 아닐까요? 노임이 그렇게 말했어요."

그 덕분인지 힐라리아에게 느껴지는 생명력이 그리 미약하지만은 않았다. 가장 큰 문제는 열에 녹아 뭉개진 채로 안쪽에 들러붙었을 화살촉이었다. 이미 화살대도 힐라리아의 열기로 타들어 가고 있었다. 회복 속도가 빠른 정령술사의 몸이 점점 더 아물어가고 있는 게 보였다.

베아트리체가 손에 든 단검을 불에 달궜다. 알코올을 힐라리아의 등 뒤에 쏟아부은 탓에 비릿한 피 냄새 위를 알코올의 화한 냄새가 뒤덮었다. 베아트리체가 심호흡을 하고는 단검을 힐라리아의 상처 부위에 댔다.

"케이티, 저쪽 짐을 뒤져보면 마석 주머니가 나올 거야. 혹시나 몰라서 저급이라도 전부 끌어모은 건데 힐라리아에게 녹여서 흡수시켜줘."

침착하게 명령을 내린 베아트리체가 단검의 끝을 힐라리아의 상처 부위 안으로 천천히 찔러 넣었다. 안이 더 이상 진창이 되기 전에 화살촉을 뽑아내기 위함이었다. 다행히 베아트리체는 아카데미에서 보건 관련 수업을 받을 때 항상 수석을 차지했었다.

사실 리오나 아카데미는 기네비어에 위치해 있어 전쟁과 가장 밀접한 수업을 받곤 했었다. 그중에서도 힐라리아는 군사학에, 베아트리체는 보건학에 두각을 드러냈었다. 베아트리체는 그곳에서 실전에 쓸 수 있는 의료기술을 어느 정도 익힌 바가 있었다. 이런 화살촉을 단검으로 뽑아내는 것쯤은 수도 없이 연습했다. 실제로 적용하는 것은 처음이지만.

베아트리체의 단검이 적당한 위치까지 파고들었다. 그녀의 이마에 송송, 땀이 맺혔다. 움직임마저 멎은 짐 마차 안이 고요한 침묵에 젖어 들었다. 그리고 천천히 뭉개진 화살촉이 모습을 드러내기 시작했다. 피가 슬금슬금 배어 나오는 것을 케이티가 수건으로 닦아냈다.

툭- 드디어 첫 번째 화살촉이 모습을 완전히 드러냈다. 베아트리체의 예상대로 반절이 녹아내려 형체가 뭉개진 채였다. 피부 속에 남아 있을 금속들이 피와 함께 섞여 흘러나왔다.

"요한."

"네?"

"더 이상 할 일 없죠? 알코올에 천을 잔뜩 적셔줘요."

"넵!"

요한이 베아트리체의 지시에 따라 움직였다. 손끝을 대충 천으로 감은 채로 깨끗한 수건을 알코올에 적셔 베아트리체에게 건넸다. 베아트리체가 심호흡을 하는 그것을 힐라리아의 벌어진 상처 사이로 밀어 넣었다. 어차피 녹아 액체가 된 금속이다. 손으로 닦아내는 수밖에 없다.

지금 그나마 다행인 것은 화살을 어깨에 가까운 쪽에 맞아 장기가 상하지 않았다는 것이다. 아마도 정령들이 안간힘을 다한 것 같은데, 덕분에 화살이 깊이 박히지 않았다. 옆구리 쪽에 박힌 화살도 아마 비슷한 상황일 것이다. 제 주인 몸이라면 끔찍한 불의 정령들인데, 제 몸이 상하더라도 힐라리아는 지켜냈을 줄 알았다.

몸 안을 맹렬히 돌고 있는 저 열기가 화살촉을 녹인 것도 아마 장기가 상하지 않게 하기 위함일 가능성이 컸다. 최악이라고 생각했던 상황들이 막상 뚜껑을 열어보니 그리 답답하게만 느껴지진 않았다. 베아트리체가 손을 상처 사이로 밀어 넣었다가 빼낼 때마다 금속과 함께 피가 잔뜩 묻어나왔다.

숨소리까지 잦아든 짐 마차 안에서 베아트리체가 신중히 손을 움직였다. 그리고 금속이 더 이상 천에 묻어나오지 않았을 때 베아트리체가 울음 섞인 미소를 지었다. 아직 하나의 화살이 더 남아 있었지만, 옅은 안도가 그녀를 차지한 까닭이었다.

"이제 다음으로 넘어가죠."

정령들 덕분에 치명상은 피했지만 화살을 맞은 부위가 위험하지 않은 건 아니다. 사실 어떤 후유증이 남을진 아무도 장담하지 못 한다. 하지만 그 생각에 사로잡혀 머뭇거릴 순 없었다. 그저 힐라리아가 살아 돌아와 준 것만으로도 감사할 일이니.

베아트리체가 자리를 옮겼다. 요한의 노력으로 짐 마차가 조금도 흔들리지 않고 있다는 사실도 이 순간 위안이 되었다. 베아트리체가 깨끗한 물에 손을 닦아냈다.

"베아트리체. 손이 빨개!"

힐라리아의 체온은 불의 정령만큼이나 달아올라 있었다. 그 끓는 속 안에 손을 밀어 넣으니 당연한 일이었다. 하지만, 베아트리체는 아무렇지도 않다는 듯 손을 내밀었다.

"단검 줘."

"하지만……."

"내놔. 지금 시간 없어."

또다시 불에 달궈진 검을 잡으면서도 동요 없이 입술을 깨문다. 단검을 화살촉 쪽에 끼워 넣어 화살을 뽑아냈다. 심혈을 기울이던 베아트리체의 손에서 단검이 떨어져 나갔다.

"아……."

물집이 잡힌 제 손에 대충 찬물을 쏟아부은 베아트리체가 다시 수건을 들어 올리려 할 때였다.

"내가 할게."

제이나가 동참했다. 힐라리아의 머리 밑에 가방을 돌돌 말아 넣어주고는 제이나가 수건을 빼앗았다. 깨끗하게 손을 씻고 수건을 상처에 넣어 베아트리체가 했던 것처럼 금속을 닦아냈다. 뜨겁다. 손이 타들어 갈 것 같은데 그래도 묻어나는 게 줄어드는 것이 보이니 그나마 안심이 되는 듯했다.

지켜보던 베아트리체가 제 두 손을 맞잡았다. 아직 미약한 힐라리아의 숨소리가 베아트리체를 무섭게 만들었다. 그리고 드디어.

"문 열어!"

골리엇이었다. 의사가 도착했다.

요한이 울 것 같은 얼굴로 문을 활짝 열었다.

"으, 으아아아악!"

달리는 늑대 위에서 그대로 던져진 의사를 요한이 온몸으로 받았다.

드디어 구원자가 등장했다.

***

에벤에셀의 어깨 위에서 흔들리고 있던 검은 망토가 바람에 못 이겨 떨어졌다. 그저 걸쳐져 있었기 때문인지 미약한 바람에도 떨어졌다. 서늘한 바람 아래 드러난 대리석 같은 몸에는 하얀 붕대가 둘둘 감겨 있었다. 전쟁의 상흔은 에벤에셀에게도 남았다.

밤하늘에 뜬 별이 에벤에셀에게로 쏟아지는 것만 같다. 아니 사실은 별 위에 그려지는 건 힐라리아였다. 에벤에셀과 함께 별을 봐준 사람은 힐라리아가 유일했으니 당연하달까. 에벤에셀이 벌어진 입술 새로 떨리는 숨을 내쉬었다. 그의 손가락에 가냘픈 다리를 기대고 있는 나비 힐의 날개가 거의 투명하게 변해 있었다. 정령의 힘이 시간이 갈수록 약해지고 있다는 증거였다. 에벤에셀이 고개를 기울여 나비에게 힘을 불어넣었지만, 소용없었다.

'제발⋯⋯.'

에벤에셀이 두 손을 움켜쥐었다. 가장 별이 잘 보이는 창가에 기대앉아 있던 그가 몸을 둥글게 말았다. 금방이라도 사라질 것 같은 정령에게 수도 없이 숨결을 불어넣으며 힐라리아의 이름을 불렀다. 그녀가 지금 어디쯤에 있을진 모르겠다. 그저, 제발.

"살아서⋯⋯. 죽지 않고 살아서⋯⋯."

고개를 숙인 에벤에셀의 어깨가 바르르 떨렸다.

뜨거운 눈물이 볼을 타고 흘러내렸다.

"하아⋯⋯."

자꾸만 미력해지는 정령이, 그리고 돌아오지 않는 힐라리아가, 목적을 위해서는 스스로를 아끼지 않는 그녀가 두렵다. 하지 못한 말도 많고 듣지 못한 말도 많다.

"제발."

수도 없이 입에 담았던 말을 다시 한번 담으며 에벤에셀이 간절히 나비를 붙들었다. 숨결을 불어넣으며.

"힐라리아⋯⋯."

그대에게도 내 목소리가 들린다면.

***

“힐라리아…….”

꿈인가. 분명 화살을 맞은 기억까지는 나는데……. 힐라리아가 눈을 깜빡였다. 새하얀 햇살이 쏟아지는 창가에 에벤에셀이 앉아 있었다. 아직 에벤에셀과 한 번도 맞이하지 못했던 봄이 그의 어깨 위에 내려앉아 있었다.

“이제 그만 일어나.”

에벤에셀이 재차 부르는 목소리에 힐라리아가 몸을 뒤척였다. 편안한 잠이었다. 그대로 일어나고 싶지 않을 정도로.

“싫어…….”

힐라리아가 웅얼거렸다. 푹신한 침대에 몸이 잠긴 것처럼 몹시 무겁다. 에벤에셀이 웃음을 터뜨리는 게 들렸다. 힐라리아가 그 모습을 눈에 담기 위해 황급히 고개를 돌렸다. 소리 내어 잘 웃지 않는데, 이상하게 소리 내는 모습이 정말 예쁘다. 어느새 창가에서 힐라리아에게로 다가온 에벤에셀이 그녀의 머리맡에 앉았다.

“일어날 시간이야.”

“……좀만 더 자고.”

힐라리아가 투정을 부리듯 웅얼거리며 에벤에셀의 손을 맞잡았다.

“너무 좋아.”

힐라리아가 저도 모르게 중얼거렸다.

“음?”

“너무 좋다고.”

“뭐가?”

어떻게 설명해야 할지 말을 천천히 곱씹으며 힐라리아가 입술을 열었다. 사실 지금 해야 할 말은 온갖 수식여구가 붙은 달콤한 말이 아니라 진솔한 마음이었다.

그래서 힐라리아는 가장 먼저 하고 싶었던 말을 뇌까렸다.

"정말 보고 싶었거든."

여기가 꿈이 아니라 오스발트를 다녀온 게 꿈인가 싶었다. 이 평온함과 따뜻함이 너무 생생해 벗어나고 싶지 않았다. 살갗에 와닿는 이불과 손으로 전해지는 에벤에셀의 체온 모두 진실 같았다.

"나도 보고 싶었어, 힐라리아."

게다가 힐라리아의 부름에 답해주고, 그녀의 뺨에 입 맞춰주는 지금 이 순간의 분위기가 거짓일 리가 없었다. 그러니까 좀만 더.

"정말 보고 싶어서 몇 번이나 창을 내다봤는지 몰라. 아주 멀어서 보이지 않는다는 걸 아는데 고개를 돌리면 네가 곁에 있을 것 같았지."

"쉬이."

에벤에셀이 힐라리아의 머리를 쓰다듬었다.

"그래서 몇 번이나 꿈꿨지. 내 곁에 있는 당신, 내게 웃어주는 당신, 나한테……. 사랑한다고 속삭이는 당신."

힐라리아가 에벤에셀의 손을 끌어다 손바닥에 입을 묻었다.

약속했었다. 이 전쟁이 끝나는 날이 온다면 반드시 당신에게 달려와 사랑을 고백하겠노라고. 그래서 지금 이 순간이 더할 나위 없이 귀중하게 여겨졌다. 미련으로 남아 있던 하지 못한 말들을 할 수 있는 기회가 생겼으니. 힐라리아가 에벤에셀의 손목을 꾹 붙든 채로 속삭였다.

"직접 말해주고 싶었어. 이리 와."

힐라리아가 에벤에셀을 잡아당겼다. 그녀의 몸 위로 쏟아진 에벤에셀이 급하게 반대 팔로 힐라리아의 옆을 짚었다. 가까워진 거리만큼 두 사람의 숨결이 뒤섞였다. 힐라리아가 내쉬는 숨과 에벤에셀이 내쉬는 숨은 한결같이 뜨거워 닿기만 해도 화상을 입을 것 같았다.

처음으로, 정말 여태 입에 담지 못했던 말을 이제야.

"사랑해……."

힐라리아가 눈물 젖은 목소리로 속삭였다.

"내가 정말 많이 사랑해……."

숨겨왔던 만큼 더 진한 감정을 담아서.

"사랑해, 에벤에셀."

그녀가 하는 말들을 에벤에셀이 놓치지 않도록.

"나도."

에벤에셀이 묵직한 목소리로 대답했다.

힐라리아의 귓가에 입을 맞추고 다정하게 또 한 번 속삭였다.

"나도 당신을 사랑하고 있어."

"언제나?"

"언제나."

"어디서든?"

"어디서든."

힐라리아의 말을 앵무새처럼 따라 읊어주며 에벤에셀이 그녀의 볼을 타고 흐르는 눈물을 연신 닦아냈다. 여태까지 참아왔던 말을 꺼내며 그의 몸을 자꾸만 끌어당기는 힐라리아에게 응해주며.

"사랑해……."

힐라리아와 에벤에셀의 몸이 점점 옅어지기 시작했다.

'아…….'

꿈이었구나. 역시 신께서 이렇게 쉽게 내 소원을 들어주실 리 없지. 힐라리아가 조소하고는 멀어지는 에벤에셀을 향해 손을 흔들었다. 괜찮다는 듯이 환히 웃으며.

뒤돌아보지 말고 가. 뒤돌아보고 미련 남기는 건 내가 할 테니까.

"힐라리아!!!!!!"

처절한 부름 끝에 힐라리아가 옅게 미소 지었다. 이 꿈의 끝이 무엇일지는 모르지만, 그래도 에벤에셀을 봤으니까.

"난 괜찮아……."

***

깨끗하게 금속을 제외한 상처 부위를 소독한 의사가 떨리는 손으로 상처 부위를 꿰맸다. 깔끔한 처치 덕에 꿰매기만 하면 되지만, 환자 상태가 그리 좋지만은 않았다. 간신히 목숨만 건진 상태랄까.

"이제 다 된 건가?"

"예? 예. 그렇습니다."

여전히 힐라리아의 체온은 비정상적으로 높았다. 게다가 눈도 뜨지 못하고, 힐라리아의 숨이 점점 느려지고 있었다.

"그런데 얘가 왜 이러는 거지?"

베아트리체가 눈물이 가득 고인 눈으로 고개를 저었다.

"힐라리아……. 응? 정신 좀 차려 봐……."

제이나가 베아트리체의 옆에 바투 앉았다.

힐라리아의 숨결을 확인한다고 고개까지 푹 수그렸다.

"왜 이렇게 미동도 않는 건가?"

"처음부터 그리 좋은 상태는 아니었던지라……."

"그럼, 그럼 어떻게 해야 하지?"

의사가 고개를 저었다. 더 이상 그가 해줄 수 있는 일은 없었다. 이다음을 이겨내는 건 힐라리아의 몫이다. 의사가 말한 의미를 알아차린 베아트리체가 힐라리아의 옆에 몸을 웅크렸다.

"힐라리아……."

"공주님……."

베아트리체에게 케이티가 합세했다.

계속 부르다 보면 한 번쯤은 힐라리아가 답해주지 않을까 싶어서.

하지만, 그건 그들의 바람이었을 뿐이었을까. 미약하게 오르내리던 힐라리아의 숨이 일순간 멎어버렸다. 더 이상 힐라리아의 예쁜 콧잔등은 씰룩이지 않았고, 뜨거운 숨결을 내쉬지도 않았으며, 그저 고요함에 빠져들었다.

힐라리아의 눈가를 타고 흐른 눈물 한 방울만을 남긴 채로.

"아, 아니야!!!"

베아트리체가 고개를 흔들었다.

"아니야!!!!! 힐라리아, 힐!!!"

하지만, 여전히 대답은 돌아오지 않았다.

이전보다 무거운 진실 앞에서, 무너져 내렸다.

***

마음이 새까맣게 타들어 간다는 게 이런 느낌일까? 아니, 전부 타들어 가서 더 이상 남은 마음도 없다는 게 이런 것일 테다.

윈프리드와 기네비어가 세 연합과의 총력전을 앞두고 있었다. 푸르릉거리는 말의 투레질 소리만이 고요한 초원을 가득 채웠다. 누군가 말을 한마디 잘못 내뱉기만 해도 깨어질 얄팍하고 오랜 대치였다.

에벤에셀의 버석한 시선이 저 멀리 어딘가를 내다보았다. 지속되고 있는 전쟁은 사람들의 마음과 몸을 갉아먹었다. 세 왕국의 왕 중 오로지 사리프의 왕만이 선두를 지키고 있었다. 오이겐의 왕이야 프로이턴을 상대하고 있을 테지만, 곤드레스는…….

'당신은 성공했군.'

힐라리아는 기어이 자신이 약속했던 것을 지켜낸 모양이다. 에벤에셀이 입술을 느리게 끌어 올렸다. 더 이상 아무런 날갯짓도 하지 않는 나비 힐은 에벤에셀의 어깨에 내려앉은 채로 굳어버렸다.

양쪽 모두 지쳐가고 있었다. 이제 비겁한 수도 혹은 정직한 수도 통하지 않을 지경에 이른 것이다. 에벤에셀의 검게 죽은 시선이 전황을 살폈다. 대체 이 전쟁이 무엇을 위한 것인지 이제는 명확하지 않았다.

"하아……."

이 길의 끝에 힐라리아가 있는 건 더 이상 바라지도 않는다. 그저 이 모든 게 끝나고 난 후에…… 에벤에셀의 시선이 흔들렸다. 그가 천천히 검을 들어 올리려 할 때였다. 다그닥- 여태 들리지 않았던 말발굽 소리가 전쟁터의 침묵을 깨뜨렸다. 그 뒤를 바퀴가 구르는 소리가 따랐다.

에벤에셀의 손이 툭하고 떨어졌다.

하얀 말 위에 올라앉아 짧아진 붉은 머리카락을 휘날리며 힐라리아가 전황을 가로지르고 있었다. 창백할 정도로 하얀 얼굴이 멀리서도 도드라질 정도였다. 힐라리아의 몸을 덮은 검은 망토에는 윈프리드의 문양이 그려져 있었다. 가녀린 몸을 전부 가릴 정도로 커다란 망토였다. 아마도 힐라리아에게로 갔었던 정보국 일원의 망토인 듯싶었다.

"힐라리아!!"

누군가가 새된 목소리로 외쳤다. 하지만, 그 목소리는 힐라리아에게 닿지 못한 것이 분명했다. 힐라리아의 등 뒤로 금빛 나비들이 일제히 날아올랐다. 힐라리아에게서 뻗어 나온 나비들은 일반인들의 눈에도 보이는 듯했다. 웅성거리는 이들은 명확하게 특이한 나비에 대해서 떠들어 대고 있었다.

"쉬잇."

힐라리아의 손짓에 나비들이 두 진영의 가운데를 가로질러 날았다. 나비들에게서 옮겨붙은 정령의 불이 두 진영 가운데 명확한 선을 그었다. 그 위로 힐라리아가 정갈하게 말을 몰았다. 시끄러워졌던 사람들이 다시 입을 다물 만큼 성스럽고 경건한 장면이었다.

힐라리아를 태운 말은 걷는 속도가 지독히 느렸다. 그건 에벤에셀의 심장이 뛰는 속도와 비슷한 것도 같았다. 힐라리아는 천천히 전쟁터의 한가운데로 움직였다. 적진에서도 차마 움직이지 못하고 갑자기 나타난 힐라리아만을 주시하고 있었다. 왠지 이 전쟁을 종결지을 열쇠가 힐라리아의 손에 달려 있을 것만 같았다. 그게 정답이었는지 힐라리아가 말고삐를 쥐지 않은 왼손을 들어 올렸다. 그녀의 마른 손에 들려 있던 것은.

"곤드레스!"

"오스발트의 왕이야!"

"죽었다는 게 사실이었어?"

에벤에셀이 사납게 웃었다. 힐라리아는 연합 수장의 목을 베어왔다. 에벤에셀에게 너구리를 잡아주겠다던 약속을 지켰고 기어이 윈프리드와 기네비어를 지켰다.

"전쟁은!"

힐라리아의 갈라진 목소리가 전쟁터를 갈랐다.

"끝났다!"

힐라리아가 몸을 돌려 곤드레스의 목을 적진 한가운데로 던졌다. 그녀의 등을 가득 메우고 있던 금빛 나비들이 위협적으로 날개를 퍼덕였다.

"세 연합은 패배를 인정하고 항복하라! 그대들의 항복을 윈프리드와 기네비어는 기쁜 마음으로 받아들일 것이니! 의미 없는 죽음을 막아야 하지 않겠는가!"

윈프리드와 기네비어 진영에 버티고 있던 정령왕들이 무거운 몸을 움직여 힐라리아 뒤에 섰다. 이전에는 보지 못했던 장엄하고도 위대한 상황이 펼쳐지고 있었다. 능욕당하고 사라져갔던 정령술사들이 다시금 재림했다. 자연과 인간의 위대함이 한데 어우러져 패배자들의 목을 옥죄었다.

사리프의 왕이 검을 떨어뜨렸다.

이 이상 전쟁을 지속해봤자 의미 없는 죽음만 지속될 테고 종내에는 윈프리드의 승리로 끝날 거라는 강렬한 예감이 들었다. 그들에게는 없는 것이 윈프리드에는 있었다. 목숨을 바쳐서라도 나라를 지켜내고야 말겠다는 뜨거운 열정과 패기. 그 모든 것을 상회하는 서로를 향한 믿음과 정의.

마지막으로 힐라리아 기네비어. 초라하게 황성에서 쫓겨나 오스발트 왕실의 포로로 잡혀갔었던, 그러나 지금은 전쟁을 종결지을 자로서 이 자리에 서 있는 힐라리아가 그들에게는 없었다.

"……백기를 올리라."

든든한 우군이었던 곤드레스는 죽었고 오이겐은 프로이턴을 상대하는 것으로 벅차 이곳엔 시선도 돌리지 못하고 있었다. 세 연합의 진영에 새하 얀 백기가 게양되었다. 힐라리아의 창백한 입술에 미소가 걸렸다.

'해냈어!'

들끓는 희열이 힐라리아의 오묘한 금안에 자리 잡았다. 작열하는 고통이 힐라리아의 등을 찢어발기는 것만 같았지만 지금을 포기할 수 없었다. 전쟁을 종식시키고 기네비어와 정령술사들이 오랜 시간 염원했던 것을 얻을 기회였다. 활을 맞은 오른 어깨는 감각을 잃은 듯 축 늘어져 간신히 말고삐만을 잡고 있었고 옆구리에 맞은 활 덕에 벌리고 앉은 다리가 저렸다. 의사가 불가하다 말했던 것을 애초에 힐라리아가 강행한 거였다. 힐라리아가 입술을 꾹 깨물곤 간신히 말을 돌렸다.

저 멀리 윈프리드의 모습이 보였다. 힐라리아가 그토록 그렸던 에벤에셀이 그 앞에 서 있었다. 힐라리아가 천천히 걸었다.

그녀만을 보고 있는 에벤에셀을 향해서.

"에벤……."

그에게는 닿지 않았을 목소리가 힐라리아의 주변으로 흩어졌다. 항복을 받아낸 것은 힐라리아지만, 전쟁을 종식시키는 건 윈프리드의 수장인 에벤에셀이어야 한다. 그리고 힐라리아에겐 아직 이 상황을 완벽히 연출할 약간의 힘이 남아 있었다. 모든 고통을 뒤로한 힐라리아가 에벤에셀의 지근에 도착해서 천천히 말에서 내렸다.

그리곤 에벤에셀 앞에 무릎을 꿇었다. 힐라리아의 뒤를 따라 정령들마저 에벤에셀 앞에 복종을 표했다. 그의 어깨에 앉아 있던 나비 힐이 다시 선명한 금빛으로 타올랐다. 에벤에셀의 푸른 눈에 투명한 눈물이 맺혔다.

"폐하, 기네비어의 힐라리아. 약속을 지키기 위해 왔습니다. 곤드레스의 죽음을 가지고 전쟁을 끝내기 위해 왔습니다. 저들의 항복 선언을 기쁜 마음으로 수용해주십시오."

뜨문뜨문 이어지는 힐라리아의 말들이 에벤에셀의 귀를 콕콕 쑤시는 것만 같다. 힐라리아다. 확실히 그녀가 맞았다. 에벤에셀이 말에서 뛰어내렸다. 머리에 쓰고 있던 투구를 집어던지고 에벤에셀이 추운 바닥에 무릎 꿇고 앉은 힐라리아를 향해 걸었다. 어깨에 두르고 있던 망토를 끌어 내린 에벤에셀이 힐라리아의 손을 잡아 일으켰다.

"전쟁은 끝났다!"

에벤에셀의 목소리가 전장에 드높이 울려 퍼졌다.

"항복하는 자는 놓아주고 반발하는 자는 죽여라! 지도 위에서 사리프와 오스발트, 오이겐은 더 이상 존재하지 않을 것이다! 사리프의 왕을 구금하고 세 나라로 군대를 보내 왕족의 신병을 확보하라! 그들의 깃발을 꺾어 불태울 것이며 그들은 다시, 윈프리드의 아래로 귀속되리라!"

"우와아아아아아아아악!"

휘이이익!

머리 위로 윈프리드와 기네비어의 깃발이 휘날렸다. 흥분에 도취된 기사들이 적진으로 달려나갔다. 그 가운데에서. 모두의 관심이 쏠린 가운데에서 힐라리아와 에벤에셀이 조우했다.

"안녕?"

힐라리아가 깡마른 손을 에벤에셀의 볼에 얹었다. 가라앉은 에벤에셀의 눈이 힐라리아를 살폈다. 짙은 피비린내가 힐라리아에게서 묻어나고 있었다. 금방이라도 쓰러질 것 같은 마른 볼이 그의 시선에 걸렸다. 무슨 일이 있었던 건지 다리를 절뚝거리는 힐라리아에게서 죽음을 건너온 자의 냄새가 났다.

"……내가 왔어, 에벤에셀."

힐라리아가 눈을 접어 웃었다.

그녀의 눈꼬리를 타고 뜨거운 눈물이 흘러내렸다.

"그대에게 하지 못한 말이 있어서……."

끌어 올린 입술이 바들바들 떨렸다.

"사랑해."

드디어 전했다.

힐라리아가 에벤에셀의 볼을 손끝으로 덧그렸다. 그동안 수도 없이 홀로 곱씹었던 말을 이제야 전했다. 에벤에셀이 입술을 벌려 숨을 토해냈다.

"하."

여태껏 멎어 있던 심장이 도로 뛰기 시작했다. 살아 있었다. 힐라리아가 살아 있었다. 차마 깨어질 환상 같아 그녀를 향해 손도 뻗지 못하고 있을 때였다. 천천히 힐라리아의 몸이 무너지기 시작했다.

"힐라리아!"

굳어 있던 에벤에셀의 몸이 그제야 움직였다. 쓰러지는 힐라리아를 끌어 안았다.

"대체, 무슨 짓을……."

에벤에셀의 코끝에 비릿한 피 냄새가 짙게 스쳤다. 뜨거운 액체가 에벤에셀의 손을 적셨다. 힐라리아가 에벤에셀의 어깨를 짚은 채로 바스러질 것같이 미소 지었다.

"……내가 죽으면 당신 탓이라고 했잖아. 에벤, 나를 살려."

그리곤 천천히 눈을 감았다.

"그리고 같이 살아가자……."

힐라리아의 몸이 완전히 무너졌다. 그 힐라리아의 아래로 떨어지는 붉은 핏방울을 모두가 보았다. 새로운 붉은 여왕이 죽음을 목전에 두고 전쟁을 끝냈다. 윈프리드와 힐라리아를 둘러싼 정령들이 일제히 일렁이는 금빛을 뿜어냈다. 눈시울 붉어지게 하는 그 장면을 모두가 보았다.

기사들도, 뒤편에서 기사들을 돕던 수종기사들도, 그들을 위해 밥을 지어 주던 이들도, 혹은 나무와 들풀, 하늘까지. 이 자리에 존재하고 있던 모든 것이 힐라리아의 숭고한 희생을 목도했다. 그들은 더 이상 정령술사를 마녀라고 떠들어대지 못할 것이다. 그들이 핍박했던 이능력자가 일궈낸 기적을 보았으니. 사람의 입에서 입으로. 이 일은 점차 퍼져나가 제국을 뒤흔들 것이다. 힐라리아가 그렇게 염원했던 대로.

에벤에셸이 힐라리아를 끌어안은 채로 그녀의 어깨에 고개를 묻었다.

"빌어먹을……."

항상 눈물은 에벤에셸의 몫이다. 뜨겁고 굵은 눈물이 에벤에셸의 얼굴을 타고 흘러내려 힐라리아의 머리카락을 적셨다. 더 이상 손가락에 감기지 않는 짧은 머리카락이 힐라리아의 고난을 보여주는 듯했다.

에벤에셸이 힐라리아를 안아 올렸다. 그가 본진으로 복귀하는 길이 저절로 열렸다. 뚝, 뚝. 바닥을 적시는 힐라리아의 핏방울은 사람들의 마음 또한 적셨다. 200여 년 전부터 시작되었던 윈프리드와 세 나라의 묵은 원한도, 300여 년 전에 황실의 실책으로 시작되었던 기네비어의 오욕도 전부 깨끗이 쓸려 내려갔다. 힐라리아 단 한 사람으로 인해서.

'그대가 해냈어, 힐라리아.'

에벤에셸이 다 뜯어진 입술을 앙 물었다.

'이번에도 약속 지켜, 힐라리아.'

같이 살아가자던 그 말, 지켜.

***

힐라리아와 에벤에셸이 멀어지는 모습을 오스발트에서 온 일행이 지친 얼굴로 지켜보고 있었다. 하루에도 수십 번씩 죽음의 강을 건너려 하는 힐라리아를 소생시키기 위해 온 힘을 다한 이들이었다.

이제는 정말로 끝이라고 여길만한 상황들을 수도 없이 겪었다. 열이 오르고 피가 멎질 않았다. 마석을 아무리 갈아 먹여도 차도가 보이지 않았다. 연금술과 마법, 인간의 의술. 할 수 있는 모든 수단을 총동원해서 힐라리아를 살려냈고 여기까지 왔다.

"하, 하……. 평생에 쓸 모든 체력을 다 쓴 것 같아."

베아트리체가 중얼거렸다. 하지만, 가느다란 미소가 걸린 얼굴은 후련하니 기뻐 보였다. 그건 다른 이들도 마찬가지였다. 제이나가 베아트리체의 어깨를 두드렸다. 힐라리아가 말을 타겠다고 고집을 부릴 때는 정말 힐라리아를 때려주고 싶었는데. 그 고집을 이기지 못해 말에 태웠다.

"정말 대단한 애야. 그렇지?"

베아트리체가 제이나를 향해 고개를 돌렸다. 제이나가 고개를 끄덕였다. 오는 길 내내 그들을 추적하는 오스발트의 기사들을 상대한 제이나도 멀쩡하지는 않았다. 하지만, 그녀 또한 후련한 얼굴이었다.

"응……. 정말로."

왜 모두가 힐라리아에게 매혹될 수밖에 없는지 다시 한번 깨달았다. 힐라리아는 자신의 정의를 위해서라면 죽음마저 불사하고 달려든다. 그리고 힐라리아의 정의가 가리키는 곳에는 언제나 모두의 행복이 있었다. 누구라도 믿고 따를 수밖에 없는 사람이었다. 힐라리아의 행보 하나, 하나에 의미가 있었고 그것들은 모두 연결되어 지금을 만들어냈다.

"힐라리아가 아주 예전에 내게 약속했었지. 기네비어의 문을 열어주겠다고."

베아트리체가 울먹이는 목소리로 웅얼거렸다. 리오나 아카데미에서 처음 만났을 때였을 것이다. 제너시스 후작 부인의 이야기를 들은 힐라리아는 베아트리체에게 굳게 약속했다.

'아마 이모님 말고도 기네비어로 돌아오고 싶은 이들이 많을 거야. 그들은 고향을 잃어버린 거잖아. 그러니 약속할게. 기네비어의 공주로서 저 문을 반드시 활짝

열겠다고.'

어린 게 배포는 어떻게 그렇게 대단한지. 그리고 베아트리체는 그 말을 믿고 힐라리아에게 모든 것을 걸었다. 힐라리아는 왠지 할 수 있을 것 같았기 때문이었다.

이렇게 숨어서 정령술을 배우지 않아도 되는 세상. 떠나온 고향으로 돌아갈 수 있으며 더 이상 배척받아도 되는 그런 세상. 정령술사들이 명예를 되찾고 사람들과 어울려 살아갈 수 있는 세상. 요람이자 감옥이었던 기네비어를 벗어나 바다와 들판, 산을 전부 눈에 담을 수 있는 그런 세상. 힐라리아는 약속했던 것들을 기네비어의 후손들을 위해 이렇게, 이루어냈다.

베아트리체의 얼굴을 타고 눈물이 흘러내렸다.

"……멍청한 계집애."

왜 이렇게 열심히 하느냐 물었을 때 힐라리아가 했던 대답이 여전히 생생했다.

'약속했잖아. 내가 네게 약속했잖아. 기네비어의 공주는 작은 약속도 함부로 여겨선 안 돼.'

베아트리체가 고개를 숙여 손바닥에 얼굴을 묻었다. 어릴 때 했던 장난스러운 그 약속이 뭐라고. 그게 뭐라고…….

'목숨까지 걸고서…….'

베아트리체가 어린아이처럼 엉엉 눈물을 터뜨렸다. 힐라리아가 있어서 다행이다. 윈프리드에, 그리고 기네비어에, 힐라리아가 있어서 다행이다.

그리고 장담컨대 그것은 모두가 품은 생각이었을 것이다.

***

기네비어의 이름 높은 정령술사들과 의사들이 번갈아 가며 힐라리아의 방을 드나들었다. 오랜만에 주인을 되찾은 방은 활기를 되찾을 만도 하건만 음울한 기색으로 가득했다. 그들은 종전의 기쁨조차도 누리지 못하는 이들이었다. 승리의 주역이면서 말이다.

힐라리아가 깨어나지 못하고 있었다. 헬레나미아가 무리하여 힘을 불어넣고 정령왕들이 나섰음에도 이미 엉망이 된 몸은 좀처럼 회복되지 못했다. 인술, 정령술. 그 무엇도 힐라리아에게 힘을 발휘하지 못했다. 밖에서는 연일 축포가 터지고 고기 굽는 냄새와 사람들의 웃음소리, 노랫소리가 끊이질 않는데 성 내부는 세상과 유리된 채 고요하다.

전쟁이 끝난 후, 윈프리드와 기네비어 전역이 들썩였다. 그들은 종전의 기쁨에 도취되어 있다가도 새로운 붉은 여왕을 생각하면 울적함에 젖어 들곤 했다. 새로운 붉은 여왕, 힐라리아 기네비어. 진정한 영웅이 위독하다는 소식은 그녀의 무용담과 함께 전국에 퍼져나갔다.

힐라리아가 곤드레스 왕의 머리를 잘라온 일과 에벤에셀 앞에 대륙을 바치고는 쓰러진 일들이 각색되어 일파만파 퍼졌다. 벌써부터 힐라리아의 무용담을 노래하는 시와 가사가 나왔고 그녀를 주제로 한 만담과 연극들이 만들어지고 있었다. 하지만, 그 주인공은 더운 숨만 쌕쌕 내쉬며 죽음과 또 다른 전쟁을 치르고 있는 중이었다.

에벤에셀이 힐라리아의 옆에 무력하게 앉아 고개를 창밖에 두었다. 힐라리아는 약속대로 그의 품으로 돌아왔다. 사랑한다고 속삭이던 달콤한 목소리를 분명히 기억한다. 그러나 그것보다 에벤에셀의 뇌리에 더 깊숙이 각인된 것은 그의 손바닥을 적시던 더운 액체였다. 붉게 에벤에셀의 눈을 물들이던 그 액체가 선연했다. 가쁜 호흡을 내쉬며 그토록 바라던 말을 속삭이던 힐라리아가 그의 품으로 쓰러졌을 때, 에벤에셀의 심장도 함께 멎었다.

'더 이상 할 수 있는 건 없습니다. 기다리는 수밖에요.'

'독에 당한 지 얼마 되지 않아 큰 부상을 당한 게야. 시간이 필요해.'

할 수 있는 게 없다. 그 말들이 에벤에셀을 갈가리 찢는 듯했다. 이렇게 무력할 줄이야. 반인으로 태어나 누구보다 강력한 정령의 힘을 구사하는 에벤에셀이다. 게다가 무소불위 황제의 핏줄로 무력하다는 감정을 느껴본 일이 없었다. 한데 힐라리아만큼은 항상 그를 무력하게 만든다. 매번. 아무렇게나 늘어져 있던 에벤에셀의 음울한 시선이 힐라리아를 향했다.

그녀가 살아오길 바랐다. 불구라도 좋고 눈을 뜨지 못해도 좋으니 돌아오기만을 간절히 바랐다. 하지만, 저렇게 죽음을 눈앞에 둔 모습으로 돌아오길 바라진 않았다. 힐라리아는 자신이 이룩한 것을 조금도 누리지 못하고…….

에벤에셀이 느릿하게 눈을 감았다. 그러자 힐라리아의 느린 숨소리가 조금이나마 더 잘 들려오기 시작했다. 분명히 이어지고 있었다. 속에서 차오른 울분과 누구에게도 표출할 길이 없는 두려움이 에벤에셀을 침잠했다.

하지만, 에벤에셀은 도저히 눈을 뜰 수가 없었다. 힐라리아가 없을 세상을 상상해야만 하는 현실이 지독했기에. 무력하게 힐라리아의 옆에 잠들어 하루, 하루를 보내고 있었다. 그러다가 문득 잠에서 깨어 힐라리아의 숨소리를 확인하고 다시 눈을 감는다.

산 자가 죽음을 향해 스스로 걸음을 재촉하는 것처럼.

***

"힐라리아가 깨어나긴 하는 거겠죠?"

베아트리체가 초조한 얼굴로 헬레나미아를 재촉했다. 그녀에게 답이 있는 게 아니라는 걸 알아도 가만히 있을 수가 없었다. 유례없이 북적이는 기네비어의 사정을 살피는 것만으로도 바쁠 헬레나미아를 계속해서 붙드는 것도 같은 이유였다. 헬레나미아가 긴 한숨을 내쉬었다.

"……힐라리아에게는 시간이 필요한 것뿐이야."

"그 전에 초상을 치르게 생겼으니 하는 말 아니에요, 이모님."

힐라리아 옆에서 죽은 듯이 자고 있는 에벤에셀을 비롯해서 위베르와 길리어스, 심지어는 제이나까지. 흐물흐물하게 녹아내린 낯짝으로 성을 활보

하고 있었다. 그리고 그것은 헬레나미아 또한 주지하고 있는 사실이었다.

아주 솔직히 말하자면, 힐라리아가 정말로 소생할지 장담할 수 없는 상황이었다. 힐라리아는 해서는 안 되는 일들을 수도 없이 자행했다. 그녀의 몸속 장기를 녹이는 독을 복용했다. 그도 모자라 등에 박힌 두 대의 화살로 인한 부상을 무시하고 말을 타기까지.

좀 더 솔직해지자. 헬레나미아 또한 꽤나 화가 나 있는 상황이었다.

분명 힐라리아에게 홀로 모든 것을 짊어질 필요는 없다고 수도 없이 말해왔는데 매번 이렇다. 힐라리아가 살아날 것이라고는 그녀조차도 장담하지 못한다. 그만한 위험을 감수하고 힐라리아는 기대한 것 이상을 얻어냈지만, 그게 힐라리아 없이도 의미가 있는 일이던가.

절대로 그렇지 않다. 이 모든 것은 힐라리아까지 살아남아야 가치 있는 일이었다. 죽음을 각오하고 뛰어들었다는 것을 알았을 때 뜯어말렸어야 했나.

"하아……."

그보다 조금 더 깊은 속내를 말해보자면…… 지켜주지 못해서 미안했다. 내 딸, 우리 막내. 연약하고 사랑스러운 우리 힐라리아. 결국엔 그런 위험 속에서 힐라리아를 위해 아무것도 하지 못했다는 죄책감이 헬레나미아를 좀먹고 있었다. 얼마나 울었는지 눈이 퉁퉁 부은 베아트리체의 머리를 헬레나미아가 쓰다듬었다.

"괜찮을 거야."

불안에 질려 있는 베아트리체를 다독일 수 있는 수많은 말 중 할 수 있는 말은 고작 이것뿐이었다. 헬레나미아가 소란스러운 밖을 향해 고개를 돌렸다. 몸에 좋은 영약들이란 영약들은 전부 기네비어의 왕성으로 모여들고 있었다. 힐라리아의 이야기를 들은 자들이 자진해서 모여들고 있는 것이다. 매일 밤이면 성 앞에 쌓여 있는 약초들과 영약들을 치우는 것만으로도 일이었다.

윈프리드의 기사들은 죄인들을 황성으로 압송했고 또 다른 자들은 남은 잔당을 쫓아 오스발트, 사리프, 오이겐으로 향했다. 오이겐의 왕 또한 추포되어 황성으로 향하고 있다는 소식이 들려왔다. 전쟁은 힐라리아가 원했던 대로 윈프리드의 완승으로 마무리되었다.

하지만, 가장 귀한 것을 잃을 위기에 처해 있으니…….

'힐라리아.'

제발…….

'눈을 뜨렴.'

헬레나미아 또한 간절히 기도했다.

***

힐라리아가 눈을 깜빡였다. 몇 번이고 편안한 안식이 그녀를 향해 손짓했으나 그것을 뿌리치고 현실로 돌아온 것이다. 그 손을 맞잡기에는 힐라리아가 두고 온 이들이 너무 많았다.

"이것 봐……."

힐라리아가 오랜 시간 입을 열지 않아 잔뜩 갈라진 목소리로 중얼거렸다. 그녀 옆에 죽은 듯이 누워 있는 에벤에셀을 발견한 것이다. 그 '에벤에셀'이 이렇게까지 망가진 모습이라니. 힐라리아가 뻐근한 몸을 일으켰다.

사실 정령왕이 나선 마당에 외상이 치료되지 않았을 리 없었다. 그녀에게 어떤 후유증이 남았을진 아직 모르지만, 힐라리아는 겉으로는 멀쩡했다. 힐라리아가 마른 손으로 에벤에셀의 길어진 머리를 쓸어 올렸다.

대체 왜 이러고 있어. 온기가 힐라리아의 손바닥을 파고들었다. 그녀가 살아 있듯이 에벤에셀도 살아 있었다. 그들은 서로에게 한 약속을 지킨 것이다. 그들이 걷는 길 끝에 반드시 서 있겠다는 약속을. 힐라리아의 푸른 눈에 눈물이 고였다. 그때였다. 가만히 누워 있던 에벤에셀이 입을 열었다.

"……죽는 줄 알았어."

"……."

에벤에셀이 이어 눈을 깜빡였다. 힐라리아의 풀어진 얼굴이 그의 눈에 들어왔다.

"당신이 죽는다면 나도 따라 죽을 생각이었어."

"에벤에셀."

"당신이 나와 한 약속을 지키지 않았으니, 나도 지키지 않을 생각이었지."

힐라리아는 더 이상 에벤에셀을 타박하지 못했다.

그녀의 손목을 끌어당겨 손바닥에 입을 맞추는 에벤에셀의 몸이 간헐적으로 떨리고 있었던 까닭이었다. 손바닥에 와 닿은 입술도 마찬가지였다. 지금 당장이라도 바스러질 것처럼 연약한 모습으로 에벤에셀이, 울고 있었다. 뜨거운 눈물이 화상을 입힐 것처럼 뚝, 뚝 힐라리아의 손바닥을 적셨다.

"나도……. 나도 지키지 않을 생각이었다고."

어린애처럼 투정 부리며 에벤에셀이 울음을 터뜨렸다. 몸을 동그랗게 말고 힐라리아의 발치에서 섧게도 울었다. 힐라리아가 차마 에벤에셀에게 손을 대지 못한 채로 입술을 꾹 깨물었다. 짐승처럼 오열하는 에벤에셀을 힐라리아는 어떻게 위로해야 할지 알 수가 없었다. 그저 가만히 에벤에셀의 등에 손을 얹었다. 그에게 힐라리아가 죽지 않았다는 사실을 주지시키듯이.

그리고 속삭였다.

"사랑해……."

참아왔던 묵직한 감정을 하나씩 내보이며.

이 온 새벽을 다해서 힐라리아는 그렇게 에벤에셀을 위로했다.

*　*　*

뜨거운 물이 힐라리아와 에벤에셀의 목 아래에서 출렁였다. 그의 무릎 앞에 앉은 힐라리아의 머리카락 사이에 에벤에셀이 향유를 섞은 물을 부었다.

버석했던 힐라리아의 붉은 머리카락이 다시 생기를 되찾는다.

힐라리아가 깨어났다는 소식을 듣자마자 케이티가 가져온 따뜻한 감자 스프를 먹고 목욕탕에 들어온 참이다. 에벤에셀이 신중한 얼굴로 힐라리아의 머리카락을 빗어 내렸다.

"이러고 있으니 옛날 일이 생각나네."

"……."

"다시 한번 속삭여봐, 에벤에셀."

힐라리아가 불시에 몸을 돌리곤 에벤에셀의 뺨에 가느다란 손가락을 얹었다. 보드랍게 만져지는 볼을 톡톡 두드리며 그의 입술을 눈길로 쓸었다. 손가락으로 입술 위를 덧그리다가 짓궂게 그 안을 희롱하기도 했다.

"주인님……."

힐라리아가 눈을 곱게 접어 웃었다. 아직도 울음기가 가시지 않아 불그스름한 눈가가 도드라진다. 피부가 워낙 희어서 그런지 그건 나름대로 선정적이었다. 검은 머리카락에 푸른 눈, 그것과 대비되는 붉은 눈가. 에벤에셀이 힐라리아가 원하는 대로 천천히 입술을 열었다.

"……주인님."

느리게 속삭이는 목소리에는 옅은 숨소리가 섞여 있었다.

"좋아, 이번에는 어떤 소원을 들어주랴? 나는 지난밤 네가 원하던 대로 나의 새벽을 네게 내어주었다."

힐라리아가 나긋하게 속삭이며 에벤에셀 가까이 몸을 붙였다. 피부 사이로 전해지는 뜨거운 온기가 이제는 열기가 되어 타오르고 있었다. 그녀가 희롱하면 희롱하는 대로 입술을 벌리던 에벤에셀이 눈가를 곱게 접었다. 하지만, 그의 푸른 눈은 집요하리만치 힐라리아만을 좇고 있었다.

이런 장난질을 칠 만큼 회복된 것이다. 온 정령들의 사랑을 독차지하고 있는 덕에 경이로운 회복력을 자랑하는 탓이다. 힐라리아가 깨어났다는 소식에 다녀갔던 이들이 그녀의 입에 밀어 넣었던 영약들도 한몫했을지도 모른다. 힐라리아가 좀 씻고 싶다는 말로 그들을 물리지 않았다면 힐라리아는 하루 종일 그들에게 붙들려 있었을지도 모르지.

"……제 곁에만 있어 주세요, 주인님."

에벤에셀이 힐라리아가 바라는 대로 속삭이며 힐라리아의 반대쪽 손을 움켜쥐었다.

"질투가 납니다. 다른 이들에겐 시선도 주지 마세요, 주인님."

다시금 속삭이며 에벤에셀이 힐라리아의 손을 잡아당겼다. 미끄러진 힐라리아가 에벤에셀의 품으로 무너졌다. 그런 힐라리아를 번쩍 안아 난간에 앉히고는 허공에 드러난 그녀의 종아리를 손에 쥐었다. 교교한 인어처럼 물기에 젖어 힐라리아를 올려다보며, 에벤에셀이 힐라리아의 다리 사이에 무릎을 꿇고 앉았다.

"귀여운 말을 하는구나."

힐라리아가 에벤에셀의 장단에 맞추며 그의 뺨을 쓸었다. 출렁이는 물이 힐라리아와 에벤에셀을 동시에 훑고 흘러갔다. 황제의 지엄한 신분으로도 아무렇지 않게 힐라리아의 앞에 무릎을 꿇고 그녀를 올려다보며 애원한다.

"좀 더 귀엽게 속삭여보렴. 미인은 주인의 마음을 동하게 하는 법이거든."

힐라리아가 제법 파락호처럼 속삭이며 에벤에셀에게 고개를 가까이 가져갔다. 잔뜩 물에 젖은 힐라리아의 머리카락이 쏟아져 에벤에셀을 스친다.

"저만 사랑해주세요, 주인님. 새벽으론 부족합니다. 낮도, 밤도, 아침도. 모두 제게 주세요."

에벤에셀의 손이 힐라리아의 팔등으로 미끄러졌다. 힐라리아의 눈빛이 흔들렸다. 분위기를 풀어보려 장난으로 시작한 일에 진심이 되어버렸다. 아니, 어쩌면 처음부터 에벤에셀은 진심이었는지도.

에벤에셀이 힐라리아를 향해 한 걸음 다가갔고 힐라리아가 딱 그만큼 몸을 뒤로 물렸다. 힐라리아의 턱을 타고 흐른 물방울이 에벤에셀의 볼 위에 톡 하고 떨어졌다. 그와 맞닿은 살갗이 뜨겁다. 힐라리아를 보는 에벤에셀의 눈빛이 그만큼 들끓고 있었기 때문인지도 모르겠다.

"이 제국도 필요 없다 말해주십시오."

에벤에셀의 녹진한 눈동자에 투명한 눈물이 고였다.

"다시는 비루한 저를 홀로 두지 않겠다고 말해주십시오."

눈물이 에벤에셀의 볼을 타고 흘러내리고 있었다. 더없이 진한 감정을 가득 담은 채로, 오로지 힐라리아만을 보고 있는 눈동자에 담긴 그 진심을 힐라리아는 외면할 수 없었다. 욕실에 가득한 향유의 달달한 향내에 머리가 멍해졌다. 아니, 그녀를 멍하게 만드는 건 그녀를 홀리려 작정한 에벤에셀일지도 모른다. 이지가 흐려지는 것만 같다.

"제가 가장 중하다 말해주세요, 주인님……."

에벤에셀이 눈을 가늘게 뜬 채로 간청했다. 눈물이 적신 흰 뺨이 물기에 젖어 빛났다. 힐라리아가 에벤에셀에게 붙들리지 않은 손으로 그의 볼을 쓸어내렸다.

"쉬이……."

"당신 없이 살지 못하는 저를 불쌍히 여기신다면……."

"사랑해."

"약속하세요."

에벤에셀이 힐라리아의 허벅지에 고개를 묻었다. 그의 눈물이 힐라리아를 적셨다.

"사랑해, 에벤에셀."

그런 에벤에셀에게 힐라리아가 진심을 쏟아냈다.

"혼자 두지 않을게. 당신을 다시는 홀로 두고 떠나지 않아……. 홀로 울게 하지 않을게."

"……."

들썩이는 에벤에셀의 등을 힐라리아가 상냥하게 토닥였다.

"그대를 사랑하니 내 의지로 곁에 남을게."

에벤에셀이 눈을 감았다.

이전보다 날카로워진 에벤에셀의 턱을 타고 쉼 없이 눈물이 흘러내렸다.

"……울지 마, 제발."

힐라리아가 에벤에셀의 머리를 끌어안았다.

"내 평생을 그대에게 줄게."

드디어 바라던 약속을 얻어낸 에벤에셀이 입술을 열었다.

"사랑합니다. 죽을 것처럼 당신을……."

에벤에셀의 목소리가 울음에 섞여 흩어졌다.

"사랑합니다……."

***

"힐라리아가 안 죽었다고?"

올리비아가 입술을 짓씹었다. 황성을 제집처럼 헤집고 다니는데 힐라리아의 소식을 듣지 못할 리가 없었다. 스베인이 올리비아를 보곤 혀를 내둘렀다. 그러면 죽기라도 바란 건가? 에벤에셀이 스베인을 이곳에 남겨두고 간 이유를 요새처럼 통감하는 날이 없었다. 대체 무슨 생각으로 올리비아에게 황제 대리를 맡겼나 했는데.

사람들은 이제 올리비아를 마녀라고 손가락질하고 있었다. 그녀는 수도 없는 실책을 저질렀고 사치를 일삼고 자신을 거역하는 이들에게 쉽게 죽음을 언도했다. 스베인은 황실의 수문장이 되어 그들을 지키고 있는 입장이었다. 에벤에셀은 스베인에게 가장 무거운 짐을 떠맡긴 것이다.

스베인의 눈이 올리비아를 한심하다는 듯이 훑었다. 한 인간으로서 어쩜 저렇게까지 엉망일 수 있는 것인지. 그간 힐라리아를 봐왔던 스베인으로서는 올리비아가 정말 인간처럼 느껴지지도 않았다. 게다가 황태후 세력이 반역죄로 치죄 당한 몰골을 봐놓고 조금도 느낀 바가 없는지 오만하기까지 했다.

주장하기로는.

'폐하께선 나를 사랑하시는 거야. 매번 나를 살려두시잖아?'

그랬다. 올리비아는 아무래도 병까지 깊은 것 같았다. 스베인이 고개를 내젓고는 서류에나 시선을 처박았다. 황실 대리는 올리비아가 아니라 스베인인 듯했다. 그리고 스베인이 해야 할 일은 한 가지 더 있었는데…….

올리비아의 등 뒤에서 살기를 차마 감추지 못하는 첼로스테와 실로테가 보였다. 스베인은 심지어 저 정신 나간 여자의 목숨마저 지켜줘야 했다. 제발, 그러지들 좀 마시라니까. 스베인이 한숨을 내쉬며 말했다.

"거기 두 사람 나 좀 보지."

"무슨 일이야?"

"아, 이번에 새로 들인 보석이 있어서요. 마마님께 어울릴만한 것을 골라서 보내도록 하겠습니다."

"내가 직접 가는 게 좋을 것 같은데!"

올리비아가 몸을 벌떡 일으키려는 순간 스베인이 부드럽게 만류했다.

"마마님께서는 국정을 돌보셔야지요. 황제 폐하께서 믿고 계시는 단 한 분 아니십니까."

"흠. 흠. 그렇지."

스베인의 꼬임에 넘어간 올리비아가 다시 엉덩이를 붙이고 앉았다. 스베인을 따라 첼로스테와 실로테가 집무실을 나섰다. 집무실 앞에서 조금 멀리 벗어나기 무섭게 스베인이 울적한 얼굴로 말했다.

"제발요! 폐하께서 반드시 목숨을 붙여둬야 한다고 하셨다니까요?"

"나도 알아. 힐라리아도 올리비아에게 쓸모가 있다고 했다고."

"그런데 왜 자꾸 그렇게 험한 물건을 들이밀고 그러십니까!"

"내가 안 그랬어. 첼로스테가 그랬지."

단검을 뒤로 숨기고 있던 첼로스테가 고개를 저었다.

"실로테 마마님이 부추기셨어요."

아이고, 머리야. 서로를 고자질하는 두 사람을 보며 스베인이 머리를 짚었다. 힐라리아가 정신을 차렸으니 곧 있으면 황제를 비롯한 이들이 황성으로 귀환할 거라는 이야기가 파다했다. 빨리 오셨으면 좋겠다.

힐라리아가 없는 궁은 너무 혼잡했다.

***

라리나와 반에이크에게도 그 소식은 당연히 전해졌다.

반에이크는 스베인만큼이나 바빴는데 황제가 비운 자리를 뒤에서 남몰래 채우고 있었다. 올리비아가 저지르는 실책들을 막는 것이 스베인의 임무라면 반에이크는 전쟁을 치르면서 입은 피해들을 수복하는 일을 하고 있었다. 말발굽에 짓밟힌 작물들과 그로 인해 피해를 입은 농민들에게 위로금을 전달하고 무너진 건물을 다시 세우는 일들이었다.

"힐라리아의 의식이 돌아왔대요."

후드를 눌러쓰고 있던 라리나가 경쾌한 목소리로 외쳤다. 꽤 오랫동안 슬픔에 빠져 있을 줄 알았는데, 라리나는 다른 이들보다 회복이 빨랐다. 스스로의 상황에 수긍하고 반에이크를 쫓아다니며 그의 일을 돕고 있었다.

하지만, 반에이크의 눈에는 보였다. 라리나는 지금 안간힘을 다하고 있는 중이었다. 툭 하고 건드리면 당장이라도 무너져 다시는 회복되지 않을 것처럼 위태로웠다. 그래서 어디를 가든 대동하고 있었다. 다만, 어디서부터 손을 대야 할지 모르겠어서 그저 지켜보기만 할 뿐이었다.

"다행입니다. 곧 황도로 돌아오실 겁니다."

"정말 다행이에요. 힐라리아가 죽었다면 나도 살 이유를 잃었을 거예요."

저렇게 담담하게 스스로의 죽음을 이야기한다. 라리나는 이전의 해맑음을 완전히 잃어버렸다. 힐라리아가 깨뜨린 라리나의 순수가 완전히 빛이 바랜 것이다. 그래서 그런지 라리나는 좀 더 힐라리아에게 집착하는 경향을 보이고 있었다. 황태후를 비롯한 시벨로프의 전원이 라리나의 곁에서 사라져버렸다. 가족을 제 손으로 팔아넘겼다는 죄책감에 잠들지 못하는 밤이 하루, 이틀이 아니었다.

"그렇게 말하지 마십시오."

반에이크의 말에도 라리나는 그저 생긋 웃는다.

"힐라리아가 빨리 돌아왔으면 좋겠어요."

라리나가 어린애처럼 웅얼거렸다. 볼살이 전부 빠져버린 라리나의 얼굴이 안쓰럽다. 반에이크가 시선을 돌리고는 긴 한숨을 내쉬었다.

사실 라리나의 상황은 네이선보다는 나았다. 네이선은 황태후가 죽은 이후로 자신의 저택에 칩거하고 있었는데 그날 이후로 머리카락 한 올도 보지 못했다. 그래도 저택 사용인들의 증언으로 그가 살아 있다는 것만 확인하고 있을 뿐이다. 왠지 이 모든 상황이 힐라리아가 돌아오면 해결될 것만 같다.

반에이크도 힐라리아가 하루빨리 돌아오길 바랐다.

***

하지만, 힐라리아는 기네비어에 발이 묶인 상태였다.

"보내지 않겠다, 힐라리아. 너는 가지 못해."

헬레나미아가 단호하게 말했다.

"어머니……."

힐라리아는 파혼하여 다시 기네비어에 속한 몸이었으므로 실권자의 말을 어길 수는 없었다. 에벤에셀은 음울한 얼굴로 힐라리아의 곁을 지키고 있을 뿐이었다.

"나는 너를 다시는 잃을 수 없다고 결론 내렸다, 힐라리아."

"다시는 그런 위험에 뛰어들지 않을 거예요, 어머니. 약속할 수 있어요."

"……약속하지 않았었니, 힐. 돌아오겠다고. 윈프리드와 기네비어를 지키고 나면 기네비어로 돌아오겠다고 약속했잖니."

헬레나미아가 고개를 저었다. 힐라리아를 더 이상 그 지긋지긋한 황성에 보내고 싶지 않았다. 그래도 곁에 있으면 지켜줄 수라도 있지, 멀리 있는 힐라리아가 위험에 처하면 지켜볼 수밖에 없었다. 그 간극이 너무 끔찍했다. 괜찮은 척, 의연한 척했지만 헬레나미아에게 힐라리아는 눈에 넣어도 아프지 않을 딸이었다.

그런 힐라리아가 다시 위험이 도사리고 있는 황성으로 간다는 데 반길 이유가 없었다. 그리고 위베르와 길리어스도 헬레나미아의 편을 들었다.

"기네비어에도 네가 필요해, 힐라리아."

"오빠랑도 약속했잖아. 기네비어는 그럼 누가 다스리겠어."

에벤에셀이 힐라리아의 손을 꾹 움켜쥐었다. 무슨 일이 있어도 힐라리아를 절대로 포기하지 않겠다는 의지를 가진 손길이었다. 힐라리아는 왠지 에벤에셀이 무슨 말을 할지 알 것 같았다.

"짐이 포기하겠습니다."

헬레나미아가 눈살을 찌푸렸다.

"황위를 내어놓지요."

엄청난 선언을 담담한 얼굴로, 에벤에셀이 뇌까렸다.

"으, 정말! 다들 그만 해요!"

힐라리아가 외쳤다.

"나는 금방 깨질 유리가 아니라구요! 물론 앞으론 제대로 뛰지도 못하고 활도 못 쏘겠죠! 말도 못 탈 거예요. 하지만, 나는 살아남았고 우리 모두 살아 있잖아요."

그게 중요했다. 힐라리아의 짧은 머리카락이 목덜미에서 찰랑거렸다. 붉은 장미처럼 생생한 생기를 가진 채로. 항상 위압적이고 능동한 모습을 보이던 힐라리아가 왠지 어린아이처럼 발을 동동 구르고 있었다. 에벤에셀로서도 처음 보는 모습이었다. 하지만, 헬레나미아는 떼를 쓰는 힐라리아가 익숙한지 꿈쩍도 하지 않았다. 결국, 제풀에 지친 힐라리아가 고개를 숙였다.

"……좀 더 시간을 두고 이야기해보자꾸나."

공왕이 만류하고 나서야 힐라리아도 다시 자리에 앉았다.

아무래도 황도로 돌아가는 일이 조금 지연될 것 같았다.

***

헬레나미아는 힐라리아가 하는 말을 조금도 들으려 하지 않았다.

"힐라리아도 막내는 막내구나?"

제이나가 재밌다는 듯이 키득키득 웃었다.

"그야……. 나도 가족은 있으니까."

힐라리아가 어깨를 으쓱했다.

"쟤가 저렇게 고집쟁이라니까."

베아트리체는 익숙하다는 듯이 투덜거리며 달콤한 케이크를 입에 쏙 넣었다. 으, 달다. 오랜만에 찾아온 평화와 함께 즐기는 다과라 그런가. 특별히 더 단 것 같았다. 베아트리체는 힐라리아가 기네비어에 머무는 것도 나쁘지 않다고 생각하고 있었다.

사실 기네비어에 있으면 힐라리아는 별다른 어려움 없이 실권자의 자리에 오를 것이고 새로운 붉은 여왕으로서 칭송받을 것이다. 굳이 황성에 가서 그 어지러운 것들을 바로잡으며 고생할 필요가 있겠느냔 말이다.

"네가 안 돌아가면 나도 남을래."

제이나가 고개를 끄덕이며 말했다.

"나는 너를 지키는 기사로 살아갈 거야, 힐라리아. 네가 내게 검을 선물해주던 날 결심했거든."

"이것 봐. 내가 돌아가야 할 이유가 이렇게 많다니까."

힐라리아가 엷게 미소 지었다. 베아트리체는 그게 못마땅한 듯했지만, 반박하지는 않았다. 힐라리아가 말린다고 들을 애도 아니고……. 자꾸 이렇게 헬레나미아가 반대한다면 가출이라도 불사할 아이였다. 전에도 그랬듯이.

"……기네비어는 어쩌고. 네가 필요한 건 기네비어도 마찬가지야, 힐."

베아트리체의 말에 힐라리아가 묘한 눈으로 베아트리체를 응시했다.

"기네비어에게도……."

필요하긴 하지. 괜찮은 지도자가 말이야. 힐라리아가 매끄러운 입술을 휘어 올렸다. 사실 몇 번 생각은 했었다. 굳이 힐라리아가 기네비어를 이어받을 필요가 있을까 하는 생각. 기네비어의 관습상 마력을 타고난 이가 공왕비의 자리에 앉아야 했다. 그리고 힐라리아 말고도 마력을 타고난 여자들은 기네비어에 많았다. 이번 전쟁에서 공적을 세운 이들이 한둘이던가.

물론, 마력만으로 기네비어를 다스릴 수 있는 건 아니었다. 뛰어난 지략과 지도자다운 배포와 용기도 필요했다. 그리고 힐라리아는 왠지 그 자리에 걸맞은 사람을 한 명 더 알고 있는 듯했다.

"베아트리체."

"응?"

"이모님은 언제 오신다고 그랬지?"

곱게 눈을 접어 웃으며 나긋한 미소를 흘리는 힐라리아를 보며 베아트리체가 이유 모를 불안함에 뒷목을 쓸었다.

"내일이면 도착하실 거야."

기네비어의 문이 열리기 무섭게 제너시스로 연통을 보냈다. 그리고 내일이 제너시스 후작 부부가 도착하는 날이었다.

"왜 그래, 힐라리아?"

베아트리체가 어색하게 물었다.

"아무것도 아니야. 그냥, 이모님이 빨리 오시면 좋겠다 싶어서."

힐라리아가 고개를 기울였다.

***

그래도 이곳에 붙잡힌 덕에 힐라리아와 에벤에셀은 좀 더 여유를 부릴 수 있게 되었다. 늦은 밤, 다른 이의 시선은 신경 쓰지도 않고 산책을 하는 일이 그 여유 중의 하나였다. 힐라리아와 에벤에셀이 깍지 낀 손을 맞잡았다.

"삐졌어요?"

"……삐진 게 아니라 화가 난 겁니다."

에벤에셀이 무뚝뚝하게 대꾸했다.

"나를 버리고 기네비어로 올 생각이었습니까? 짐작은 했었습니다. 처음 만났을 때, 그대가 내게 빌려던 소원이 무엇일지 추측하는 것은 어렵지 않았으니까요."

"그러고 보니……. 에벤에셀이 약속을 지킬 차례였군요."

힐라리아가 태연하게 맞받아쳤다. 분명 힐라리아가 너구리를 잡아주면 에벤에셀은 힐라리아의 소원을 한 가지 들어주기로 약속했었다. 그리고 힐라리아는 약속대로 황태후를 끌어내렸다.

그뿐일까. 더한 일을 했다. 내부에 들끓고 있던 반역도들을 색출해 뿌리 뽑는 데 일조했다. 그 덕에 황성이 텅 비게 되었지만, 그 자리는 쓸만한 인재들로 반에이크가 잘 채우고 있을 것이다. 힐라리아는 에벤에셀로부터 보상을 받을 자격이 있었다.

에벤에셀의 입매가 딱딱하게 굳었다. 아까 가족들과 있을 때 행복해 보이던 힐라리아의 얼굴이 떠올랐다. 항상 경계를 늦추지 않고 날카롭게 신경을 곤두세우고 있었던 황성에서와는 다르게 누그러진 모습이었다. 에벤에셀이 아니어도 힐라리아는 사랑받고 있었다.

에벤에셀이 그녀를 붙드는 것이 욕심으로 느껴질 만큼.

"힐, 혹여나……. 나로 인해 남지 못하는 거라면……."

"에벤에셀."

힐라리아가 에벤에셀의 손을 잡아당겼다.

"그러면요? 그러면 내가 무엇 때문에 기네비어를 다시 떠나는 거라고 생각해요? 당연히 에벤에셀 때문 아니겠어요?"

에벤에셀의 심장이 내려앉았다. 이번에도 에벤에셀이 힐라리아의 발목을 붙들고 있는 거였다. 그럼에도 에벤에셀은 감히 힐라리아를 놓는다는 생각을 할 수가 없었다. 이미 힐라리아를 잃어보지 않았던가. 에벤에셀은 그녀 없이는 살 자신이 없었다. 이 세상에서 숨을 쉴 자신이 없었다.

에벤에셀의 푸른 눈이 힐라리아를 향했다.

서늘하게 눌어붙은 집착과 삐뚤어진 소유욕이 득시글한 표정이었다.

"그래도 놓지 못합니다. 기네비어를 다시 놓는 한이 있어도 당신은 못 놓습니다. 그대가 있는 곳이 내가 있을 곳이고 내가 있는 곳이 그대가 있을 곳입니다. 차라리 제가 윈프리드를 놓고 이곳으로 오는 한이 있어도 나는 그대를 안 놓을 겁니다."

에벤에셀이 힐라리아를 끌어당겼다.

짙게 가라앉은 눈으로 힐라리아의 볼을 쓸어내리며 이를 드러냈다.

"그러니 포기하세요, 힐. 그대는 나를 버리지 못합니다."

"바보 같긴. 내가 당신을 놓을 것 같아요?"

에벤에셀의 동공이 확장되었다.

"한 번이면 족해요. 그것으로 나는 내 할 일을 다 했다구요. 이젠 나도 나를 위한 선택을 할 거예요."

달빛 아래에 선 힐라리아의 푸른 눈이 별처럼 반짝였다. 매혹적인 힐라리아의 향기가 에벤에셀에게 파고들었다. 그가 주춤한 사이 오히려 힐라리아가 에벤에셀의 허리를 끌어당겼다. 멀어지지 말라는 듯이. 절대로 그녀를 벗어날 생각은 말라는 듯이.

"당신은 죽을 때까지 내 옆에 있어야 해. 영원히 나 하나만 사랑하면서 말이야."

독점욕이 가득한 목소리로 힐라리아가 뇌까렸다.

"원하는 대로 내 영원을 내어줬으니 그만한 대가를 치러야지."

힐라리아가 에벤에셀의 목을 끌어당겼다. 뜨거운 살덩이로 에벤에셀의 입술을 훑고는 언젠가 에벤에셀이 그랬던 것처럼 그의 입술에 소유욕 가득한 흔적을 남겼다. 따뜻한 피가 힐라리아의 입술 사이에 배어들었다.

"아……."

"쉬이. 착하지, 에벤에셀."

힐라리아가 에벤에셀을 어르며 상처 난 입술 위를 제 입술로 덮었다.

"입술을 벌려."

폭군이 되어 달콤한 명령을 내리며.

Chapter 15.
살아남은 자들에게

물 한 모금도 넘기지 못했다. 멍한 네이선의 시선이 창밖을 지나 방 안을 훑었다. 아무도 그를 강제하지 않는다. 황태후가 죽은 이후로 네이선은 자유가 된 것이다. 그래서 저택에 내려와서 무력한 하루하루를 보내고 있었다. 그저 침대에 앉아 가만히 밖을 바라보고 있는 게 일상이다.

오늘도 멍한 네이선의 시선 끝에 조금씩 꼼실거리는 햇빛이 들어왔다. 그것이 조금씩 면적을 넓혀 어둠으로 물들어 있던 방 안을 점점 채운다. 어둠이 스멀스멀 물러가기 시작했다. 검푸른 하늘을 점점 연분홍빛으로 물들이는 태양은 보통 희망이나 새로운 시작으로 비유되곤 한다.

하지만, 네이선에겐 또 다른 절망의 시작이었다. 네이선이 버석하게 갈라진 입술을 끌어 올렸다. 숨을 쉬는 것도 눈을 깜빡이는 것도 모두 벅차다. 그의 손으로 언도한 로벨리아의 죽음은 짙은 상흔으로 남았다. 스스로가 아직도 살아 있다는 사실을 믿을 수가 없었다. 그렇다고 목숨을 끊을 용기는 없어 서서히 죽어가고 있었다. 먹지도, 자지도 않으면서.

사실 죽어야 했던 건 네이선이었다. 그가 죽었으면 애초에 끝났을 문제였다. 라리나는 시벨로프의 딸로 입적되어 있으니 황태후의 자식으로 이름을 올리고 있던 네이선만 없었더라면. 부질없는 욕심을 부릴 수도 없었을 테고 다른 이들이 죽을 이유도 없었을 것이다.

"내가 죽질 못해서……."

하하하하. 허망한 웃음소리가 텅 빈 방을 갈랐다.

그런데 다 잃어버리고 나서도, 그 많은 사람을 죽이고도 쓸데없는 목숨은 여전히 붙어 있었다. 네이선이 살려낸 사람은 단 한 명. 라리나뿐이었다. 라리나 시벨로프만이 그 난리통에서 목숨을 구했다. 네이선이 잘해서가 아니다. 라리나가 살아남은 것 또한 에벤에셀이 자비로웠기 때문이다.

스르륵- 떠오르는 해를 따라 네이선의 발밑에 늘어진 그림자에서 황태후가 살아났다. 그녀의 망령이 피눈물을 흘리며 네이선을 쳐다보고 있었다. 아무 말도 없이 그저 망연하게. 네이선이 입술을 벌렸다.

황태후는 죽어서도 네이선을 놓지 못했다. 아니, 어쩌면 그녀를 놓지 못하는 것은 네이선일지도 모른다. 아무도 찾지 않는 저택에서, 그의 죽음을 함께해줄 누군가가 필요해서. 네이선이 마른 손을 황태후를 향해 뻗었다. 일렁이며 흩어지는 망령을 쫓아 네이선이 몸을 천천히 일으켰다. 지독히도 느린 움직임이었다. 왠지 기묘한 확신이 들었다. 아, 오늘이구나.

"저를 데리러 오셨군요, 어머니."

오늘이야말로 그녀를 따라갈 수 있겠구나. 황태후는 네이선을 위해 무엇이든 할 수 있다고 했었다. 그에게 시벨로프를 포함한 모두의 인생을 걸겠노라고. 그것을 저버린 네이선이니 수많은 죽음에 대한 대가 또한, 죽음으로 갚아야 할 것이다. 네이선이 느리게 걸음, 걸음을 옮겼다. 기어이 놓지 못한 황태후의 손을 네이선이 맞잡았다. 서늘하고 차가운 감각이 그를 휘어감았다. 황태후의 망령이 웃었다. 네이선도 황태후를 따라 웃었다.

막 걸음마를 배운 아기처럼 어기적거리며 걸었다. 발코니 아래로 보이는 정원이 까마득하다. 가장 높고 좋은 곳에 위치한 방은 이런 면에서 취약했다. 누군가가 추락할지도 모른다는 가정에 대해. 하지만 잘된 일이다.

네이선이 발코니 위에 발을 얹었다. 그의 죽음은 외롭지 않았다. 황태후의 망령이 함께하고 있었으니. 이제 완연한 분홍빛으로 물든 정원 위로 네이선이 몸을 내밀었다. 허공으로 천천히 잠식되며 네이선이 눈을 감았다.

그렇게 죽음의 손을 잡았다.

***

밤잠을 못 이루고 있었던 것은 라리나도 마찬가지였다.

시벨로프와 로벨리아의 몰락은 그녀에게도 큰 영향력을 행사하고 있었다.

"죽고 나서도 참 집요하네요."

라리나가 뻑뻑한 눈을 깜빡이며 나른한 숨을 내쉬었다. 그래도 외롭지 않은 건 라리나의 곁을 지켜주는 반에이크가 있었기 때문이었다. 이렇다 할 위로나 어쭙잖은 말들을 건네는 대신, 반에이크는 공기처럼 그녀의 곁을 지켰다. 아무 말도 없이 라리나의 곁에 앉아서 그녀의 슬픔을 함께 감내해주는 것이다. 기대면 기대는 대로, 울면 우는 대로 고요히 지켜보면서.

"당신이 놓으면 됩니다. 죽은 이들은 말이 없지요."

새벽이 물든 방 안에 나란히 앉은 채로 반에이크가 읊조렸다. 그들의 죽음을 붙잡고 있는 것은 라리나 본인이라고 콕 집어서 마음을 후벼 판다. 근데 또 그게 아프지가 않아서 라리나가 밉지 않게 반에이크를 흘겨보았다.

반에이크가 미소를 짓고는 어깨를 으쓱했다.

"맞는 말을 하는 사람을 그런 눈으로 보면 안 됩니다."

"가끔은 당신이 틀린 말도 했으면 좋겠네요."

라리나가 톡 하고 쏘아붙였다. 잊어야 한다는 것을 알면서도 아직까지 붙들고 있는 것은 어쩔 수 없었다. 아무리 남들이 악녀라 욕한다 할지라도 라리나에게는 핏줄로 이어진 가족 아니던가. 그들의 죽음 앞에서 태연할 수 있다면 그거대로 이상한 일이었다. 라리나가 길게 한숨을 내쉬었다.

"오늘도 어떻게든 버텨낼 수 있을 것 같아요. 계속 이렇게 버텨내다 보면 언젠가는 놓아줄 수 있겠죠."

"예."

반에이크가 선선히 대답했다. 그 일련의 과정을 반에이크 또한 겪었다. 제 손으로 부모의 부정을 발고하고 목숨을 구명했다. 실로테와 스스로를 살리기 위하여 부모를 죽음으로 내몬 것이다. 반에이크 또한 실로테가 아니었다면 그들을 따라 자결했을지도 모르는 일이다.

하지만, 반에이크에게는 지켜야 할 동생이 있었고 가문이 있었으며…… 곁에 가만히 앉아 있어주는 에벤에셀이 있었다. 그는 잠을 이루지 못하는 반에이크를 성안에 붙잡아놓고는 곁에 앉혀 두었다. 정말 아무 말도 없이 앉혀만 두었다. 그리곤 정물이 된 것처럼 고요하게 곁에서 함께 숨소리를 나누며 있어주었다. 혼자가 아니라는 그 사실 하나가 반에이크를 살렸다. 조용히 그를 지켜봐 주는 에벤에셀 앞에서 차마 죽음을 이야기할 수도 스스로를 죽일 수도 없었으므로.

그런 에벤에셀을 친구로 두고 윈프리드를 배반할 수가 있나. 반에이크는 자진해서 윈프리드의 노예가 되었다. 그리고 에벤에셀과 똑같이, 라리나의 곁에 반에이크가 남았다. 그녀가 홀로 앓다 흩어져버리는 일이 없도록.

"당신 머리끝부터 발끝까지 내 취향이 아닌데……."

"……그것참. 솔직해서 고맙군요."

"성격만큼은 내 취향이에요."

"그것 또한 고마운 일이네요."

반에이크가 허탈하게 중얼거렸다.

"칭찬인데."

라리나가 작게 키득대며 말했다. 칭찬이라고는 하는데 묘하게 기분이 나쁜 이유가 무엇인지 모르겠다. 반에이크가 고개를 저었다.

"예. 칭찬으로 들립니다."

"정말, 칭찬인데."

라리나가 생긋 웃으며 반에이크에게로 몸을 기울였다. 고목처럼 버티고 서서 라리나를 버텨내는 반에이크에겐 정말 고맙다. 황제에게 떠밀려 반에이크의 곁에 머물게 되었지만, 이제는 오히려 반에이크라 다행일 지경이다. 라리나가 아무렇게나 얹어진 반에이크의 손등 위에 자신의 손을 겹쳤다. 달큰하게 와 닿는 체온이 은밀하게 따뜻하다. 반에이크가 놀란 얼굴로 라리나를 돌아보았다.

"누군가의 체온이 더 위로가 될 것 같아서. 고마워요, 반에이크. 이건 정말 진심이야."

반에이크가 허탈하게 웃었다. 힐라리아와 어울리더니 그녀를 닮아가는 건지. 라리나의 깊어진 눈빛이 새벽에 물들어 황홀할 정도로 아름답다.

"……당신이 진심이 아닌 적 없다는 거 알고 있습니다."

거짓말을 하지 못하는 당신이기에.

반에이크가 바짝 마른 라리나의 손가락을 손끝으로 보듬었다.

"살아남아 줘서 고맙습니다. 내 노력이 헛되지 않게 해주셔서, 고맙습니다."

라리나뿐만이 아니다. 반에이크 또한 라리나에게 큰 빚을 졌다. 누군가를 죽음으로 몰아넣었던 반에이크가 처음으로 살려낸 타인이었다.

"내가 나쁜 사람이 아니게 해줘서 고맙습니다."

반에이크가 상냥한 미소를 머금었다. 지키고 싶다 마음먹었다고 모두를 지킬 수 있는 건 아니다. 반에이크가 지키고 싶었던 수많은 것들은 누군가의 욕심에 휘말려 혹은 스스로의 욕심에 목숨을 잃었다.

"……참 이상한 사람이야. 고마운 건 나여야 하는데."

라리나가 툴툴거리며 고개를 돌렸다.

그렇다고 해서 붉게 물든 뺨이 가려지는 것은 아니지만.

***

참으로 어리석은 인간이지. 라리나가 잇새로 욕설을 짓씹었다.

"정말로 자살 시도를 한 게 맞아요?"

부들부들 떨리는 두 손을 맞잡은 라리나의 얼굴이 샐쭉하다.

"예, 맞습니다."

사실 여부 확인을 위해 입궁한 라리나와 반에이크에게 스베인이 대답했다. 네이선이 발코니 밖으로 투신했다. 잘못해서 목이 꺾였다면 즉사했을 테지만, 다행히 목숨은 건졌다. 다리가 부러지고 나뭇가지가 팔목을 관통한 덕에 어떤 후유증을 앓을지는 모를 일이라도 살아남은 것이다. 다리가 풀린 라리나가 털썩 주저앉으려는 것을 반에이크가 부축했다.

"사실은 죽었어야 마땅했는데……. 기묘하게 누군가 잡아당겨 목부터 추락하는 것을 막은 듯했습니다. 하지만, 그 당시에 방에는 아무도 없었는데……."

스베인이 이상하다는 듯이 고개를 갸웃했다.

네이선이 죽기를 바라는 것은 아니지만, 확실히 기이한 일이었다. 네이선은 높은 곳에서 추락한 여타 다른 이들과는 다르게 엉덩이부터 떨어졌다. 뭐랄까. 미묘하게 안전한 곳부터 떨어진 것이다. 게다가 잔디가 성성한 정원 위로 떨어진 것이 그를 구하는 데 한몫했다.

"살아 있으니 되었습니다. 멍청한 건 이전부터 알았지만……."

라리나가 이를 갈았다. 하지만, 네이선의 심정이 이해 가지 않는 것도 아니다. 라리나도 반에이크가 곁에 없었더라면 이 부질없는 목숨 끊었을지도 모른다. 지킬 것도 없고 곁에 남은 이도 없는 지독히 외로운 삶이다. 정의를 따랐다고는 하나 가족을 팔아먹은 죄인이니 죽어 마땅하다고 여겼을지도 모른다. 게다가 네이선은 자신의 손으로 로벨리아를 독살하지 않았던가. 멍청할 정도로 착한 사람이니 그것을 못 견뎌냈을 것이 빤했다.

"……그래서 네이선은 지금 어디에 있죠?"

"황성에 들어와 계십니다. 정신을 잃은 상태이신 것을 하인들이 업어 모셔왔습니다. 지금은 황성 주치의께서 돌보고 계시지요."

스베인이 피폐한 얼굴로 버석하게 말했다. 왜 네이선까지 사고를 치는 거지? 힐라리아와 에벤에셀이 자리를 비운 이후로 업무 과다로 이대로 딱 죽을 것 같은 나날이었다. 그런데 반에이크는 같은 처지인 주제에 왜 저렇게 반질반질한 얼굴로…… 스베인이 불만 가득한 얼굴로 반에이크에게 말했다.

"좋아 보이십니다?"

"내가?"

반에이크가 거뭇한 눈 밑을 쓸었다. 물론 반에이크도 몰골이 그렇게 성한 것은 아니었지만, 어딜 봐도 스베인보다 나았다.

"네. 아주 좋아 보이시네요."

삐딱한 스베인을 보며 반에이크가 설핏 웃었다.

"그러게. 잘 좀 하지 그랬나. 나는 이만 가보겠네. 라리나가 네이선 황자를 보고 싶어 하는 것 같아서 말이야."

그렇게 말하고는 다정하게 걸음을 옮긴다. 비틀거리는 라리나를 부축한 채였다. 스베인의 손에서 깃펜이 우드득 부러졌다. 억울했다. 스베인은 실로테와 첼로스테의 등살에 먹어도 먹어도 살이 쪽쪽 빠지고 있는데, 반에이크는 신혼살림이라도 차린 것처럼…… 이상하게 눈가가 촉촉해져서 스베인이 눈가를 꾹 눌렀다.

"왜, 왜 그러십니까……?"

"네이선 황자 전하께서는 아직이신가?"

"네. 아직 눈을 뜨지 못하고 계십니다. 아마도 오늘 저녁이나 내일 중으로 의식을 되찾으실 거라고……. 시종장님?"

그나마 정말 다행이다. 만약 네이선이 이번 일로 목숨을 잃었다면 스베인도 스트레스로 죽었을지도 모른다. 지금쯤 힐라리아와 기네비어에서 단꿈을 꾸고 있을 에벤에셀이 정말로 보고 싶었다.

'제발 돌아오세요, 폐하…….'

이제 돌아오실 때도 됐잖아요…….

"스베인!!!"

간절히 기도할 시간마저 주지 않은 방해꾼은 느닷없이 나타났다. 날카로운 목소리로 그를 불러대는 올리비아의 닦달에 그가 몸을 일으켰다.

"새로 들여오기로 한 내 침대는 어떻게 되었지? 구두는? 내가 바로 이 제국의 얼굴이라지 않아! 내가 허름하면 남들이 어떻게 생각하겠어!"

올리비아 본인이 하루에 지출하는 돈이 얼마인지는 아는 걸까? 올리비아 대신에 제국이 허름해지게 생겼다. 스베인이 혀를 쯧쯧 차며 귀를 틀어막았다. 최대한 버티다가 들어갈 생각이었다. 에벤에셀이 돌아오면…… 진심을 다해서 노려봐줘야지!! 스베인이 이를 득득 갈며 고통스러운 소음을 감내했다.

***

그 시각.

스베인이 애타게 찾고 있는 에벤에셀은 힐라리아와 함께 기네비어를 둘러보고 있었다. 거친 초원과 평야가 주를 이루는 곳이라 윈프리드의 제도와는 분위기가 많이 달랐다. 하지만, 훨씬 생동감이 넘치고 활기차다. 분명 전쟁을 겪은 직후임에도 불구하고 우울한 구석은 어디에도 없었다. 더 이상 말을 탈 수 없다는 진단을 받은 힐라리아의 손을 잡고 느릿하게 시가지를 둘러보는 중이었다. 사람들은 힐라리아에게 거리낌 없이 말을 걸었다.

"공주님! 이거 제가 조오기서 꺾어온 꽃이에요. 공주님을 닮았어요!"

붉은색의 들풀을 꺾어온 아이가 까르르 웃으며 꽃다발을 내민다.

"고마워. 그런데 내가 보기엔 네가 더 꽃을 닮았는데?"

힐라리아의 대꾸에 아이가 꽃처럼 웃는다. 그리곤 다시 달려가 버렸다.

"식사는 하셨어요, 공주님?"

"물론이네. 자네는?"

"하였지요! 그런데 옆에는 누구신지……. 아하! 부군 될 분이신가?"

"왜. 잘 어울리는 것 같은가?"

"예. 눈이 부실 정도입니다!"

시장 상인의 넉살 좋은 말에 힐라리아도 기분 좋은 듯이 에벤에셀에게 팔짱을 꼈다. 새벽 시장에 힐라리아는 맞춘 것처럼 어우러지고 있었다. 힐라리아가 작은 꽃다발을 든 채로 고개를 들어 올려 에벤에셀을 바라본다. 넘실거리는 푸르름이 새벽에 물들어 반짝이고 있었다.

"우리 잘 어울린대요. 나는 엄청 기분 좋은데. 에벤에셀은요?"

"영광입니다."

에벤에셀이 힐라리아를 닮은 얼굴로 웃었다. 그녀의 손끝에서 빙그르르 돌고 있는 꽃다발에 자꾸만 시선이 간다. 제국에서는 결혼식 날 신부가 저렇게 붉은 꽃을 든다. 이렇게 환히 웃는 얼굴로, 누구보다 행복하게. 에벤에셀이 힐라리아의 머리카락을 쓸어 넘기곤 그녀의 뺨에 손을 얹었다. 그리곤 오로지 힐라리아에게만 들릴 목소리로 속삭였다.

"결혼할래요?"

힐라리아의 동공이 확장되었다.

"내 신부가 되어줘요, 힐."

다정다감히 속삭이며 에벤에셀이 힐라리아의 뺨을 쓰다듬는다.

"당신을 닮은 붉은 꽃을 들고 내 신부가 되는 거야."

에벤에셀이 허리를 굽혔다.

"당신은 세상에서 가장 아름다운 신부가 되겠지."

꿈을 꾸는 것처럼 몽롱하니 아름다운 눈빛이 힐라리아를 향했다. 잠깐 와닿은 입술에 힐라리아의 뺨이 움찔 흔들렸다.

"결혼하자, 힐."

에벤에셀이 힐라리아의 손을 끌어다가 깍지를 꼈다.

"다시 한번 내 신부가 되어줘."

아…… 너무 예쁘잖아.

힐라리아가 까르르 웃음을 터뜨렸다. 새벽의 낭만이었다.

***

라리나가 네이선이 있는 방문을 거칠게 열어젖혔다.

마음이 복잡했다. 물론 네이선이 무슨 마음일지, 어떤 생각을 하고 있을지 짐작이 갔다. 라리나와 네이선은 한 배에서 동시에 태어난 쌍둥이 아닌가. 몰랐을 때는 몰라도 지금은 알고 있으니 더욱 네이선을 이해할 수 있었다. 비슷한 처지에 처해 있으니 더욱더.

"대체 왜 그렇게 멍청한 짓을 한 거야?"

라리나가 울먹이는 목소리로 빼액 소리를 질렀다. 네이선이 아직 정신을 차리지 못했음에도 불구하고 거침없었다.

"……멍청해, 시벨로프가 죄다 멍청하다는 건 이제 정설인 거야. 못나서 해서는 안 되는 일을 하고 나라를 팔아먹더니 이제 자기 목숨도 팔아먹니?"

입술을 꾹 깨문 라리나가 침실 안으로 발을 들였다. 살아남긴 했어도 영혼부터 몸까지 멀쩡한 게 하나도 없었다. 그저 시체 같은 몰골로 네이선이 침대 위에 누워 있었다. 약 냄새가 가득한 방 안을 둘러보며 라리나가 입술을 꾹 깨물었다.

"……죽긴 왜 죽니. 아무리 거지 같아도 이곳이 낫다던데."

라리나가 겉옷을 벗어 대충 걸쳐두고는 의자에 앉았다. 차마 네이선에게 시선을 두지 못하고 고개를 돌린 채였다. 혼자 남은 네이선이 어떤 외로움 속에서 죽음을 선택했을지 안다. 미약한 죄책감이 일었다.

라리나가 반에이크에게 기대 위로받는 동안 네이선은 홀로 남아 스스로를 죽여가고 있었던 것이다. 그의 곁에 아무도 없으니 연약한 시벨로프가 당해낼 수 있을 리가. 라리나도 반에이크 덕에 간신히 버텨내고 있었으니 말이다.

"그래도 죽지는 마……."

나한테는 너 하나 남았잖니.

라리나의 흰 볼을 타고 투명한 눈물이 흘러내렸다.

"……라리나."

네이선의 잔뜩 가라앉은 부름에 라리나가 고개를 돌렸다. 정신을 찾은 것인지 흐릿한 눈을 깜빡이며 네이선이 그녀를 보고 있었다.

백금발에 연푸른 눈. 하나 남은 가족이었다.

"안 죽어서 슬프니?"

"……."

"죽지 마, 네이선."

라리나가 중얼거리며 네이선의 침대에 고개를 파묻었다.

"왜 죽으려고 들어……."

"어머니가 오셨어. 나를 데려가려고 하신 거겠지."

"……웃기는 소리. 언니가……. 황태후가……. 뭐라고 불러야 할지도 모르겠네."

라리나가 중얼거리곤 입술을 꾹 깨물었다.

"……로벨리아가 왔다면 너를 살리기 위해 온 거지 죽이려고 온 건 아닐걸."

"네가 어떻게 알아. 나 없으면 못 산다는 분이었으니 나를 데리러 오셨겠지."

"나로는 안 돼?"

"라리나……?"

소리 없이 눈물을 흘리고 있던 라리나가 고개를 번쩍 들어 올렸다.

"이렇게 하자, 네이선."

네이선이 흐릿한 눈을 꾹 감았다.

"네가 죽으면 나도 죽는 거야. 어차피 한날한시에 태어났으니 죽음도 같이하지, 뭐."

그 말에 네이선이 감았던 눈을 크게 떴다. 흐릿하던 시야가 일순 밝아진 느낌이다. 거짓말이 아니구나. 라리나의 반짝이는 눈에 가득했던 햇살과 웃음이 검게 죽어 있었다. 그제야 깨달았다.

'너도 나와 같구나……'

라리나는 정말 진심이었다. 그녀가 내보이는 모든 것에서 네이선이 죽으면 자신도 죽어버릴 거라는 그 말이, 진심이라는 게 느껴졌다.

"라리나, 네가 왜……."

"같이 죽는 거야, 네이선. 죽어서까지 너를 외롭게 만들진 않을게. 그러니 언제든 하고 싶은 대로 해."

라리나가 몸을 일으켰다. 그렇게 죽고 싶으면 죽으라지. 따라가면 되는 걸. 반에이크에게 미안한 일이지만, 라리나는 할 수 있었다. 이 세상에 혼자 남아 있는 것보다는 훨씬 나았으니까. 반에이크에게는 실로테라도 있지……. 네이선마저 잃으면 라리나에겐 무엇도 없었다.

"갈게."

차갑게 돌아서는 라리나의 등을 네이선이 멍하니 쳐다봤다. 다친 곳들이 욱신욱신 쑤시기 시작했다. 짙은 약 냄새가 가득 배어 있는 침상에 네이선이 고개를 푹 파묻었다.

"아……."

살아 있음이 이제야 느껴지고 있었다. 죽은 것처럼 식욕도 수면욕도 느끼지 못하던 네이선에게 진한 고통이 찾아들었다. 그리고 살아 있어 다행이라는 생각을 이제야 하게 되었다. 죽음을 목전에 둔다는 게 꽤 두려운 일이라는 사실도. 네이선은 차마 죽을 용기도 없는 약한 존재였던 것이다.

***

"라리나."

라리나를 기다리고 있던 반에이크가 그녀를 불렀다. 돌아보지도 않고 앞서 나가던 라리나를 향해 반에이크가 뛰어갔다. 그녀의 팔목을 붙들어 고개를 돌리게 했다. 라리나와 네이선이 나누던 이야기를 전부 들었다.

이제 완연한 아침이 되어 회랑에 가득한 화사한 햇살이 두 사람 사이에 비쳐들었다. 투명한 눈물이 가득 고인 얼굴로 라리나가 고개를 돌렸다. 왠지 모르게 그 햇살 아래에서 라리나가 부서져 사라질 것만 같았다. 반에이크가 침음을 흘리곤 입술을 달싹였다.

"……정말로 네이선 황자를 따라 죽으려고?"

"거짓말 안 해요, 나는."

그걸 알아서 더 무서운 건데. 반에이크가 얼굴 표정을 일그러뜨렸다. 이어 한숨을 내쉬곤 라리나의 작은 손을 제대로 고쳐 쥐었다. 손바닥에 가득 들어차는 작은 손이 아직은 따뜻했다. 라리나가 손을 꼼지락거렸다.

"……안 놔줄 건데."

반에이크가 중얼거리고는 라리나를 앞질렀다. 그녀의 손을 꼭 잡은 채로 회랑을 거니는 반에이크의 뒷모습이 단단했다. 라리나와 네이선이 지금 겪고 있는 일을 반에이크는 이미 견뎌냈다. 그래서 더 단단해진 것일까. 반에이크는 쓰러지지 않을 고목 같았고 언제든 기대 있어도 무너지지 않을 거대한 성채처럼 느껴졌다.

라리나가 반에이크를 따라 거닐며 그의 등을 멍하니 바라보았다. 그녀의 손을 꼭 붙들고 있는 커다란 손의 온기에 이상하게 입 안이 달아지는 것 같았다. 성적인 의미는 조금도 담기지 않은 접촉에 가슴이 쿵하고 내려앉았다. 라리나를 돌아보지 않는 등이 차갑다기보다는 따뜻했다.

그제야 라리나 또한 깨달았다.

"……좋아해요."

그녀가 꽤나 그를 좋아하고 있다는 사실을. 반에이크가 있어서 지옥에서도 살만했다. 그가 곁에 있어줘서 고마웠고 건네주는 위로들이 힘이 되었다. 그 사이 어느 틈인지는 모르겠다. 언제 이런 다디단 감정이 끼어든 것인지. 반에이크가 놀랐는지 우뚝 멈춰 섰다. 삐걱거리며 고개를 돌리는 반에이크의 녹안에 라리나가 그대로 스며들었다. 그 눈을 보면서 라리나가 생긋 웃었다.

"내가 당신을 좋아하고 있나 봐요, 반에이크."

입을 멍하니 벌린 반에이크에게선 그 어떤 대답도 돌아오지 않았다. 굳이 대답을 바란 말도 아니었기에 라리나가 거리낌 없이 재차 말했다.

"이건 전부 당신 때문이야. 누가 나한테 그렇게 친절하래?"

억지를 쓰듯 말한 라리나가 반에이크의 손에 잡힌 손을 꼼지락거렸다.

"……그러니까 이 손 놓지 마요."

아직은 딱 그 정도만. 맞잡은 손의 온기 정도만.

이번엔 라리나가 반에이크를 앞질렀다. 그에게 손이 잡힌 채로.

***

한편, 기네비어의 새벽 시장에도 동이 터오고 있었다. 햇살이 가득 물든 시장에 활기가 차올랐다. 동적인 가운데 유일하게 정적인 것은 힐라리아와 에벤에셀뿐이었다. 힐라리아의 손에 들린 꽃다발에서 붉은 꽃잎이 휘날렸다. 들꽃의 야생적인 향기가 힐라리아의 코끝을 스쳤다.

"……결혼?"

몇 달을 부부로 살았지만, 식을 올린 적은 없었다.

"나랑만 하는 거야?"

힐라리아가 입술을 달싹였다. 에벤에셀에게는 힐라리아 말고도 다른 황비들이 있었다. 이제 그녀들 중 한 사람이 되는 건 싫다. 힐라리아가 에벤에셀의 손을 붙든 채로 잡아당겼다.

"실로테나 제이나, 올리비아랑은 말고 나랑만 결혼하는 거야? 대답해, 에벤에셀. 나는 어중간한 건 싫어."

이미 마음에 들인 사람이다. 그와 평생을 함께하기로 마음먹었지만, 그것과 결혼은 별개였다. 확신을 얻기 전까진……. 에벤에셀이 힐라리아의 허리를 바짝 끌어당겼다. 힐라리아가 좁힌 거리보다 더 가깝게.

"나야말로 어중간한 건 싫어, 힐라리아. 실로테와 제이나, 올리비아는 황성을 나가게 될 거야. 그 넓은 곳에 당신과 나만 남게 되는 거지."

에벤에셀이 독점욕에 절여진 목소리로 농염하게 속삭였다.

"당신하고 나만."

뜨겁게 달아오른 눈으로 에벤에셀이 힐라리아의 얼굴을 천천히 훑어 내렸다. 힐라리아가 청량한 웃음을 터뜨렸다.

"이것 참……. 질투에 눈이 멀어 황제를 쥐락펴락한 희대의 악녀가 되겠군."

"그래서 싫어?"

"그럴 리가 없잖아."

힐라리아가 에벤에셀의 허리를 끌어안았다. 그녀의 손에 들려 있던 붉은 꽃잎이 에벤에셀에게 쓸려 보스스 아름답게 휘날렸다.

"원하던 바야, 에벤에셀. 우리, 결혼해."

에벤에셀이 담뿍 안겨든 힐라리아의 머리 타래에 입을 맞췄다. 티는 안 냈지만, 꽤 긴장하고 있었던 것인지 손끝이 차갑다. 힐라리아의 따뜻한 온기에 금세 녹아내릴 테지만 말이다. 그들이 행복하게 미소 지었다.

시장에 나와 있는 수많은 이들이 힐라리아와 에벤에셀을 힐끔거렸지만, 아무도 그들을 방해하진 않았다. 보기 좋은 연인을 굳이 왜? 오히려 축하할 일이지. 그날부터였다. 힐라리아와 에벤에셀의 결혼이 임박했다는 소문이 기네비어에서 시작되어 제국 곳곳으로 퍼져나간 것은.

***

힐라리아와 에벤에셀이 새벽 시장에서 낯 뜨거운 장면을 연출했다는 이야기는 당연하게도 기네비어 성으로도 흘러 들어갔다. 그리고 에벤에셀은 곤란하고 난처한 상황을 맞닥뜨리게 되었다. 위로 오빠만 셋 가진 막내딸이 어떤 대우를 받는지 몸소 느끼게 된 것이다.

155

"그러니까 이자가 바로……."

"이자라니. 말은 바로 해야지, 트리탄."

위베르의 타박에 트리탄의 눈이 이글이글 끓었다. 형제들 중에서 가장 정령의 힘에 가깝게 태어난 트리탄이다. 헬레나미아가 종종 트리탄을 두고 여자아이로 태어났어야 할 것을 잘못 태어나 아깝다고 중얼거렸을 정도였다.

트리탄은 리오나 아카데미에서 연금술을 가르치는 교수로 재직 중이었다. 그리고 이번 전쟁에서 리오나 아카데미 학생들과 함께 큰 공을 세운 전적이 있었다. 윈프리드 본진과 기네비어 왕성이 직통으로 이어지는 초대형 마법진을 그리는 일을 진두지휘한 이가 트리탄이었다. 덕분에 부상자들을 전쟁터에 머물게 하지 않고 왕성으로 바로 보낼 수가 있었다.

"그러니까 연구실에만 박혀 있지 말고 밖에도 나오라고 했었지?"

길리어스가 못마땅하다는 듯이 말했다.

기네비어의 유명인사 얼굴을 여태 모르면 어떡하냐고 덧붙이며.

"그러면 황제 폐하라고 불러야 해?"

트리탄의 말에 위베르가 고개를 저었다.

"뭘 그렇게 거리감 느껴지게 부르고 그래, 트리탄. 에벤에셀이라고 불러. 그렇지?"

그들 사이에 덩그러니 앉아 있던 에벤에셀이 느리게 고개를 끄덕였다. 이들 형제가 아무리 무례를 범한다고 한들 이렇게 사석인 자리에서 그가 할 수 있는 일은 아무것도 없었다. 처절한 약자가 된 상황이었으니. 힐라리아는 에벤에셀을 이곳에 남겨두고 뭐가 그렇게 바쁜지 베아트리체와 나가버렸다. 오랜만에 돌아오는 이들을 맞이하러 가야 한다나. 에벤에셀이 답지 않게 당황한 얼굴로 눈을 데굴 굴렸다. 어색하고 정중한 미소를 머금은 채로 에벤에셀이 대답했다.

"편한 대로 해도 좋……."

뭐라고 끝맺어야 하나.

왠지 분위기를 봐서는 존댓말이라도 해야 할 것 같은데.

"……좋습니다."

그렇게 기묘한 관계가 정립되었다. 에벤에셀의 말에 만족스러운 얼굴로 위베르가 술잔을 건넸다. 아직 햇살이 창창한 이른 아침이었지만, 조금도 거리낌 없는 모습이었다. 커다란 술잔에 찰랑거리는 호박빛 액체가 왠지 모르게 두려워졌다. 천하의 에벤에셀이!

"마시게. 이렇게 술잔도 나눠야 사이도 돈독해지는 거 아니겠나?"

힐라리아가 보면 그리 좋아하지 않을 테지만, 지금은 여기 없으니까…… 위베르가 호기롭게 에벤에셀의 어깨를 두드렸다. 에벤에셀이 그 힘에 들썩거리며 술잔을 받아 들었다. 사실 반정령의 몸 아닌가. 이 정도 술로 취할 리는 없었다. 에벤에셀이 눈을 질끈 감은 채로 술잔을 쭉 들이켰다. 목을 화끈하게 불태우는 맛이었다. 기네비어의 술이 독하다는 말은 듣긴 했었는데 이 정도일 줄이야.

"잘 마시는군!"

마음에 든다는 듯이 길리어스가 에벤에셀의 술잔을 다시 가득 따랐다.

"힐라리아가 얼마나 술을 잘 마시는데. 그 애보다 먼저 취해서는 안 될 것 아닌가. 쭉쭉 마시게."

낄낄거리며 길리어스가 시종을 향해 손짓했다.

"술을 더 가져오너라."

"예."

에벤에셀이 식탁을 가득 채우는 술병들을 망연히 바라보았다. 왠지 오늘은 난생처음으로 만취할 수 있을 것 같다는 강렬한 예감이 들었다. 이른 아침부터 이게 무슨 일인지. 에벤에셀이 연거푸 술잔을 비우다가 술병을 두 병쯤 비웠을 때였다. 가만히 상황을 방관하던 나비 힐이 나섰다. 저러다가 정말 큰일 나겠다 싶었던 모양이다.

[……힐라리아가 안 좋아할 텐데. 고기도 먹어. 스프도 떠 마시고.]

나비 힐이 날개를 파닥거리며 부산스럽게 중얼거렸다.

"거참. 힐라리아의 정령 아니야? 왜 대체 여기에 남아 있는 거야."

위베르가 불만스럽게 중얼거렸다.

[왜 남아 있긴!]

"내가 남겨졌으니 남아 있겠지?"

"히이이익!"

여기서 들려서는 안 될 목소리가 들린 거 같았는데? 귀신을 본 것 같은 얼굴로 세 형제가 고개를 돌렸다.

"히, 힐라리아……."

"이모님 모시러 간다지 않았어? 딸꾹!"

"……왜, 왜 벌써."

힐라리아가 머리카락을 쓸어 넘겼다. 찬찬히 둘러보니 세 형제가 작당을 하고 에벤에셀에게 술을 마시게 한 것 같았다. 식탁 위를 뒹굴고 있는 텅 빈 병들은 에벤에셀 홀로 다 비운 게 틀림없었다. 힐라리아의 눈치를 보던 시종들이 재빨리 자리를 피했다. 시킨 대로 한 죄밖에 없는데 여기에 있다가 불똥이 튀긴 싫었다.

"그러니까. 이모님이 오셔서 인사들 하라고 부르러 온 거지."

힐라리아가 음산하게 중얼거리며 그녀를 따라온 시녀들에게 말했다.

"가서 잔을 가져와."

"뭐, 뭐? 네 잔은 왜!"

"왜? 내가 여기에 끼면 안 될 이유라도 있나 봐?"

힐라리아의 새파란 눈이 야생의 냄새를 머금은 채로 번뜩였다. 몸을 사리던 세 형제의 목덜미가 정령들에게 붙들렸다.

"앉아."

서늘하게 떨어진 명령에 세 형제가 엉덩이를 의자에 딱 붙이고 앉았다.

힐라리아가 에벤에셀의 곁에 앉았다.

"하하하……. 힐라리아……."

반쯤 감긴 눈을 보며 힐라리아가 직감했다. 취했구나.

그 뒤부터는 피의 복수의 시작이었다.

* * *

결론적으로 힐라리아의 최종승으로 끝났다. 주당들이 많은 기네비어에서도 힐라리아만 한 이가 없었기 때문이었다. 사실 힐라리아는 기네비어에 머무는 요 며칠 사이에 몸 상태를 많이 회복했다. 정령의 힘이 넘쳐흐르니 자연스레 몸의 회복도 빨라진 것이다. 그런 힐라리아에게 이깟 독주쯤이야.

"힐……. 히잉……."

술병을 끌어안은 베아트리체가 눈을 깜빡였다. 어느새 네 사람으로 시작했던 술자리에 여러 사람들이 끼어 있었다. 베아트리체, 제이나, 골리엇까지. 그리고 그중에서 지금 멀쩡히 앉아 있는 사람은 힐라리아와 제이나뿐이었다. 베아트리체가 낙지처럼 식탁에 달라붙어 힐라리아를 새초롬히 노려보았다.

"나, 나아도……."

"뭘 너도야?"

"나아도 무릎 베에개 해줘."

"혀는 잔뜩 꼬여서는……."

힐라리아가 눈을 가늘게 뜨고 혀를 찼다. 안 그래도 힐라리아의 무릎을 차지하고 누운 에벤에셀이 자꾸 예쁘게 웃어서 곤란한 차에 왜들 이렇게 난리일까. 힐라리아가 베아트리체의 입에 안주로 나온 새콤한 과일을 물려주었다.

"이거 먹고. 지금 겨우 오후 두 시인 건 알아? 이 주정뱅이야."

코를 잡힌 베아트리체가 귀엽게 눈살을 찌푸렸다.

"힐라리아도 마시고 있으면서어!"

"안 취하잖아."

"왜, 왜……?"

이 난장판에서 내가 어떻게 취할 수 있겠니. 힐라리아가 덤덤한 시선으로 주변을 둘러보았다. 어떻게 된 게 하나같이 다들 이 모양인지 모르겠다. 게다가 힐라리아의 왼손을 가련하게 붙든 채로 그녀를 자꾸만 불러대는 에벤에셀은 어떻고.

"힐, 사랑합니다."

"네에."

"……진심이에요."

"나도 진심이에요."

"힐……."

"그만 자요, 그렇게 예쁘게 굴다가 큰일 나지 말고."

힐라리아의 말을 알아듣기나 한 것일까. 에벤에셀이 눈가를 곱게 휘었다. 아이처럼 그저 그렇게 환한 얼굴로 웃으면서 힐라리아만 보고 있다. 보통 사람이 술에 이렇게 예쁘게 취하나? 못 이긴 힐라리아가 에벤에셀의 눈을 손바닥으로 덮었다.

"왜?"

"방해돼."

힐라리아가 읊조리고는 한숨을 내쉬었다. 아직도 힐라리아를 놓아줄 생각이 없어 보이는 이들이 눈을 번쩍이며 술병을 흔들고 있었다.

"더 마셔, 더!"

"트리탄. 내일 후회하지 말고."

"후회를 왜 해? 술은 좋은 거야!"

아냐, 내가 보기엔 너한테 나쁜 거 같아. 힐라리아가 고개를 내저었다. 평소엔 멀쩡한 사람이 술만 마시면 저렇게 호전적으로 변한다.

"힐, 나 술 더 줘어……."

반면에 어리광쟁이가 된 위베르가 베아트리체와 똑같이 식탁 위에 늘어붙었다. 이것 봐, 그렇게 좋지 않다니까. 이래놓고 내일 후회할 거면서. 힐라리아가 자신의 술잔을 깨끗이 비우고는 시종에게 말했다.

"내일은 숙취 해소에 좋은 음식들을 준비해야 할 것 같군요."

"예, 공주님."

"……음. 그리고 저기 비어 있는 물병을 채워줘요."

"예."

쨍그랑-

"새 술잔도 필요할 것 같군요."

힐라리아가 어쩔 수 없다는 듯이 생긋 웃었다. 사실 전쟁이 끝나기 무섭게 힐라리아가 앓아눕는 바람에 제대로 된 회포도 풀지 못하지 않았던가. 이런 시간이 힐라리아도 퍽 나쁘지만은 않았다. 다 주정뱅이로 변해가는 마당에 겨우 오후 2시를 넘겼다는 것 빼고는.

"세심하네요, 힐라리아."

"제가 아니면 챙길 사람이 없으니까……."

"그게 아니죠, 힐. 그냥 다정한 거예요."

제이나가 생긋 웃었다.

"다정하고 세심한 사람이라는 걸 모두 아니까 이렇게 마음 놓고 마시는 거고요."

힐라리아가 술잔을 다시 한번 비웠다. 비워도, 비워도 끝이 없는 것처럼 차오르는 술잔은 여기에 있는 모두의 애정이었다. 힐라리아의 술잔이 비워지는 것을 기다리는 하이에나 같은 애정.

"내 술도 마셔줘!"

힐라리아가 너털웃음을 터뜨렸다.

대체 왜들 이렇게 마실 때마다 하루만 사는 이들처럼 구는 건지.

"알았으니까 길리어스는 그만 마셔."

"그럴 수는 없지!"

뭘 그럴 수는 없어. 힐라리아가 조용히 읊조렸다.

"그만 자."

"응."

단호한 힐라리아의 명령에 길리어스가 술잔을 붙든 채로 엎어졌다. 그리고 이 엉망진창이 되어버린 술자리는 모두가 완전히 취하고 정신을 잃어 힐라리아와 제이나만이 살아남고 나서야 끝이 났다.

힐라리아의 품에 에벤에셀만을 남기고선.

***

"힐……."

응석을 부리듯 힐라리아를 내내 부르는 에벤에셀 덕분에 힐라리아만 곤란해졌다. 너무 예쁘게 굴지 말라니까 말 더럽게 안 들어.

"왜 불러? 그러다 내 이름 닳아 없어지겠어."

힐라리아가 에벤에셀의 머리를 쓸어주었다. 사르륵 흩어지는 가는 머리카락이 손가락 사이를 빠져나간다. 가물가물, 졸리지도 않은지 힐라리아의 무릎을 벤 채로 자꾸만 그녀의 이름을 불렀다. 달콤하게 벌어지는 입술과 쏟아지는 숨결이 간질간질하다. 힐라리아가 에벤에셀의 볼을 쓸어주었다. 부드럽게 만져지는 볼살이 손바닥에서 뭉개졌다.

"주정뱅이 같으니."

"취하지 않았어."

에벤에셀이 그렇게 주장하며 고개를 갸웃했다.

"내가 취한 건 술 따위가 아니야."

"그럼?"

"나는 너한테 취했지."

담백하게 그렇게 오글거리는 말을 하다니. 힐라리아가 눈을 흰 채로 짧게 웃었다. 지금 이 상황이 어처구니가 없기도 하면서 달콤하게 구는 에벤에셀이 영 나쁘지 않기 때문이었다. 힐라리아가 에벤에셀의 손가락을 끌어당겨 그 끝에 입을 맞췄다. 이로 아프지 않게 깨물기도 했다.

힐라리아도 술을 마신 탓인지 기분이 자꾸 나른하게 풀어졌다. 이 귀여운 사람이 원하는 건 무엇이든 해줄 수 있을 것처럼. 누운 채로 힐라리아가 하는 양을 가만히 보고 있던 에벤에셀이 몸을 세웠다. 벌떡 일어나서 힐라리아의 손을 끌어 그녀를 품에 안았다.

알코올 향에 젖은 더운 숨이 힐라리아의 목덜미에 닿았다. 짧아진 머리카락 탓인지 완전히 노출되어 에벤에셀의 냄새로 절여졌다. 손으로 더듬어 힐라리아의 드레스를 풀어내는 손은 서툴면서도 애틋하다.

"갑자기 왜?"

"그냥……. 그러고 싶어졌어. 안 돼?"

눈을 깜빡이는 모습이 처연해서 차마 거절할 수가 없다. 게다가 미인이 이렇게 예쁘게 구는데 어떻게 거절하겠는가. 힐라리아가 에벤에셀의 손을 거절하는 대신 그의 품에 몸을 맡겼다. 그녀의 손도 당연하다는 듯이 에벤에셀의 셔츠를 끌어 내렸다.

"돼. 대신 너도 벗어."

힐라리아가 에벤에셀의 목덜미에 그가 했던 것처럼 입 맞췄다. 뜨거운 화인을 남기며 그의 머리카락을 손가락으로 헤집고, 술기운에 노곤하게 풀어지는 뇌에 애써 힘을 주며. 자꾸만 감질나게 느려지는 에벤에셀을 견디지 못한 힐라리아가 그를 밀쳤다. 침대 위에 털썩 눕는 에벤에셀의 배에 걸터앉아 힐라리아가 입술을 내렸다. 맞닿은 입술을 가르고 힐라리아가 농밀하게 살덩이를 밀어넣었다. 물기에 젖어 맞물리는 입술과 오가는 체온이 미칠 것처럼 달콤하다.

사실 해야 할 일들은 여전히 산재해 있었다. 올리비아, 기네비어, 윈프리드. 게다가 힐라리아는 아직 윈프리드의 황성으로 돌아가는 일을 허락받지도 못한 상태였다. 하지만, 지금 이 순간만 영원히 지속된다면 아무래도 좋을 것만 같다. 에벤에셀의 커다란 손이 힐라리아의 허리를 받쳐주었다.

"……왜 그러고 있어. 유혹을 했으면 책임을 져야지. 당신이 그랬잖아."

힐라리아가 에벤에셀의 뺨에 손을 얹었다.

"입을 벌려봐. 응?"

살짝 벌어진 입술이 감질나 힐라리아가 심술궂게 속삭이고는 에벤에셀의 턱을 붙들어 벌렸다. 잠시라도 떨어지는 걸 못 견디겠다는 듯이 힐라리아가 에벤에셀에게 들러붙었다. 아직까지 걸리적거리고 있는 옷을 찢어버릴 것처럼 끌어 내렸다. 물론, 에벤에셀의 것도 마찬가지였다.

아직이다. 한참은 모자랐다. 당장이라도 살갗을 맞대고 체온을 나누며 사랑을 속삭이고 싶었다. 차라리 크기를 줄여 주머니에 넣어 데리고 다닐 수 있다면 좀 더 나을까? 이대로 에벤에셀을 배 속에 넣어 다닐 수 있으면 좋겠다. 술에 취해 평소보다 어리게 구는 연인은 해사하게 웃으며 매달려오는데 힐라리아의 탐욕은 너무나 어른스럽게 들끓고 있었다.

드러난 새하얀 속살에 힐라리아가 입을 맞췄다. 들끓고 있는 건 힐라리아뿐만이 아니었다. 에벤에셀 또한 평소보다 뜨겁게 달아올라 있었다. 온갖 곳에 열이 고여 있었다. 힐라리아가 에벤에셀의 머리카락을 쓸어 넘겼다.

"후회 안 하지?"

"뭘 후회해?"

"그게 뭐든 말이야."

"언제나 당신은 내 곁에 있는 건가?"

"그거야 약속할 수 있지."

"그러면 뭘 후회하겠어. 나는 당신만 있으면 돼……."

"꿈이 너무 작아진 거 아니야?"

"당신이 세상인데, 더 커진 거 아닌가……."

"내가 세상이야?"

에벤에셀이 힐라리아의 손을 끌어당겨 손바닥에 입을 맞췄다. 매번 더해가는 행위가 새로운 추억으로 덧칠해진다. 아직 해가 하늘 위에 떠 있는 오후였다. 해마저 훔쳐보는 시간에 그들을 누구보다 은밀한 행위를 나누고 있었다. 에벤에셀이 느릿하게 속삭였다.

"물론. 당신은 내게 윈프리드고 세상이지. 무엇과도 바꿀 수 없는 절대적인 가치. 당신이 있어서 이 세상이 살만해……. 죽고 싶다가도 당신이 내 곁에 있다는 걸 알면 다시 살고 싶어져."

그가 하는 말을 방해하고 싶지 않아 힐라리아가 그의 얼굴 곳곳에 입을 맞추며 말을 아꼈다. 에벤에셀이 말을 이었다.

"인간도 정령도 아닌 채로 황제라는 굴레에 묶여 지지부진하게 삶을 낭비했지. 사실, 아주 솔직히 말하면……. 당신이 없었으면 다 포기했을지도 몰라."

약한 소리를 하는데도 밉지 않고 예쁜 걸 보면 힐라리아 스스로도 중증이다 싶었다. 힐라리아가 에벤에셀의 말랑한 뺨을 입 안 가득 깨물었다가 놓아주었다.

"살아남으면 뭐 해. 황제가 되어서 뭐 해……. 그다음은? 윈프리드를 지키고 나면 그다음은? 나는 무엇을 해야 하지?"

힐라리아가 다녀온 미래에서 에벤에셀은 무력하게 죽었다. 사실 힐라리아가 겪어본 에벤에셀은 철두철미하고 섬세한 사람인데, 너무 손쉽게 당한 것이다.

'당해준 거였나.'

더 이상 살 의미가 없으니 목표를 잃은 채로, 그렇게. 아무것도 아닌 채로 세상을 부유하다가 죽어버린 건가. 이렇게 안쓰러운 사람이 있나. 힐라리아가 애정을 가득 담아 에벤에셀의 뺨을 쓸어내렸다. 그 작은 접촉이라도 에벤에셀에게 위로가 되길 바라며.

"그다음은……. 나와 살아가면 되지. 내가 없던 시간은 잊어버려, 에벤에셀. 이미 내가 곁에 있잖아."

힐라리아가 에벤에셀의 뺨에 입을 맞췄다. 올올이 머리카락이 서고 심장이 짜르르 울리는 것만 같다. 더 이상 에벤에셀이 그런 슬픈 날들을 되뇌며 살아가게 하고 싶지 않았다. 힐라리아가 에벤에셀의 입술에 옅게 키스했다. 마치 죽은 사람에게 숨결을 불어넣듯이 조심스럽고 다정하게.

"……사라지진 않겠지?"

에벤에셀이 불안함을 내비쳤다.

몇 번이고 스스로를 위험 속으로 밀어 넣었던 힐라리아다. 그녀가 또다시 사라지지 않는다는 보장이 어디에 있지? 힐라리아가 또 에벤에셀의 곁에서 사라져버린다면? 다시는 되돌릴 수 없는 죽음이 그녀를 데려가 버린다면.

"그렇게 되면 나는 혼자 남을 텐데……."

이건 힐라리아가 심은 불안이었다. 뒤돌아보지 않고 야생마처럼 질주해 모든 것을 얻어냈으나 그 대신 에벤에셀에게 불안감을 깊은 상흔처럼 남겼다.

"약속할게."

"……정말?"

어린애처럼 눈을 깜빡이며 힐라리아에게 애절히 매달려온다. 힐라리아가 에벤에셀의 입술을 엄지로 쓸었다.

"당연하지. 내가 갈 데가 어디 있어? 이렇게 예쁜 당신을 두고."

"……몇 번이고 떠났으면서."

"내가?"

"……독은 왜 마시지? 목숨만큼 가치 있는 게 그렇게 많은가……. 왜 오스발트에 간 거야? 내가…… 지켜주겠다고 했는데."

울먹이는 목소리가 한없이 달콤하다.

힐라리아가 에벤에셀의 눈가에 고인 눈물을 기꺼이 받아마셨다.

"내가 당신을 지켜주고 싶어서 그랬지. 이렇게 연약한 당신인데……."

"정말 나빠……."

"맞아. 나는 나빠. 그래서 내가 싫어?"

"아니……."

힐라리아가 눈을 가늘게 접으며 웃었다.

"나는 아주 못된 악녀야. 사람들이 그렇게 손가락질하지. 내가 한 일을 봐. 모든 황비를 내쫓고 황성을 독차지했지. 그뿐인가? 요사스럽게 황제를 홀려 치마폭에 쓸어 담았잖아."

"아니야. 내가 당신을 잡은 거야."

"순진한 에벤에셀."

에벤에셀의 손에 깍지를 낀 채로 그 손을 이불 위에 짓눌렀다. 언젠가 에벤에셀이 그랬던 것처럼…… 힐라리아가 에벤에셀의 몸 위에 올라탄 채로 고개를 수그렸다. 어느새 힐라리아와 에벤에셀의 거리가 다시금 가까워졌다. 서로의 숨결이 섞일 만큼 아주 가까운 거리였다. 달아올랐던 공기는 여전히 열기를 머금고 있어서 맞닿은 살갗이 전부 타오르는 것만 같았다.

"나는 오스발트의 왕도 유혹해서 죽인 악녀야. 네가 홀린 거라고."

"……그럼 어때."

에벤에셀이 고개를 들어 힐라리아의 아랫입술을 머금었다. 마치 그것이 생명줄이라도 되는 것처럼 매달려 잔 떨림 섞인 호흡을 내뱉었다.

힐라리아가 에벤에셀을 떼어내곤 읊조렸다.

"그래. 그럼 어때. 그러니 말하고 있는 거야, 에벤에셀. 나는 절대로 당신을 놓지 않아. 혼자 욕심쟁이처럼 독차지하고 남에게 빌려주지도 않을 참이지. 나는 악녀거든."

아무래도 상관없다는 듯이 에벤에셀이 힐라리아의 목을 끌어당겼다. 당장 입 맞출 것처럼 가까워지는 에벤에셀을 힐라리아가 짓눌렀다. 오히려 입을 맞춘 쪽은 힐라리아였다. 몸을 숙인 채로 진득하게 호흡을 섞었다. 에벤에셀의 간절한 손바닥이 힐라리아의 다리를 쓸어 올렸다.

다급하게 느껴지는 그 손길이 오히려 반가운 건 여태껏 힐라리아도 참아왔기 때문이겠지. 그에게 닿고 싶고 떨어지지 않고 싶은 마음을 마음껏 내비쳤다. 급급하게 에벤에셀에게 들러붙은 채로 그가 자신의 드레스를 벗기도록 도왔다. 에벤에셀이 그렇게 힐라리아에게 잠긴 채로 침잠했다.

그녀가 한 약속들이 모두 기만이라 할지라도, 기꺼이 속아 넘어가리라.

***

에벤에셀이 눈을 깜빡였다.

"아……."

"깼어?"

머리를 받치고 옆으로 누워 에벤에셀이 자는 걸 지켜보던 힐라리아가 속삭이듯이 물었다. 힐라리아의 숨결에 에벤에셀의 머리카락이 흔들렸다.

"……몇 시야?"

낮게 갈라진 목소리로 에벤에셀이 물었다.

"음. 이제 11시가 되어가."

일찍 일어나서 샤워도 하고 아침 식사도 한 후에 침대에 도로 누웠다. 이런 늦장을 피울 수 있는 여유를 얼마 만에 가져보는 것인지. 힐라리아가 생긋 웃었다. 몸에 기운이 흘러넘쳐 오랜만에 말을 타고 초원을 달리고 싶었지만, 힐라리아의 몸은 더 이상 그럴 수 없는 몸이 되었다.

그래서 무엇을 할까 고민하다가 에벤에셀의 옆에 누운 것이다. 책을 읽기도 하고 그가 자는 모습을 지켜보기도 하면서. 새벽녘에 같이 목욕을 한 덕에 에벤에셀에게서 힐라리아와 같은 향이 나고 있었다. 그녀가 좋아하는 향유를 가득 풀고 욕조에 함께 몸을 담갔다. 달콤한 장미향이 머리카락 곳곳에 배어 있었다. 힐라리아가 고개를 숙여 에벤에셀의 이마에 입을 맞췄다.

"잘 잤어?"

"매우."

에벤에셀이 몸을 돌려 엎드린 채로 눈을 깜빡였다. 햇살에 에벤에셀의 등이 드러났다. 힐라리아가 붉은 기가 맴도는 상흔을 손끝으로 쓸고는 작게 웃었다.

"안 아파?"

"응."

에벤에셀이 나른하게 대답했다.

"안 일어날 거야? 나 심심한데."

"일어나야지."

"움직이지도 않으면서."

지금 바쁘게 황성에서 구르고 있을 스베인이 이 모습을 봤다면 에벤에셀의 등짝을 내리쳤을지도 모르는 일이다. 힐라리아도 에벤에셀을 따라 침대 위에 털썩 누워버렸다. 그녀의 움직임에 따라 작은 먼지들이 햇살에 실려 부유하는 게 전부 보였다. 힐라리아가 먼지들을 따라 손가락을 움직였다.

"너무 지체되는 건 아니야?"

"괜찮아. 스베인도, 반에이크도 있으니까. 힐, 당신이야말로 괜찮은 거야? 올리비아 말이야."

"아아. 원래 열매는 농익을수록 맛있는 거잖아. 아직은 좀 더 익어야 해."

제도에 사는 모두가 올리비아의 악행을 알 때까지. 그녀가 저지르는 실책들이 사교계를 비롯한 제국민들 사이에 퍼지고 그들이 올리비아를 손가락질할 때까지. 시간이 흐를수록 올리비아를 두고 사람들은 '마녀' 내지는 '악녀'라고 떠들어댈 것이다. 그에 반하여 기네비어의 공주가 새로운 붉은 여왕이 되어 곤드레스의 목을 가지고 돌아왔다는 소문도 함께 퍼지고 있었다. 대비되는 두 소문이 발 없는 말이 되어 제국을 휩쓸고 있었다.

영웅 힐라리아와 마녀 올리비아에 대해서. 그것 또한 물론, 힐라리아가 안배한 일이었다. 첼로스테와 실로테는 부지런히 그들이 해야 할 일을 수행하고 있었다. 올바른 소문이 퍼져나갈 수 있도록 말이다.

"이렇게 늦장을 부리는 것도 괜찮네."

힐라리아가 눈을 감고는 에벤에셀의 팔 아래로 파고들었다. 에벤에셀이 기꺼이 팔을 벌려 힐라리아를 끌어안았다. 힐라리아가 에벤에셀의 가슴에 얼굴을 묻은 채로 웅얼거렸다.

"어제 기억은 전부 나는 거야?"

"아니."

"너무 대답이 빠른데?"

장난스럽게 물으며 힐라리아가 에벤에셀을 올려다보려 했으나, 그의 힘에 밀려 고개를 들지 못했다. 에벤에셀이 힐라리아를 꼭 끌어안은 채로 눈을 꾹 감았다. 물론 전부 기억하고 있었다. 어린애처럼 힐라리아를 조르며 그녀의 무릎에 머리를 대고 누워 있었던 일 같은 것들 말이다.

다행히 그 이상의 추태는 부리지 않았으나…….

'예쁘게 웃지 말라니까.'

'원래 예쁜 거야…….'

부리지 않았으나? 이게 무슨 기억이야. 에벤에셀이 입술을 질끈 깨물었다. 원래 예쁜 거라니! 그런 말은 평생에 한 번도 해본 일이 없었다.

'원래 예쁘긴 하지. 하지만, 더 예뻐지면 곤란해, 에벤에셀.'

'왜? 왜 곤란한데? 나는 더 예뻐 보이고 싶은데. 그러면 당신이 이런 것도.'

몸을 들썩이는 힐라리아를 붙들어 진하게 입을 맞추고.

'이런 것도 해줄 거 아냐.'

그녀를 꼭 끌어안은 채로 속삭였었다. 에벤에셀이 허탈하게 웃었다. 그 외에도 덧붙인 말이 생생하게 기억난 까닭이었다.

'그러니까 더 예뻐질 거야.'

세상에. 잊어버려야 했는데. 정말로 기억이 안 나야 했는데! 너무 생생해서 광대뼈가 붉어질 지경이었다. 이래서 사람들이 술을 마신 다음 날 후회를 하며 다시는 마시지 않겠다고 다짐을 하는구나 싶었다. 처음으로 술에 취해본 터라 에벤에셀의 좌절과 자책은 깊었다. 미동도 하지 않고 죽은 것처럼 누워 있는 에벤에셀의 허리를 힐라리아가 쓱 쓸었다. 사이에 아무것도 두지 않은 채로 살갗끼리 맞부딪히는 촉감에 에벤에셀이 부르르 떨었다.

"예쁜 에벤에셀?"

망했다. 그가 기억하고 있다는 걸 힐라리아가 전부 알아차린 것이다.

"이만 일어나야지. 나랑 놀아줘야지. 그래야 더 예뻐지지."

아, 다시 술에 취하면 내가 사람이 아니다. 에벤에셀이 침음을 흘리곤 힐라리아의 머리 타래에 고개를 묻었다. 제발 잊어버려라.

*   *   *

느긋한 아침을 보낸 게 힐라리아와 에벤에셀뿐만이 아니라서 오찬은 조금 늦은 시간에 시작됐다. 사람들이 모두 일어날 시간이 되어서야 식당의 문을 연 것이다. 어제 술을 몇 병을 비운 건지 기억도 나질 않는다. 모두가 초췌한 얼굴로 수저가 든 손을 바들바들 떨고 있을 때 살아남은 몇몇 사람들만이 여유롭게 식사를 하고 있었다.

그리고 조금 더 시간이 지났을 때, 헬레나미아와 크리스티나가 식당으로 내려왔다. 어제 도착한 후작 부인은 여독을 풀기 위해 오늘에서야 모습을 드러낸 것이었다. 물론 어제는 인사를 나눌 틈도 없었겠지만.

"이런. 다들 많이 힘들어 보이는군요."

헬레나미아가 부드럽게 웃었다.

"공왕비님……."

"편하게들 먹어요. 공왕과 제너시스 후작은 말을 타고 나갔답니다. 초원을 둘러보고 그곳에서 도시락을 먹고 돌아올 테니 우리끼리 편하게. 응? 크리스티나, 괜찮지?"

"물론이야."

두 사람의 허락에 엉거주춤 일어나던 이들이 다시 엉덩이를 붙이고 식탁 위로 늘어졌다.

"그러니까, 그렇게 술을 마시니까……."

힐라리아가 그들을 놀려먹으려다가 에벤에셀에게 붙들렸다. 어제 새로운 역사를 쓴 건 그도 마찬가지였기 때문이었다. 에벤에셀의 만류에 힐라리아가 작게 미소 지었다. 정말 귀여웠는데 본인은 잊고 싶은 수치인가 보다.

"너는 왜 멀쩡해."

베아트리체가 억울한 듯 웅얼거렸다.

"많이 마시지 않았나 보지."

"네가 제일 많이 마셨어!"

"여기가 기네비어라서 그런가 보지."

"이건 반칙이야."

베아트리체가 흐물흐물하게 음식물을 떠먹었다. 찰싹- 불행한 건 베아트리체가 상석 근처에 앉아 있었던 탓에 크리스티나와 가까웠다는 것이다. 크리스티나가 체통도 없이 남의 집 식탁에 널브러져 있는 베아트리체의 등을 내리쳤다.

"악, 어머니!"

"얘가 정말. 얼른 일어나지 못하겠어? 오랜만에 온 기네비어에서 이게 무슨 망신이니?"

"……아무도 신경 안 써요. 한번 둘러보세요, 어머니. 누가 제정신인지."

물론 살아남은 몇몇이 있긴 했지만, 그건 정말 극소수였다.

"이모님, 편하게 집이라고 여겨주세요."

힐라리아가 생긋 웃으며 크리스티나를 말렸다. 베아트리체가 멍하니 힐라리아를 쳐다보았다. 저건 분명히 어떤 꿍꿍이속이 있는 얼굴이다.

힐라리아가 저런 식으로 웃었을 때 무슨 일이 있었더라. 멀게는 실로테가 굴복했고, 가까운 일로는 라리나가 홀라당 넘어왔고 독을 마신 전적도 있었다. 늘 힐라리아는 일을 벌일 때마다 저렇게 눈을 살짝 내리깔곤 매혹적이게 웃곤 했다. 이상한 불안감에 베아트리체가 침을 삼켰다. 분명 친절한 말이었는데 왜 이렇게 위협적으로 들리는 건지. 힐끗 그 옆에 앉은 에벤에셀의 기색도 살펴보았으나 아무렇지도 않아 보여서 감이 잡히질 않는다.

결국 식사하는 것을 포기한 베아트리체가 수저를 내려놓았다. 어차피 들어가지도 않지만, 힐라리아의 저런 얼굴을 보고 편하게 식사를 할 수 있을 리가 없었다.

"말해, 힐라리아. 너 무슨 생각을 하고 있는 거야?"

"별거 아니야. 지금 들어봐야 좋은 일 없을 텐데. 식사 이어서 해."

베아트리체가 고집스럽게 고개를 저었다. 그 모습을 본 힐라리아가 다시금 똑같은 얼굴로 웃었다. 정 네 뜻이 그렇다면야. 지금 이 자리에 공왕과 제너시스 후작이 없는 건 조금 아쉬웠지만, 크리스티나와 헬레나미아가 있으니까. 힐라리아가 식기를 내려놓고 허리를 꼿꼿이 펴고 앉았다.

"그렇다면 여러분께 드릴 말씀이 있어요."

"힐라리아?"

헬레나미아가 불안한 듯이 딸의 이름을 불렀다.

"저 결혼해요."

"뭐?"

"에벤에셀에게 청혼받았거든요."

옆에서 에벤에셀이 볼을 조용히 붉혔다. 물론 그런 모습의 미인이야 보기 좋은 일이지만, 저런 캐릭터였나? 처음 보는 에벤에셀의 모습에 모두들 눈을 깜빡였다. 그리고 귀도 쫑긋 세워야 했다. 힐라리아의 폭탄선언은 그게 끝이 아니었기 때문이었다.

"나는 말했다, 힐라리아. 너는 제도로 가지 못한다고. 너는 기네비어의 공왕비가 되어 이곳을 다스려야 할 의무가 있단다."

헬레나미아가 다시 한번 힐라리아에게 씌운 굴레를 바짝 당겼다.

"물론이에요, 어머니. 저는 기네비어에도 정당한 지도자가 필요하다는 걸 알고 있어요."

"그래서?"

두 사람 사이에 팽팽한 긴장감이 어렸다.

"저는 제 후계권을 포기하고 베아트리체에게 모든 걸 일임할 생각이에요."

탁, 쨍그랑, 투두두둑- 온갖 것들이 떨어지는 소리가 식당을 가득 메웠다.

"뭐, 뭐??"

물론 가장 당황한 것은 지목받은 당사자인 베아트리체였다.

"베아트리체도 크리스티나 이모님의 피를 이었죠. 다르게 말해서 기네비어 왕실의 핏줄을 이었다는 거예요. 자격은 충분하다고 사료됩니다. 게다가 베아트리체는 리오나 아카데미를 우수한 성적으로 졸업한 한편, 연금술에도 특출난 재능을 가지고 있죠."

충분히 설득력 있는 말들이었다. 단순한 위베르와 길리어스는 이미 고개를 끄덕이고 있었다. 그것은 거의 포기와 같았다.

힐라리아는 자신의 고집대로 에벤에셀을 놓지 않을 테고 기네비어에도 대안이 필요하다는 걸 인지하고 있었던 까닭이었다. 오히려 힐라리아의 말을 받아들이지 못하고 있는 건 베아트리체였다.

"게다가 이번 전쟁에서도 큰 공을 세웠어요. 오스발트까지 와서 다른 이들을 훌륭하게 인솔하고 저를 구해주기도 했죠. 사실 숨은 주역은 베아트리체라고 생각해요. 이건 제이나가 보증해줄 거예요. 그렇지, 제이나?"

"저, 저요? 아, 네. 베아트리체가 잘하긴 했죠……?"

불시에 지적받은 제이나가 얼떨결에 보증인이 되었다. 힐라리아가 명한 이들을 훑어보고는 다 정신 차리기 전인 지금이 가장 적기일지도 모른다고 생각했다. 그 표정을 본 베아트리체가 사색이 되어 외쳤다.

"나, 나는 모르는 일이야!"

"정말로?"

힐라리아가 고개를 기울였다. 베아트리체가 불안감에 침을 삼켰다. 정말로 모르는 일인데 왜 아는 일 같은 걸까. 힐라리아가 그럴 줄 알았다는 듯이 케이티를 향해 손짓했다. 케이티가 베아트리체를 향해 동정의 눈빛을 쏘아주고는 손에 들린 것을 힐라리아에게 내밀었다.

"그, 그게 뭐……."

"뭘 그렇게 겁먹고 그래."

힐라리아가 속에 든 새하얀 계약서를 꺼냈다. 가장 맨 밑에는 베아트리체의 서명과 힐라리아의 서명이 나란히 적혀 있었다.

"이걸 확인해봐, 베베."

왜 이럴 때 애칭으로 부르는 거야! 침을 꿀꺽 삼킨 베아트리체가 종이를 받아들었다. 맨 위에 베아트리체의 것이 분명한 글씨가 날아다니듯이 적혀 있었다.

〈계약서〉

베아트리체의 손이 부들부들 떨렸다. 그것은 베아트리체 본인의 의지로 힐라리아에게 기네비어의 후계권을 양도받아 훌륭한 기네비어의 지도자가 될 것임을 맹세하겠다는 내용이었다.

"으아아아악!"

베아트리체가 깜짝 놀라서 떨어뜨린 계약서를 크리스티나가 낚아챘다.

"어휴."

물론 그것을 헬레나미아도 보았다.

"어머니, 그러니 숙고해주세요. 베아트리체는 기네비어를 위해 최선을 다해줄 거예요."

"힐라리아, 나는……."

"어머니. 여태까지 저는 제가 아닌 정의를 위한 선택을 해왔어요. 수도 없이 반복돼 온 선택들 중에 정말로 저를 위한 게 있었을까요?"

힐라리아의 질문에 헬레나미아가 입을 꾹 다물었다. 힐라리아의 말이 맞았다. 그녀가 해온 그 많은 선택이 있었기에 오늘이 있는 것이다. 그녀만큼 기네비어와 윈프리드를 위해서 희생한 사람도 없었다.

"그런데 이번엔 저를 위한 선택을 하고 싶어요, 어머니."

힐라리아가 생긋 웃었다. 왠지 모르게 위태로워 헬레나미아의 마음이 덜컥 내려앉을 정도로 흰 웃음이었다.

"미래엔 이 선택을 후회할 수도 있어요. 하지만, 지금 당장 후회하고 싶지 않아요, 어머니. 지금 에벤에셀을 놓치고 이 사람을 떠나보낸다면 정말 많이 후회할 것 같아요. 그러니……."

"그만."

헬레나미아가 손을 들어 힐라리아의 말을 막았다. 에벤에셀의 고요한 시선이 힐라리아의 손을 응시했다. 그의 손에 겹쳐진 힐라리아의 손이 덜덜 떨리고 있었다. 장난스럽고 가볍게 이야기하고 있지만, 힐라리아는 지금 최선을 다해서 호소하고 있는 거였다. 그녀의 진심을. 이건 힐라리아의 선택이었고 에벤에셀은 그저 선택을 받은 거였다. 그가 끼어들 자리는 없었다. 그래서 힐라리아의 손을 꾹 잡아주었을 뿐이다. 그녀가 더 이상 떨지 않도록.

"……무슨 말인지 이해했다, 힐라리아."

"……."

"하나만 약속해다오."

헬레나미아가 깊은숨을 내쉬고는 고개를 들어 올렸다. 저 고집은 그녀를 닮았으니 절대로 꺾지 못할 것이다. 알면서도 속상한 마음에 억지를 부린 것이다.

"행복해지렴."

"어머니……."

"네가 어떤 삶을 선택하든 더 이상 강요하지 않으마. 짧게도 좋다. 길게면 더 좋겠지. 하나, 행복해지렴."

힐라리아가 고개를 끄덕였다.

"네, 어머니. 약속할게요."

"너를 존중한다, 힐라리아. 하지만, 행복 또한 네가 만드는 거야. 네가 약속을 지킬 거라고 믿으마."

헬레나미아가 엷게 웃었다. 정말 다정하고 훈훈한 마무리가 아닐 수 없었다. 눈치 없는 위베르만 아니었더라면 말이다.

"힐……. 혹시 내가 어제 술에 취해서 잘못된 서명을 했다거나……."

아, 역시 위베르. 여기저기서 탄식이 터져 나왔다.

힐라리아가 상냥한 미소를 띠운 채로 고개를 돌렸다.

"우리가 어제 얼마나 많은 시간을 함께 보냈다고 생각해? 그 시간 동안 서명을 한 게 설마, 베아트리체뿐이었을까?"

술에 절어 있던 모두의 간담이 서늘해지는 말이었다. 제기랄, 어머니. 제가 어디에 서명했을까요……? 이 순간 모두 한뜻으로 이곳에 있거나 없는 어머니를 찾았다. 비슷하게 기억하기 싫은 역사를 만들었던 에벤에셀이 작게 헛기침했다.

***

장난 같은 계약은 뒤로하고 힐라리아와 베아트리체는 진지한 대화를 위해 마주 앉았다.

"내가 이 기네비어를 맡으라고?"

"물론."

"장난 아니고?"

"진심이야."

힐라리아가 생긋 웃었다. 베아트리체는 받아들이지 못하고 있지만, 힐라리아는 진심이었다. 그녀의 모든 것을 건 진심. 그간 기네비어를 위해서 살아왔으니 이 기네비어는 힐라리아의 인생이나 다름없었다.

"……나는 할 수 없어, 힐라리아."

"내가 믿는 너는 할 수 있어."

힐라리아가 어깨를 으쓱했다. 시름에 잠긴 얼굴로 이마를 짚은 베아트리체가 고개를 저었다. 기네비어의 공왕비는 기네비어를 통솔하고 수호하는 자리였다. 티타니아 때부터 이어져 온 전통이었다. 여태껏 기네비어가 단한 번도 휘청이지 않았던 것은 역대 공왕비들의 노력이 있기 때문이었다.

이제 시대는 새로운 국면을 맞이했다. 정령술사들은 기네비어를 벗어나 윈프리드 전역으로 나아갈 것이다. 그런 새로운 시대의 공왕비다. 아무나 그런 중책을 맡게 둘 수는 없었다. 이 일에 기네비어 전체의 미래가 달려 있으니.

"힐라리아, 나는 너처럼 과감하지 못해. 그리고 모든 일을 망설이지. 이번에도 마찬가지였어. 나는 안간힘을 써야지 너의 뒤꿈치나 따라갈 수 있을 정도라고. 그러니 나는 이런 중책을 맡을 자격이 없단 말이야."

베아트리체가 울먹이며 말했다. 생각하지도 못했던 짐이 베아트리체의 어깨를 짓누르는 것 같았다. 여태까지 그래왔던 대로 힐라리아의 그늘 아래에서 살고 싶을 뿐이다. 힐라리아는 누군가를 지키기 위해서라면 최선을 다할 수 있는 사람이니. 그리고 그런 힐라리아를 지켜보는 게 좋았다.

그것으로 충분했는데…….

"다 알고 있잖아, 베아트리체."

"뭘?"

"내가 어떻게 했는지. 너는 잘 알고 있잖아. 사실 따지자면 기네비어를 다스릴 자격이 없는 건 네가 아니라 나 아니겠니."

힐라리아의 손끝이 찻잔을 훑었다.

"나는 항상 목숨을 내놓고 일해. 누군가 내 뒤를 지켜줄 거라고 생각하지. 그게 한 나라를 다스릴 자가 할 수 있는 일이니?"

"힐, 그건……."

"아니. 위정자는 나라를 위해서라도 자신을 아낄 줄 알아야 해. 그들을 끝까지 책임져야 하거든."

힐라리아가 불편한 자세를 바꿨다. 힐라리아는 큰 부상을 입은 이후로 이렇게 자세를 바꾸는 일이 잦아졌다. 온 목숨을 던져 기네비어와 윈프리드를 지킨 대가였다. 그리고 그건 어떤 면에서는 힐라리아의 실책이기도 했다. 그것이 설사 최악이 아닌 차악을 선택하는 길이었다고 하더라도 힐라리아가 기네비어 사람들을 버린 건 달라지지 않는다. 힐라리아는 그들을 지켜냄과 동시에 버린 것이다. 힐라리아가 옅게 미소 지었다.

"그리고 나는 변하지 않아. 똑같은 상황에 처하게 된다면 나는 나를 버려서라도 상황을 해결하려고 하겠지."

힐라리아가 찻잔을 들었다가 내려놓았다. 할 말을 고르느라 입 안이 말라왔음에도 지금의 분위기를 해치고 싶지 않았다. 힐라리아가 옆으로 흘러내린 머리카락을 쓸어 넘겼다. 짧아진 머리카락도 그 모든 일에 대한 증거였다.

"목숨을 버리면서 적장의 목을 취하는 건 왕이 아니라 기사가 해야 할 일이야. 베아트리체, 나는 한편으로 내 의무를 저버린 거라고."

"……아무도 그렇게 생각하지 않아."

"하지만, 우리는 생각해야 하지. 기네비어의 미래를 항상 염두에 둬야 하니까. 베아트리체, 잘 생각해봐. 기네비어는 더 이상 전과 같은 위험에 처하지 않아. 이제는 좀 더 조심스럽고 내치에 신경 쓸 지도자가 필요할 때지. 너 같은 사람 말이야."

베아트리체가 얼굴을 왈칵 일그러뜨렸다. 힐라리아는 잘도 자신이 한 일을 폄훼하고 있었다. 그건 베아트리체가 용납할 수 없는 일이었다. 힐라리아는 기네비어와 윈프리드를 구했을 뿐만 아니라, 기네비어에게 새로운 미래를 설명했다. 그런데 이제 와…….

"너를 깎아내리지 마, 힐. 너는 네가 할 수 있는 최선을 다했어."

"그리고 동시에 쓸모를 다했지."

힐라리아가 어깨를 으쓱했다.

"그러니 네가 내 뒤를 이어 기네비어를 맡아줘."

"힐라리아, 난……."

"너만이 할 수 있는 일이야."

"……."

"오직 너라서 맡길 수 있는 일이라고."

힐라리아가 미소 지었다.

"네가 아니라면 애초에 이렇게 떠날 생각도 못 했을 거야, 베베. 너는 내가 믿을 수 있는 사람이고 내 가족이잖니."

"……어려운 일을 떠맡길 생각이면서 듣기 좋은 말만 속삭이기는."

베아트리체가 한풀 꺾인 목소리로 중얼거렸다. 힐라리아는 어떤 말로도 설득할 수 없을 것처럼 단단해 보였고 그녀는 이미 반절 정도 설득된 상태였다. 힐라리아가 잘할 수 있다고 말했으니 베아트리체는 어떻게든 해낼 것이다. 그녀는 한 번도 틀린 말을 한 적이 없었으니. 때로는 타인이 자신을 더 정확히 파악해주기도 한다. 그리고 힐라리아는 판단력이 그 누구보다도 뛰어난 친구였다.

"할 수 있어, 베아트리체. 너라서 할 수 있는 거야."

결국 베아트리체가 두 손을 들었다.

"사랑을 쫓아 떠나면서 기네비어를 생각하는 척하지 마."

베아트리체가 볼을 부풀리고 쏘아붙였다.

"……나도 한 번쯤은 나를 위한 선택을 하고 싶었어."

"비난하는 건 아니야, 힐. 나는 너를 언제나 응원해."

"고마워."

베아트리체가 한숨을 푹 내쉬었다.

"어쩌면 여기가 더 나을지도 몰라."

"음?"

"네이선 황자에게 말이야. 의외로 나약해서 어떤 나쁜 마음을 먹을지 모르거든. 황성에서 멀리 떼어놓는 게 나을 거야."

"데리고 올 생각이야?"

"그럼?"

"그를 좋아해?"

힐라리아의 직설적인 물음에 베아트리체가 멈칫했다. 네이선을 좋아하느냐고? 그에 대한 생각은 해본 적이 없었다. 네이선은 베아트리체의 곁에 애초에 그런 의미로 다가온 사람이 아니었다. 베아트리체에게 네이선은 종종 막냇

동생 같았다. 옆에서 챙겨줘야 하고 늘 보살펴줘야 하는 사람. 그리고 때때로 는 친구였다. 베아트리체와 뜻이 통하는 대화를 나눌 수 있는 사람. 하지만, 그 네이선을 정의할 수 있는 수많은 단어들 가운데 사랑은 없었다.

"……그런 게 아니야."

"음?"

"이를 테면 책임감? 나마저 없으면 네이선은 정말 죽어버릴 것 같거든."

힐라리아가 드디어 찻잔을 들어 올렸다. 이제까지의 무거운 분위기 대신 에 새로이 가벼운 주제가 두 사람 사이에 오가고 있기 때문이었다.

힐라리아가 찻잔을 기울이며 물었다.

"그게 끝이야?"

"뭐가 더 있어야 해?"

힐라리아가 고개를 저었다. 시작이 어떻든 간에 중요한 건 베아트리체가 네이선을 곁에 둘 마음을 먹었다는 것이다. 여태껏 차라리 혼자 살겠다며 아무도 곁에 두지 않았던 베아트리체. 어떤 남자에게도 옆자리를 허락하 지 않았고 상대도 잘 해주질 않았다. 그녀는 기네비어와 제너시스 후작가가 처해 있는 상황에 대해서 잘 인지하고 있었다. 기네비어 공왕비의 동생이 베아트리체의 어머니이자 후작 부인이었으니 말이다.

이 사실이 밖에 알려지면 기네비어를 비롯한 제너시스에 피해를 미칠 수 있었다. 베아트리체는 그녀의 비밀을 들키느니 차라리 사람들과 선을 긋고 적당히 거리를 유지하는 것을 선택했다. 아무리 이제는 밝혀져도 상관없다 고는 하나, 네이선은 이미 베아트리체에게 의미가 된 것이다.

힐라리아가 가볍게 미소 지었다.

이제 베아트리체에 대한 걱정은 하지 않아도 될 것 같았다. 그녀의 곁에 는 네이선이 있을 테니까. 비로소 제도로 갈 준비가 된 것이다. 그곳에는 아 직 끝나지 않은 일이 힐라리아를 기다리고 있었다.

'기다려, 올리비아.'

이번엔 그녀가 여태까지 저지른 것들에 대한 대가를 치를 차례였다.

＊＊

로마노프의 해군들도 이번 전쟁에 참가했었다. 그것은 골리엇 말고도 제이나의 오빠들이 기네비어에 있다는 것을 의미했다. 그들은 기네비어 왕성에 머무는 것을 거절하고 마을을 오가며 여전히 야영을 이어가고 있었다. 가뜩이나 정신없는 기네비어 왕성에 신세를 지고 싶지 않다는 이유였다.

"골리엇."

"왜?"

"나는 다시 황성으로 돌아갈 거야."

"꼭 그래야 해?"

제이나가 고개를 끄덕였다.

"너는 더 이상 황비도 아니고 굳이 황성에서 기사를 할 필요도 없어. 로마노프에도 남는 자리가 많아."

"힐라리아의 기사가 되기로 맹세했거든. 그 애가 가는 길은 어디든 쫓아갈 생각이야."

제이나의 선언에 골리엇이 한숨을 내쉬었다. 어쩐지 야영지까지 가는 길이 너무나 멀게만 느껴졌다. 사실 로마노프의 형제들 중에서 골리엇이 제이나의 곁에 남은 건 그가 가장 제이나에게 덜 무른 사람이었기 때문이었다. 아닌 척하면서도 골리엇의 형제들은 하나뿐인 여동생에게 쩔쩔매는 편이었다.

제이나를 위험으로부터 보호하고 그녀를 온실 속 화초처럼 만든 것도 사실은 삐뚤어진 애정의 발로였다. 그게 제이나의 반발을 살 거라는 생각은 못 하고 그저……. 쥐콩만 한 동생을 지켜야 한다는 생각에 사로잡혀 있었다. 과보호한다고 생각하기보다는 그게 당연하다고 여겼달까? 그들에 비해 덩치도 작고 손도 작으니 당연한 일 아닌가…….

한데 언제 이렇게 자라서는. 골리엇이 머리를 긁적였다.

"형들도 너를 이해해줄 거야."

"그러길 바랄 뿐이야."

제이나가 가장 나중으로 미뤄왔던 숙제를 해결하기 위해 야영지에 몸을 들였다.

"제이나!"

"우리 막내가 왔구나."

로마노프의 아들들이 제이나를 맞이했다. 그리고 제이나는 꽤 긴 시간 동안 그곳을 벗어나지 못했다. 그렇게 길고 긴 대화는 제이나가 소리를 질렀을 때 비로소 마무리되었다.

"나는 더 이상 아기가 아니야!! 자꾸 이러면 나는 로마노프로 영원히 돌아가지 않을 거라고!!"

"너, 너……. 어떻게 그렇게 심한 말을……."

"힐라리아가 황후로 무사히 즉위하고 나면 한동안 로마노프에 머물 수 있을 거야."

"형, 지금 제이나가 소리를 질렀……."

"아, 좀!"

이래서 오빠 많은 집의 막내는 피곤한 법이다.

힐라리아는 어떻게 이런 걸 견디고 사는 거지?

***

일단 베아트리체, 제이나, 힐라리아, 에벤에셀은 모두 제도로 돌아갈 준비를 마쳤다. 그들에게는 아직 마지막 숙제가 남아 있었던 까닭이었다.

"에벤에셀."

힐라리아가 생긋 웃으며 에벤에셀을 향해 손을 내밀었다. 그들은 말과 마차가 아닌 연금술사들이 그린 마법진을 이용하게 될 것이다. 에벤에셀이 그 손을 맞잡았다. 벌써부터 기네비어의 왕성은 눈물 바람이었다. 특히 위베르가 코를 훌쩍이며 힐라리아를 향해 손을 흔들고 있었다.

"……힐라리아, 너도 만만치 않구나."

"뭐가?"

"아, 오빠들 유난 말이야."

제이나가 고개를 내저었다.

하얗게 질린 제이나의 얼굴을 보고는 힐라리아가 웃음을 터뜨렸다.

"오빠 많은 집 막내는 조금 힘든 법이지."

두 사람에게 공통분모가 생겼다. 하지만 차이점이 있다면, 기네비어의 아들들은 힐라리아를 감히 붙잡을 생각을 안 한다는 것이다.

"훌쩍. 놀, 놀러 갈게!"

"너를 보러 갈 거야, 힐. 가서 몸조심하고……. 누가 무슨 짓을 해도 한 번쯤은 참아주고……. 응?"

"막내야. 누가 뭐라고 하거든 여기 이 마도구로……."

그저 자신만의 방식으로 힐라리아에게 안녕을 고할 뿐이다. 그 너머에 힐라리아를 가만히 지켜봐주는 공왕 부부가 있었다. 힐라리아가 손을 흔들었고 헬레나미아가 고개를 끄덕였다. 자, 드디어 마지막 전쟁을 위한 출발이었다. 마법진이 하얗게 불타올랐다.

***

"누, 누가 온다고?"

"오늘 황제 폐하께서 돌아오신다는 전언입니다, 황비 마마."

스베인이 드디어 이 막노동과 다름없는 일에서 해방되었다는 것에 속으로 쾌재를 내질렀다. 이번 일에 대한 대가는 에벤에셀에게 톡톡히 받아내리라.

올리비아를 노려보는 실로테와 첼로스테의 차가운 시선에서도 해방이다. 왜들 저렇게 호전적이신 건지! 스베인이 피곤하다는 듯이 고개를 내저었다.

"좋아. 내가 그동안 해낸 일들을 폐하께서 봐주실 거야."

그리곤 곧 죽겠지.

"분명 나를 칭찬해주시고 끌어안아 주시겠지. 내가 황성의 질서를 확립했잖아?"

그건 네 착각이야. 스베인은 이제 속으로 말하는 것에 달인이 될 지경이었다. 반에이크는 황성에 발을 끊었다. 올리비아의 만행으로부터 스스로의 정신 건강을 보호하기 위함이라나? 반에이크는 라리나와 함께 저택에서 업무를 수행하고 있었다. 그럴 수 있는 반에이크가 부러울 따름이다.

다행히 네이선도 그사이 어느 정도 정신을 차렸다. 영혼을 잃어버린 유령처럼 황성을 배회하고 있었지만, 이제는 곧잘 산책을 다니기도 한다.

올리비아만 아니면 이 황성은 깨끗하게 관리되고 있었다. 스베인은 올리비아가 지출한 예산에 대해서 어떤 변명을 해야 할지 어젯밤 내내 고민해야 했다. 왜 막지 못 했냐고 물으신다면…….

'사직서를 제출하는 거야.'

그런 완벽한 계획도 세웠다.

"스베인. 황제 폐하께서 좋아하시는 색으로 치장을 해야겠어."

"예, 황비 마마."

그래봤자 에벤에셀은 올리비아에게 눈길 한번 주지 않을 것이다. 힐라리아가 눈을 시퍼렇게 뜨고 있는데 대체 왜……? 게다가 올리비아는 힐라리아에게 견줄 사람도 되지 못한다. 힐라리아에게 올리비아는 그저 소꼬리에 꼬인 파리처럼 하찮은 존재였다. 나라를 구한 구국영웅과 어떻게 비교를 한단 말인가. 힐라리아가 돌아온다는 말에 벌써부터 황성이 술렁이고 있었다. 원체 힐라리아에게 푹 빠져 있던 이들이니 당연한 일이었다.

이미 황성은 그들을 맞이할 준비를 마쳤다. 힐라리아가 좋아하는 음식,

에벤에셀이 좋아하는 다과, 그들의 목욕물. 뭐 그런 사소한 것들 말이다. 올리비아 몰래 움직이는 건 그리 어려운 일도 아니었다. 올리비아는 애초에 자신의 일이 아니면 그다지 관심을 보이는 사람도 아니었으니.

"잘 다녀오십시오."

어차피 마지막일 테니 최고의 호사를 누리게 두어도 괜찮겠지. 스베인이 속으로 칼을 가는 것도 알지 못한 채 올리비아가 상기된 걸음으로 집무실을 벗어났다. 뒤늦게야 올리비아에게 에벤에셀의 귀환을 일러준 것은 저렇게 호들갑 떠는 걸 보고 싶지 않아서였다.

'하……. 힐라리아 황비 마마, 정말 뵙고 싶었습니다…….'

스베인이 미간을 짚었다.

***

황성이 준동하고 있을 때 힐라리아와 에벤에셀은 황도의 성벽 밖에 도착했다. 황성 내부에서 발동된 강력한 반발력으로 인해 황도 안으로 바로 이동하는 건 불가능했다. 아주 고대에는 정령술사들도 황성에서 높은 자리를 차지했기 때문에 당연한 일이었다.

"힐, 준비됐어?"

"물론이야."

에벤에셀이 힐라리아와 맞잡은 손에 힘을 주었다.

영웅의 귀환이었다.

힐라리아와 에벤에셀은 성벽 밖에 도착하기 무섭게 황도 안으로 선발대를 들여보냈다. 힐라리아를 과시해 그들의 귀환을 널리 알리고 그녀를 향한 제국민들의 지지를 좀 더 드높이기 위함이었다. 그리고 힐라리아는 에벤에셀의 의견에 동의했다.

"준비됐습니다, 폐하."

이제는 다시 황제로 돌아갈 시간이다. 기네비어에서처럼 편하게 지내는 건 사치였다. 에벤에셀이 차려입은 황제의 정복을 가다듬었다. 힐라리아도 좀 더 극적인 상황을 연출하기 위해 차려입은 기사단의 정복을 매만졌다. 두 사람의 어깨 위로 윈프리드의 문양이 새겨진 망토가 걸쳐졌다. 황성에서 스베인이 보내준 백마와 흑마가 나란히 서서 그들을 기다리고 있었다.

황도의 문이 열렸다. 하얀 빛이 쏟아지는 거리는 침묵에 잠겨 있었다. 그 거리 위로 힐라리아와 에벤에셀의 그림자가 드리우기 시작했다.

"우, 우아아아아아악!"

"와아아아아아아!"

"황제 폐하! 황비 마마!!"

"기네비어! 윈프리드!"

알아들을 수 없는 말들이 고함이 되어 뒤엉켰다.

그 사이사이로 힐라리아와 에벤에셀의 이름이 들려왔다. 거리 위로 꽃잎들이 휘날렸다. 하늘하늘 바닥으로 떨어지는 분홍빛과 붉은빛의 향연 아래에서 에벤에셀 일행이 행군을 시작했다.

사실 이 행군은 며칠에 걸쳐서 이뤄질 예정이었다. 황실 기사단 대부분도 기네비어에 밀집해 있어 그들이 모두 한 번에 돌아오기엔 무리였던 까닭이었다. 북부에 파견 갔던 이들도 하나, 둘 귀환하고 있었다. 조금은 한산해졌던 황성이 다시 붐비기 시작할 것이다.

오늘을 위해 힐라리아는 진통제를 복용했다. 약간의 중독 성분이 있어서 그런지 정신이 몽롱하기는 했으나, 옆구리의 고통이 느껴지진 않았다. 힐라리아가 이번에도 무리하려고 하는 것을 에벤에셀과 제이나, 베아트리체가 만류했으나, 오늘이 마지막이다. 그녀가 말을 타고 거리를 행진함으로써 얻을 수 있는 효과를 포기할 순 없었다.

하얀 기사단의 정복과 그에 어울리는 백마라니. 누구든 힐라리아에게 시선을 강탈당하지 않고는 못 배길 것이다. 그리고 예상대로 사람들은 힐라리아에게서 시선을 떼지 못하고 있었다. 조금만 더 버티면 황성이다. 힐라리아가 허리에 힘을 주고 식은땀이 흐르는 이마를 손등으로 훔쳤다. 물론 여전히 환한 미소를 머금은 채였다. 약을 복용했음에도 힐라리아가 인지하지 못하는 것일 뿐, 고통은 여전했기에 식은땀이 등을 적시고 있었다.

조금은 아쉬운 일이다. 그래도.

"영웅이다!! 기네비어의 영웅이 귀환했다!! 황비 마마 만세!!"

더 이상 힐라리아와 기네비어를 욕하지 않는 이들을 두고 보았을 때, 힐라리아의 희생은 가치가 충분했다. 그러므로 웃을 수 있었다.

저 멀리 황성의 깃발이 보인다.

***

"힐라리아가 오고 있어요, 반에이크."

라리나가 발을 동동 구르며 반에이크의 팔을 움켜쥐었다.

이게 얼마 만에 만나는 건지. 힐라리아는 라리나에게 우상이었다. 그런 그녀가 돌아온다고 하니 과한 설렘이 그녀를 들뜨게 했다.

"쉬이, 라리나. 사랑하는 사람이라도 돌아오는 것 같군요. 조금 침착할 필요가 있어요."

"하지만……."

라리나가 볼을 붉힌 채로 입술을 삐죽였다. 한동안 우울해 보이던 라리나가 힐라리아의 소식을 듣고는 기운을 되찾았다. 반에이크가 라리나의 손 위에 자신의 손을 얹었다. 어쩌나 다행인지. 네이선의 자살 기도는 라리나에게도 꽤 나쁜 영향을 미쳤었으니까. 그리고 네이선에게도 잘된 일이었다.

반에이크가 앞쪽을 눈짓했다. 고요히 에벤에셀 일행을 기다리고 있는 네이선이 보였다. 이전에 봤던 모습보다는 생기가 옅어 보였지만, 그래도 더 이상 자살을 기도하진 않았다.

"······네이선도 괜찮아 보이네요. 그렇죠?"

반에이크가 고개를 끄덕였다.

"베아트리체가 빨리 돌아왔으면 좋겠어요. 베아트리체가 오면 네이선도 좀 더 괜찮아지지 않을까요? 음······. 시벨로프 사람들은 조금 연약한 것 같아요. 나도 그렇고, 네이선도 그렇고. 누군가에게 기대지 않으면 살아가질 못해."

라리나가 씁쓸하게 웃었다.

그런 라리나의 손등을 반에이크가 다정하게 토닥였다.

"아닐 겁니다. 제가 아니었어도 라리나는 분명 잘 이겨냈을 겁니다."

"정말 그렇게 생각해요?"

"네. 라리나는 생각보다 강한 사람이잖아요. 왜 당신은 모르지?"

"······그렇게 다정하게 말해주니까 내가 염치도 없이 의존하는 거예요."

"의존이 아니라 공생이죠. 나도 라리나에게 감정적인 안정감을 얻어요. 그리고 더 이상 클라리넷이 외롭지도 않지요."

라리나가 어쩔 수 없다는 듯이 웃었다. 늘 생각하는 건데 에벤에셀 주변 사람들은 어쩜 이렇게 말을 잘 하는 거지? 반에이크는 라리나가 감정을 고백한 이후에도 그녀를 밀어내지 않았다. 그저 물이 바닥에 스미는 것처럼 자연스럽게 그녀를 받아주고 있을 뿐이다. 그것으로 족하다. 반에이크가 라리나를 밀어내지 않는 것만으로도 좋았다.

라리나가 그녀의 손등을 덮은 커다란 손을 물끄러미 응시했다. 평생 이 손에 닿을 수 있는 게 라리나뿐이라면, 무엇이든 괜찮을 것 같았다. 라리나가 손에 힘을 준 채로 앞쪽으로 시선을 돌렸다.

황성의 문이 활짝 열렸다.

***

네이선은 황족으로 입적되어 있었기 때문에 가장 앞에 섰다. 음울한 얼굴 표

189

정을 최대한 감추고 다른 이들을 흉내 내기 위해 노력했다. 이른 아침부터 네이선을 찾아와 그의 준비를 직접 도운 스베인이 있었기에 가능한 일이었다. 조금은 사람 꼴다워졌달까. 아직 몸은 불편했으나, 서 있지 못할 정도는 아니었다.

"……네이선 황자. 곧 있으면 황제 폐하께서 오실 겁니다. 그분의 눈에 내가 제일 먼저 들어야 하는데. 조금 뒤로 물러서 주시겠어요?"

그의 정신을 산란하게 하는 이 여자만 아니면 말이다. 네이선이 불편한 시선을 올리비아에게 던졌다. 힐라리아와 비슷한 붉은 머리카락을 가진 여자인데 왜 이렇게 불쾌하게만 느껴지는 건지. 네이선이 무시하고 고개를 돌리자 올리비아가 짜증스럽게 말했다.

"내 말 안 들려요?"

"시끄러."

"네이선 황자? 내가 앞으로 어느 자리에 앉게 될 줄 알고 이렇게 무례한 거죠?"

그게 아마 좋은 자리는 아닐걸. 네이선이 덤덤히 생각했다. 대체 무슨 단꿈을 꾸고 있는 건지는 모르겠지만, 제발 부탁하건대 말도 안 되는 꿈에서 얼른 깨길 바랄 뿐이다. 그러지 않았다가는 죽은 황태후처럼…….

"하아……."

네이선이 긴 한숨을 내쉬었다.

"지금, 내 말에 한숨 쉰 거예요? 어쩜 이렇게 무례해! 황제 폐하께 말씀드려서 가만두지 않을 겁니다!"

아무래도 잘못된 자리에 선 것 같다. 스베인이 네이선의 옆을 단단히 지키고 있지만 않았다면 이 여자를 피해 도망쳤을지도 모르겠다.

"참으십시오. 오늘이 마지막입니다."

스베인이 간절히 속삭였다. 올리비아가 옆에서 생짜증을 부리는 것을 첼로스테가 묵묵히 받아주고 있었다.

"안나는 어디 갔어?"

"심부름을 보냈습니다, 황비 마마."

첼로스테가 별 표정 없이 읊조리고는 환영 인파의 건너편을 힐끗 보았다. 오늘만큼은 올리비아와 같은 황비의 신분으로 실로테가 서 있었다.

실로테가 첼로스테를 향해 생긋 웃었다. 사실 올리비아의 신경질이 오늘 따라 대단한 것은 실로테 때문이기도 했다. 그간 유폐 생활을 하던 실로테가 어떤 수를 쓴 것인지 밖으로 나온 것이다.

"짜증나, 진짜!"

얼른 에벤에셀이 돌아와서 잘못된 것들을 전부 바로잡아 주기만을 바랄 뿐이다. 대체 왜들 이렇게 정신이 나간 것처럼 구는 걸까. 게다가 힐라리아를 연호하는 것들은 또 뭐란 말인가. 못마땅했다. 힐라리아 따위가 뭐라고! 어차피 그녀는 더 이상 황비도 뭣도 아닌 신분이었는데 말이다. 이 황성에서 유일하게 인정받은 황비는 올리비아뿐이라는 걸 잊은 걸까? 그들은 올리비아에게 마땅히 표해야 할 경외도 무엇도 없는 것처럼 굴고 있었다.

'후우.'

에벤에셀이 오면 저들을 혼내달라고 말해야지.

그리고 그녀의 염원대로 에벤에셀의 강건한 흑마가 보이기 시작했다.

***

실로테가 아직도 한심하게 굴고 있는 올리비아를 보곤 혀를 찼다.

"왜 그러십니까?"

"아. 그냥."

실로테의 궁을 지키고 있던 일리도 오늘만큼은 밖으로 나왔다. 그녀의 뒤에 바짝 붙어 선 채였다. 마치 어떤 위협에서라도 실로테를 지킬 것처럼 보였다.

"올리비아가 곧 죽겠구나, 싶어서."

눈치가 없는 건지, 모른 척하는 건지. 모두가 올리비아를 배척하고 힐라리아의 귀환만을 기다리고 있는데 아직도 황후의 자리에 앉게 될 거라고 굳게 믿고 있는 철딱서니 없음이 이해가 가질 않는다. 올리비아의 짜증 가득한 얼굴이 여기서도 보였다. 그 뒤의 첼로스테도.

아직도 첼로스테는 단검을 가지고 있었다. 그리고 언제든 올리비아를 단검으로 찌를 것처럼 서늘한 시선을 유지 중이었다. 올리비아가 힐라리아를 입에 담을 때마다 그녀의 살기가 짙어지곤 했다.

"힐라리아도 대단하단 말이야."

"주인님 말씀이세요?"

"그래, 네 주인."

힐라리아의 주변에는 어쩜 이렇게 대단한 이들만 모여드는지 모르겠다.

"아, 온다!"

실로테가 다그닥 거리는 소리에 고개를 돌렸다.

황성을 통과하는 힐라리아의 백마가 도드라지게 눈에 들어왔다.

'힐!'

드디어 힐라리아가 돌아온 것이다.

＊＊＊

황성의 환대를 맞으며 에벤에셀이 말에서 내렸다.

"황제 폐하."

가장 앞선 자리에서 에벤에셀을 맞이한 것은 다름 아닌 올리비아였다.

"이렇게 건강하게 돌아오신 모습을 뵙게 되어 얼마나 기쁜지 몰라요."

올리비아가 한 걸음 에벤에셀을 향해 다가섰다. 여태까지 에벤에셀은 올리비아의 행동들을 전부 묵인해줬다. 이유가 뭔지는 모르겠지만, 아마도 그녀에게 감정이 있으니 그런 것 아니겠는가? 올리비아가 설레는 마음으로 돌아올 에벤에셀의 대답을 기다렸다. 하지만, 에벤에셀은 올리비아에게 시선 한번 주지 않고 그녀를 스쳐 지나갔다. 올리비아의 얼굴이 수치심으로 달아올랐다. 그녀가 황제를 쫓아 걸음을 옮겼다.

"폐하!"

하지만, 이번에도 에벤에셀의 시선을 붙잡진 못했다.

에벤에셀은 말에 타고 있던 힐라리아가 내리는 것을 돕고 있었다.

"괜찮은 거야?"

다정하게 속삭이며.

"……괜찮아."

"등이 젖었어."

에벤에셀이 못마땅함에 혀를 찼다. 이제는 무거운 짐을 내려놓아도 좋으련만 여전히 힐라리아에게는 다른 중요한 것들이 많은 모양이다. 에벤에셀이 힐라리아를 부축했다.

그런 에벤에셀을 보는 올리비아의 눈에 불꽃이 튀었다. 저 자리는 올리비아의 것이다. 저렇게 다정한 에벤에셀의 눈길 또한 올리비아의 것이어야 한다. 여태까지 힘들게 황성을 지키고 있었던 건 올리비아였지 힐라리아 따위가 아니다. 올리비아가 힐라리아를 향해 달려들었다. 힐라리아를 밀쳐내고 그녀의 자리를 되찾기 위함이었다. 그리고 힐라리아가 웃었던 것도 같다.

"흡!"

올리비아와 부딪친 힐라리아가 엉치부터 밀려오는 고통에 숨을 들이켰다. 진통제의 효과가 다해가고 있었다. 옆구리에서 올라오는 진한 고통에 힐라리아가 허리를 굽혔다. 물론, 올리비아가 그럴 거라는 걸 알아차렸음에도 일부러 당해준 것이다.

"미친, 건가."

에벤에셀이 저속하게 짓씹고는 올리비아를 밀쳐냈다.

그리곤 힐라리아를 번쩍 안아 올렸다.

"폐, 폐하?"

넘어진 것은 올리비아도 마찬가지였는데 에벤에셀도, 그리고 다른 사람들도 아무도 올리비아를 돌아보지 않았다. 사람들은 올리비아를 손가락질했다.

"악녀 같으니!"

"감히 힐라리아 님을 해하려고 했어."

"뭐 저런 정신 나간 여자가 다 있어?"

주제를 모르는 것들이 올리비아를 욕하기 시작했다. 분명 이 상황에선 에벤에셀이 구해줄……. 올리비아의 동공이 확장되었다. 힐라리아를 소중하게 안은 에벤에셀이 그녀에게서 등을 돌리고 멀어지고 있었다. 왜, 왜……? 올리비아가 바닥의 흙을 움켜쥐었다. 다, 저 망할 년 때문이다.

***

힐라리아의 부상 소식은 황성에는 전해지지 않았다. 괜한 걱정을 끼칠까 싶어 미리 알리지 않은 까닭이었다. 덕분에 눈물바람이 터졌다.

"힐, 괜찮은 거야? 흐어……. 어디, 어디 봐바아……."

"실로테, 손 좀 그만 흔들어요."

제이나가 어색하게 만류했으나 실로테는 들리지 않는 듯이 힐라리아 앞에서 손을 흔들었다. 아마 힐라리아의 의식이 멀쩡한지 확인하려는 것 같았다.

"흐으……. 황비 마마아……."

코를 훌쩍이는 첼로스테의 어깨를 케이티가 두드려주었다.

"살아오셨으니 되었잖아."

"너, 너는 어쩜 그렇게 담담하니!"

정말 돌아가시는 줄 알았거든.

케이티가 평화를 위해 그 말은 꿀꺽 삼켰다.

"힐라리아 니이임……. 어쩌다가, 어쩌다가……. 대체 어느 놈들이……."

스베인이 힐라리아의 발치에 이마를 묻었다. 이러다 침대보가 눈물로 흥건히 젖게 생겼다. 힐라리아가 곤란한 시선을 에벤에셀에게로 던졌다. 한걸음 물러서서 상황을 방관하고 있던 에벤에셀이 어깨를 으쓱했다.

'구해줘……'

'이건 그대의 몫이야.'

여태 힐라리아의 고집을 한 번도 이겨보지 못한 에벤에셀은 힐라리아를 구해줄 생각이 없어 보였다. 물론 베아트리체나 제이나도 마찬가지였다. 힐라리아가 견디다 못해 차라리 눈을 질끈 감았다.

"흐, 흐어어어엉! 아파? 더 아파?"

커지는 울음소리에 힐라리아가 재빨리 눈을 떴다. 잘못된 선택이었다.

"나 정말 멀쩡해."

또박또박 뜻을 전달했지만, 침실에 모인 이들 중 아무도 그녀의 말을 듣는 것 같진 않았다. 돌아오니 더한 시련이 남아 있었다.

***

온 황성이 힐라리아의 이름으로 들썩였다. 그리고 앞다투어 힐라리아가 쓰러진 원인에 대해 이야기했다. 가장 높은 곳이라 민간의 소문에서 제외되어 있었던 황성은 힐라리아가 영웅이라 불리는 이유에 대해 알게 되었다. 곤드레스 왕을 죽이고 전쟁을 종식시킨 그들의 영웅에 대하여.

그 사실을 알자 그들은 힐라리아를 밀치고 모욕한 악녀에 대해서도 떠들어댔다. 그 정도로 자신에 대한 비난이 거세지면 반성하거나 도망치기 마련인데 올리비아는 아니었다. 올리비아는 귀를 닫고 눈을 감은 채로 그 자리에 잔류했다. 이상하게 첼로스테와 안나조차도 보이지 않았다. 그래서 올리비아는 그저 고요하게 기다리고 있었다. 이 모든 상황을 뒤집을 수 있는 기회를.

'생각해, 올리비아.'

힐라리아는 마녀라는 누명을 쓰고 이곳에서 쫓겨난 이였다. 그걸 어떻게 잘 이용할 수 있을 것이다. 애초에 이능을 쓰는 마녀를 황성에 두는 게 말이 안 되니까…… 게다가 들은 바로는 기네비어 전체가 그런 족속들이라고 한다. 정령술사라나? 힐라리아를 다시 한번 마녀로 몰아 내쫓기 딱 좋은 상황이었다.

"첼로스테는 대체 어딜 간 거야?"

첼로스테를 증인 삼아 이것을 다시 한번 대두시켜야 할 텐데 가장 중요한 이가 보이질 않았다. 올리비아가 방 안을 서성였다.

"제기랄!"

그녀가 집어 던진 집기가 바닥을 뒹굴었다.

***

소문이 점점 덩치를 불려나가기 시작했다.

사실상 그 장면을 직접 목격했던 기사들이 귀환하고 있었다. 그들은 자신이 보았던 장면에 살을 잔뜩 붙여 이야기했고 사람들은 생생한 목격담에 귀를 기울였다. 힐라리아는 이제 거의 신격화되는 단계에 이르렀다.

"……기분이 어때? 사람들이 너를 '신'이라고 지칭하던데."

지금 이 상황이 베아트리체는 즐겁기만 한 것 같았다. 힐라리아가 눈을 흘겼으나 상황이 달라지는 않았다. 베아트리체, 제이나, 실로테. 세 사람이 힐라리아의 곁에 옹기종기 앉아 있었다. 실로테는 그간 자신만 빼놓고 있었던 일을 전부 털어놓으라고 종용했다.

이야기를 들으며 실로테는 힐라리아의 옆에서 떨어지려 하지 않았다. 그녀가 활을 맞고 사경을 헤맸다는 대목에서는 눈물을 한바탕 쏟기도 했다. 힐라리아가 실로테에게 붙잡힌 손을 꿈틀거렸다. 미동도 않는다.

힐라리아가 포기하곤 입술을 달싹였다.

"나는 그럴 자격이 충분해. 내 운명을 덤덤하게 받아들이겠어. 어떤 신인데? 사랑의 신? 미의 신?"

베아트리체가 혀를 차고는 고개를 저었다. 저렇게 능글맞게 받아칠 거라는 걸 이미 짐작하고 있었다. 일전부터 자신을 칭찬하는 말은 결코 거절하지 않았던 그녀 아닌가. 지금 이 소문을 한껏 즐기고 있을 게 뻔했다.

"전쟁의 신."

"그것도 나쁘지 않지."

힐라리아가 맑은 웃음을 터뜨렸다. 한껏 각색되고 미화된 그날의 이야기를 전해 듣는 건 힐라리아에게도 퍽 즐거운 일이었다. 지금의 이런 상황을 위해서 그 모든 것을 연출했었던 거니까.

"기네비어에 대한 반응은 어떤데? 문을 열어도 될 것 같아?"

이미 짐작하고 있는 대답임에도 힐라리아의 목소리에는 묘한 흥분이 어려 있었다. 이 순간을 위해서 그녀가 얼마나 많은 공을 들였던가. 기네비어의 자손들에게 기네비어를 돌려주기 위해서. 일시적이 아니라 영구히 기네비어의 문을 활짝 열 수 있게 되도록.

"축하해, 힐."

베아트리체가 느릿하게 대답했다.

"원하는 모든 걸 이루었어."

힐라리아가 생긋 웃었다. 대꾸한 것은 제이나였다.

"너는 정말 대단한 거 같아."

"그대들의 도움이 없었으면 불가능했을 거야."

힐라리아가 세 사람을 천천히 둘러보았다. 겨우 얼마 전의 일이었음에도 아주 오래된 일 같았다. 처음 이곳에 들어와 제이나와 실로테를 만났던 일들. 처음부터 이들이 모두 힐라리아의 편이었던 것은 아니었다. 그 누구보다도 힐라리아에게 적대적이었고 무심했으며, 각자의 이권을 위해선 얼마든지 서로에게 검을 겨눌 수 있었다.

한데 어느새 이렇게 위급한 상황에서 등을 맡길 수 있는 이들이 되어 있었다. 괜히 이상한 기분이 드는 것은 힐라리아의 마음이 물러져서 그런지도 몰랐다.

"고마워."

힐라리아의 말에 세 사람이 짧게 고개를 끄덕였다. 힐라리아에게 편승해 역사에 이름을 남기게 된 것뿐이다. 오히려 고마운 쪽은 그들이었다. 위대한 역사의 흐름을 몸소 겪을 수 있었으니 말이다. 이 어색하고도 쑥스러운 분위기를 타파하기 위해 실로테가 말을 돌렸다.

"오늘도 라리나는 안 왔네?"

"그러게. 무슨 일 있나?"

"곧 오게 될 거야. 그 애는 너무 착해서 탈이거든."

왠지 모르게 달짝지근하면서도 위험해 보이는 미소에 실로테가 헛기침을 하면서 또다시 말을 돌렸다.

"흠, 흠. 그래서 올리비아는 저대로 둘 거야?"

"아주 맛있게 익어가는 중이잖아."

힐라리아가 부드럽게 입술을 틀어 올렸다.

"곧 있으면 수확해야지. 나는 받은 것은 배로 돌려줘, 반드시."

여태까지의 부드러운 분위기는 거짓말이었던 것처럼 서늘함이 감돌았다.

"그거 좋지. 그동안 너무 꼴 보기 싫었거든."

실로테가 힐라리아를 닮은 미소를 머금었다.

＊＊＊

어느 정도 상황이 정리되고 나니 베아트리체도 주변을 둘러볼 여유가 생겼다. 그리고 잠시간 잊고 있었던 사실을 떠올렸다.

'네이선…….'

그간 네이선에게 있었던 일을 베아트리체도 전해 들었다. 자살 기도를 했었던 이야기도 전부. 이전부터 생각했지만 보기보다 더 연약한 구석이 있었다. 라리나도 굳건하게 버티고 있는데 네이선은 홀로 무너져 가고 있었다. 여태까지 그를 잊고 있었던 것은 아니다. 신경 쓸 여력이 없어서 미뤄두고 있었던 것이지.

제이나와 실로테는 짧은 티타임을 마치고 자신의 처소로 돌아갔지만, 베아트리체는 네이선에게 생각이 미쳐 그를 만나러 가는 길이었다. 애초에 마음 여린 그를 기네비어로 데려갈 생각이었다. 이곳에 있으면 네이선은 견디지 못할 것 같았다.

'한데 그 사이를 못 참고…….'

베아트리체가 미간을 문지르며 긴 한숨을 내쉬었다. 드디어 네이선이 머물고 있다는 방에 도착했다. 어둡고 음울한 분위기가 가득한 문을 베아트리체가 두드렸다.

"문 열어, 네이선."

열리지 않으면 부셔서라도 들어갈 생각이었는데 다행히 문이 열렸다.

네이선이 핼쑥한 얼굴을 드러냈다.

"베아트리체."

깊어진 눈빛이 베아트리체를 담았다. 연푸른 눈이 생기를 잃은 채로 짙은 남색으로 가라앉아 있었다. 베아트리체가 심호흡을 하고는 입을 열었다.

"이 멍청이. 왜 그런 짓을 한 거야?"

네이선의 가슴을 검지로 꾹 누른 채로 베아트리체가 그를 문 안으로 밀어 넣었다.

"베아트리체?"

눈을 동그랗게 뜬 네이선이 순순히 그녀의 힘에 밀려주었다. 연신 그의 가슴을 쿡쿡 누르며 베아트리체가 높아진 언성으로 말했다.

"대체 왜? 네가 그러면 누가 좋아할 줄 알았어? 내 생각은 안 한 거야? 돌아오겠다고 했잖아. 힐라리아만 데리고 돌아올 테니 기다리라고 했잖아! 그런데 어떻게 그런 멍청한 짓을 할 수가 있어?"

바르르 떨리는 베아트리체의 눈빛이 표독스럽게 번득였다. 늦은 오후의 햇살이 드리워진 방 안은 이상하게 어두움에 젖어 있는 것처럼 보였다. 그 모순적인 분위기는 미소 한 자락 걸리지 않은 네이선의 표정 때문일 것이다. 그 모습이 베아트리체의 분노를 더욱 부채질했다.

"어? 대답해봐! 나는 어떡하라고 그랬어!!"

"베아트리체, 나는……. 그게 최선이었어."

네이선이 허탈하게 대답했다. 그래, 그게 최선이었다. 그를 좀먹는 죄책감을 이겨낼 수 있을 정도로 네이선은 강하지 않았다. 상황을 잊고 회피할 수만 있다면 더한 짓도 했을 것이다. 죽음을 앞두고 나서야 자신이 죽지도 못할 정도로 미력하다는 것을 깨달았지만.

"최선? 너는 최선을 그런……."

베아트리체가 말을 멈췄다. 그녀의 커다란 눈에 투명한 눈물이 고였다. 투둑 떨어지기 시작한 눈물이 베아트리체의 얼굴을 잔뜩 적셨다.

"너는 죽는 게…… 가장 쉬워 보이니? 너는 여전히 이기적이야, 네이선. 네 죽음이 다른 이들에게 미칠 영향에 대해서는 생각하지 않지. 있잖아, 네이선."

베아트리체가 눈물로 번들거리는 얼굴을 바짝 치켜들었다.

네이선의 목깃을 잡아당겨 거리를 좁혔다.

"나는 힐라리아만으로도 벅차. 그 애는 제 정의를 위해서라면 정당한 죽음을 무서워하지 않거든. 들었겠지만 말이야."

"……."

"그 애 하나를 지키는 것만으로도 벅차다고. 그나마 힐라리아에게는 목적이라는 게 있어. 죽음으로 더 나은 상황을 도출해낼 수 있다는 자신감이 있다고. 네 죽음엔 뭐가 있는데?"

네이선이 붕어처럼 벌리고 있던 입술을 다물었다. 아무것도 없었다. 그는 그저 상황에서 도망치기 위해 죽음을 고려했을 뿐이다. 베아트리체가 말하는 정의와 정당함이 그의 죽음에는 없었다.

"그냥 개죽음이지."

묵직한 한 방이었다. 마치 볼을 얻어맞은 것처럼 얼얼했다.

"그리고 나는 바쁜 사람이라서 그런 개죽음에는 관심을 기울이고 싶지 않아."

베아트리체의 선언에 네이선이 고개를 저었다. 무슨 말을 해야 할 것 같은데 뻐끔거리는 입은 어떤 단어도 내뱉지 못하고 있었다.

"그러니 죽고 싶으면 아무도 모르는 곳에서 조용히 죽어, 네이선."

"베아트리체, 나는……."

"죽음을 쉽게 여기는 자를 나는 곁에 두지 않아."

정말 죽음의 강을 건널 뻔했던 힐라리아를 살려낸 베아트리체다. 사람들이 힐라리아의 편에 서는 것은 그녀가 죽음의 의미를 숭고하게 여기기 때문이었다. 힐라리아가 매번 이야기하는 것처럼, 최악이 아닌 차악의 상황을 만들기 위하여 '귀중한 생명'을 희생하는 거였다.

그녀는 살고 싶어 했다. 죽음을 바란 적은 한 번도 없었다. 사선을 넘나들던 현장에 있었던 베아트리체로서는 네이선의 행위가 혐오스러울 지경이었다. 치밀어 오르는 분노를 천천히 곱씹었다.

"네 마음 완전히 이해한다고는 못 해. 하지만, 네이선."

여전히 눈물이 퐁퐁 솟아나고 있는 금안이 네이선을 사납게 노려보았다.

"네가 어떤 마음이든 간에 그것에 대한 해결책이 죽음이어서는 안 돼. 또 이런 문제를 일으킬 거라면 나는 너를 데려가지 않겠어."

베아트리체가 천천히 손을 놓았다. 그녀가 하고 싶은 말은 다 했다. 네 마음을 다 안다는 기만적인 위로는 하고 싶지 않았다. 그저 베아트리체는 억지로라도 네이선의 목숨을 이 세상에 붙여둘 생각이었다.

자신 있었다. 네이선은 베아트리체를 떠나보내지 못할 거라는. 베아트리체가 네이선을 뒤로하고 천천히 몸을 돌렸다. 정말 이대로 떠나버릴 것처럼 느리게 문을 향해 나아가는 그녀에게 네이선이 손을 뻗었다.

"아, 아니야!!!"

처절한 비명이었다.

간신히 멈춰 선 베아트리체의 등 뒤에서 네이선이 무너졌다.

"다신, 다신 안 그래! 안 그럴게!"

버림받은 어린아이처럼 네이선이 발을 동동 굴렀다. 어떤 말을 해야 베아트리체를 돌려세울 수 있을지 짐작이 가질 않는다. 그저 베아트리체를 못 가게 막을 수만 있다면 그 앞에 엎드릴 수도 있을 것 같았다. 네이선이 베아트리체의 앞으로 돌아갔다. 밀랍인형처럼 그를 올려다보는 베아트리체의 표정 덕에 더 안달이 났다.

"어, 내가 어떻게 할까? 응?"

네이선이 다급하게 베아트리체의 손을 붙잡았다.

"어, 어떻게 하면……. 나, 나도 데려가. 응?"

베아트리체가 고요히 네이선의 행동을 응시했다.

"안 그래. 다신 안 그래! 무, 무서워서 그랬어. 너, 너무 무서운데……. 너도 없고. 견딜 수가 없었어!"

눈을 굴리며 네이선이 입술을 짓씹었다.

바닥에 무릎을 대뜸 꿇은 네이선이 고개를 마구 저었다.

"이젠 안 그래! 네가 있잖아! 다시는 안 그래! 약속, 약속할 수 있어!"

"……."

"나, 나 좀 봐. 베아트리체, 응? 안 그래! 정말이야."

네이선이 흐으으, 짐승처럼 울면서 베아트리체의 손등에 볼을 기댔다.

"네, 네가 나를 버릴 것 같…… 같았어! 살겠다고 제 어미도 죽인 놈인데 버려도 안 이상하지. 네가……."

네이선의 눈물이 사방으로 튀었다. 베아트리체가 한숨을 내쉬었다.

"……그럴 리가 없잖아."

"뭐……?"

"고작 그런 이유로 너를 버릴 리가 없잖아, 네이선. 너는 네가 할 수 있는 일을 한 거야. 황제는 황태후의 위신을 지켰고 너는 네 어머니의 죽음에 대한 예우를 다했어."

"내, 내가 죽인……."

"그러면. 황태후도 단두대에 목이 걸리는 게 나았을 것 같니? 그분 성정에 모두가 다 보는 앞에서 죽었으면 나았을 것 같아?"

네이선이 멍하니 입을 벌렸다.

"왜 이렇게 하나만 알고 둘을 몰라. 너는 그분이 가장 나은 죽음을 선택할 수 있도록 도운 거야."

"……."

"일어나, 멍청아."

베아트리체가 네이선을 끌어 일으켰다. 얼마나 앓은 것인지 마른 몸은 종이처럼 흐느적거렸다. 베아트리체의 악력에 끌려 네이선이 후들거리는 다리에 힘을 줬다. 절대로 베아트리체를 놓칠 수 없다는 듯이 네이선이 그녀를 붙든 손에 힘을 주었다.

"앞으로는 둘을 생각하도록 해."

네이선이 고개를 크게 끄덕였다. 여지를 남기는 베아트리체의 말에 숨을 쉴 수 있었다. 그녀가 네이선을 영영 버리진 않을 모양이다.

"혼자 판단하지 말고 모르겠으면 내게도 물어."

이번에도 네이선이 순응했다.

"좋아. 만약에 또 이런 일이 발생하면 나는 너를 두고 갈 거야. 알다시피 나는 한다면 해."

이번에도 네이선이 고개를 끄덕였다.

"……그러면 따라와. 그동안 무슨 일이 있었는지 이야기해줄게."

다리가 불편하다는 사실도 잊고 있던 네이선이 아, 하고 침음을 흘리고는 목발을 집었다. 베아트리체가 한숨을 쉬면서도 그를 기다려주고 있다는 사실에 끝없이 감사하면서. 그녀가 그를 버리지 않았음에 안도하면서 말이다.

***

에벤에셀이 발코니 밖으로 네이선이 황성을 완전히 떠나는 모습을 지켜보았다. 당연한 것처럼 그의 곁에는 힐라리아가 있었다.

"만나서 이야기를 나누고 싶었어요?"

"……죽지 않았으니 되었습니다. 언젠가 다시 만날 수 있을 테니."

"멍청한 사람이에요."

"황태후가 약하게 키워서 그럽니다."

어쩐지 우울해 보이는 에벤에셀을 힐라리아가 끌어안았다.

맞닿은 체온이 위안이 되기를 바라면서.

Chapter 16.
새로운 한 걸음

황성에서 내려다보는 노을은 오랜만이었다. 시간이 어찌나 빠른지 어느새 봄의 한가운데에 서 있다. 에벤에셀이 힐라리아를 뒤에서 끌어안았다. 이불을 둘둘 만 채로 난간에 걸터앉은 힐라리아를 뒤에서 받친 것이다.

안온한 품에 안겨 힐라리아가 눈을 깜빡였다. 봄밤의 추위도 힐라리아의 나비들에 의해 사그라들었다. 그녀 주변을 맴도는 나비들이 환하고 따뜻한 빛을 밝히고 있었다. 힐라리아가 에벤에셀에게 물었다.

"작별 인사를 충분히 나누고 온 거 맞아요?"

"작별 인사?"

에벤에셀이 되물었다.

"엘라임하고 말이에요."

"그녀는 사람이 아닙니다, 힐."

에벤에셀이 허리를 수그려 힐라리아의 뺨에 입을 맞췄다. 부드럽고 말캉한 뺨에 낙인을 남기듯이 꽤 오랫동안. 지분거리는 입술에 떠밀린 힐라리아가 웃음을 터뜨렸다.

"그래도 에벤에셀을 낳아주신 분이잖아요."

"이미 그때의 엘라임과 지금의 엘라임은 다릅니다. 정령왕에게 인간의 마음을 기대하는 것 자체가 무리인 일이지요."

"하지만, 엘라임은 인간을 사랑하여 에벤에셀을 낳았어요. 그건 거짓이 아닌 진실이에요. 당신은 정령에게도 인간의 마음이 있다는 증거라구요. 작별 인사를 했어야죠."

"괜찮습니다."

이상한 고집을 부리는 에벤에셀을 힐라리아가 고개를 돌려 노려보았다.

"왜 그런 고집을 부려요?"

"……글쎄."

에벤에셀이 힐라리아를 끌어안은 팔에 힘을 주었다. 달콤한 체온이 에벤에셀에게 스며들었다. 에벤에셀이 힐라리아의 어깨에 고개를 파묻었다.

"제가 겁쟁이라 그럴 겁니다."

"겁쟁이?"

"몰랐습니까? 힐라리아가 나한테 그러지 않았습니까. 연약하다고. 그러니 곁을 지켜주겠다고. 나는 연약하고 겁쟁이라 엘라임을 마주하기가 겁이 납니다."

"그게 무슨……."

"엘라임이 나를 완벽한 타인처럼 대하면 어떡합니까? 내게 엘라임은 날 낳아준 부모인데 그녀에게 나는 그저 한낱 인간에 불과하면 어떡합니까? 나는 연약하여 무너질지도 모릅니다. 힐라리아처럼 강하지 못하거든요."

에벤에셀이 자신의 연약한 속살을 전부 드러냈다. 마음속 아주 깊은 곳에나 도사리고 있는 그런 연약함이었다. 한숨을 삼킨 힐라리아가 에벤에셀의 머릿속에 손가락을 질러 넣었다.

"내가 어린아이를 키우는군요. 용기를 내 볼 만도 한데. 에벤에셀의 생각과는 다를 수도 있잖아요."

"그런 확률에 기대 상처받고 싶지 않아요."

힐라리아가 에벤에셀의 머리카락을 흐트러뜨렸다. 자신에게서 나는 향기와 같은 달콤한 향이 풍겨 나왔다. 같이 목욕한 탓에 더 그랬다. 힐라리아가 몸을 돌려 난간에 반대 방향으로 걸터앉았다. 에벤에셀을 부드럽게 밀어 낸 힐라리아가 생긋 웃었다. 고개를 살짝 치켜든 힐라리아가 에벤에셀의 입술에 쪼듯이 입을 맞췄다. 놀란 듯 뒤로 물러서려던 에벤에셀이 다시금 힐라리아에게로 고개를 수그렸다. 당신 뜻대로 하라는 듯이. 힐라리아가 에벤에셀의 양 뺨에 손을 얹었다.

"바보."

하지만, 에벤에셀을 더 설득하는 대신에 힐라리아가 그의 입술에 부드럽게 키스했다. 이건 에벤에셀의 선택이다. 에벤에셀이 힐라리아의 선택을 항상 지지해줬듯이 힐라리아도 에벤에셀의 선택이 무엇이든 지지한다.

에벤에셀이 힐라리아의 허리에 손을 감았다. 멀어지려는 힐라리아를 다시금 끌어온 것이다. 잠시간의 틈이 생겼던 그들의 입술이 틈이 없이 들러붙었다. 질척하게 맞닿은 입술이 보들보들하다. 이전의 행위로 도톰하게 부어서 더 그런 느낌이 드는지도 모르겠다. 힐라리아의 이불 사이로 에벤에셀의 손이 파고들었다.

"응석 부리기는."

힐라리아가 입술을 떼어내고는 콧날을 비볐다.

"좀 더 해봐, 에벤에셀."

"무엇을?"

"지금 하는 모든 것. 입도 더 맞춰줘. 나는 당신과 달리 욕심쟁이라 이 정도로 만족 못 하는 걸 알잖아."

힐라리아가 쥐고 있던 이불에서 힘을 풀었다. 툭하고 흘러내린 이불이 힐라리아의 허리께에 고였다. 에벤에셀의 동공이 확장되었다. 매번 힐라리아는 에벤에셀이 예상하지 못한 범위로 통통 튄다. 그게 심장이 저릿할 정도로 사랑스러워서 에벤에셀이 어찌할 바를 모르는 얼굴로 힐라리아를 끌어안았다. 그에게 감겨드는 숨소리가 심장을 옥죄는 것만 같다.

여전히 힐라리아가 아득했다. 눈을 떼면 어디론가 사라져 버릴 것 같고 그가 모르는 곳에서 사경을 헤맬 것만 같다. 에벤에셀이 힐라리아의 등을 따라 손을 미끄러뜨렸다. 이전과는 달리 손가락에 머리카락이 엉키질 않는다. 그것이 못내 속상해서 에벤에셀이 힐라리아의 어깨에 잘게 키스했다.

"머리카락이 긴 게 예뻐요?"

"음?"

갑자기 그건 왜 묻는 거지? 힐라리아가 했던 수많은 말 중에 가장 쓸모없는 말이었다. 에벤에셀에게 있어 힐라리아는 매순간 완벽했다. 굳이 물을 필요도 없는 말이었다. 항상 정해진 답은 하나였으므로.

"뭘 해도 예뻐, 힐라리아."

"뭐야. 나는 그것보다 더 달콤한 말을 원한다고요."

힐라리아가 에벤에셀의 목덜미를 쓸어내렸다. 좀 더 해보라는 듯 부추기며, 긴 종아리로 에벤에셀의 허리께를 감아 끌어당겼다. 위험천만한 난간 위에 앉아서도 힐라리아의 움직임에는 제약이 없었다.

"좀 더 해봐요, 에벤에셀."

에벤에셀의 눈빛이 검청빛으로 가라앉았다.

"힐, 힐……. 나는 당신의 외양은 조금도 상관이 없어."

"왜죠?"

"설사 당신의 얼굴이 일그러져 있다고 해도 나는 당신을 사랑했을 거야."

에벤에셀의 섬세한 손길이 힐라리아의 눈가를 쓸었다. 온갖 아름다움을 다 끌어다 뭉쳐놓은 것처럼 반짝이는 푸른 눈에 홀린 듯이. 그의 은밀한 손길에 힐라리아의 뺨에 오소소 소름이 돋았다. 힐라리아가 어깨를 움츠렸다가 생긋 웃었다.

"그래도 나는 예쁜 게 좋은걸. 그러니까 좀 더 예쁘다고 말해 봐요. 어디가 어떻게 예쁜지, 얼마나 예쁜지도."

힐라리아다운 말이다. 그리고 에벤에셀은 기꺼이 그녀에게 복종했다. 에벤에셀이 힐라리아를 번쩍 안아 올렸다. 아무리 따뜻하다고는 하나 밖이다. 다른 이들이 언제든지 볼 수 있는 곳에서 힐라리아를 이리 벗은 채로 두고 싶지 않았다. 그녀의 은밀한 순간은 오롯이 에벤에셀 홀로만의 것이어야 한다. 에벤에셀이 발코니의 문을 닫았다. 힐라리아가 허물처럼 벗어던진 이불이 발코니 밖에 애처롭게 남았다. 에벤에셀이 힐라리아의 입술을 지분거리며 속삭였다.

"루비처럼 반짝여. 석류처럼 달콤한 맛이 나지."

"그리고요?"

에벤에셀이 힐라리아의 눈꺼풀 위에 부드럽게 입술을 눌렀다.

"사파이어도 이보다 아름답지는 못할 거야, 힐라리아."

그녀가 좋아하는 온갖 반짝이는 것들을 다 비유해도 힐라리아만 못하다는 걸 그녀는 알까? 에벤에셀이 힐라리아의 매끈한 피부 위로 손가락을 미끄러뜨렸다. 손가락 끝에 감기는 살결이 보드랍다.

"힐라리아……."

에벤에셀의 셔츠를 끌어당긴 힐라리아가 오만하게 명령했다.

"허락할게요, 에벤에셀. 옷을 벗어."

힐라리아의 발끝이 에벤에셀의 허벅지를 더듬었다.

"이것도 말이야."

에벤에셀이 나지막이 웃었다. 당해낼 수가 없다. 언제든지.

***

라리나의 입술이 바르르 떨렸다.

"누, 누가 온다고요?"

"힐라리아 님께서 오신다고 합니다."

아직 힐라리아의 위치는 애매했다. 그녀가 황후의 자리에 오를 거라는 건 기정사실이었지만, 아직 즉위식 전이었다. 전쟁을 겪은 지 얼마 되지 않은 윈프리드다. 힐라리아는 제국의 사정에 상관없이 성대한 즉위식을 치를 사람은 아니었다. 그 덕에 사람들은 힐라리아에 대한 호칭을 가장 어려워했다.

"아……."

라리나가 눈을 데굴 굴렸다. 황제가 돌아오기 무섭게 황실에 발이 묶인 반에이크는 어제도 밤에 잠깐 저택에 들렀다가 도로 나가버렸다. 그간 밀린 업무를 처리해야 해서 바쁘다는 이를 붙잡을 수는 없었다. 이야기를 나눌 이가 없어 적적하긴 했지만 말이다. 라리나는 그 시간을 전부 책을 읽는 데 소요하고 있었다.

힐라리아가 돌아왔다는 건 직접 눈으로 확인했다. 하지만, 그녀를 만날 용기는 없었다. 힐라리아가 라리나를 어떤 눈으로 볼지 걱정이었다. 라리나는 시벨로프의 생존자다. 증오할까? 아니면, 혐오할까? 그도 아니면……. 라리나가 창백한 얼굴로 입술을 짓씹었다. 그런 라리나의 기색을 천천히 살피던 시녀장이 조용히 말을 건넸다.

"라리나 님."

"네, 네?"

"그리 걱정하지 않으셔도 된다고 전언하셨습니다."

"네?"

라리나가 눈을 동그랗게 떴다.

"그저 친구를 만나러 오는 것뿐이니 아무 생각도 하지 말고 기다리라고 하셨습니다."

입을 가리고 있던 라리나의 손이 툭하고 떨어졌다. 매번 미래를 내다본다고는 생각했었지만……. 라리나의 입술이 파르르 떨렸다. 아마 힐라리아는 미래를 내다보는 대단한 능력을 가진 것은 아닐 테다. 힐라리아는 라리나에 대해서 알고 있는 거다. 그녀가 어떤 생각을 하고 행동을 할지 말이다. 그만큼 힐라리아가 라리나에게 깊은 관심을 가지고 있다는 것을 의미했다.

라리나가 눈을 깜빡였다. 투명한 눈물이 고였다가 투둑 흘러내렸다. 참 대단한 사람이지. 힐라리아의 부상에 대해서는 라리나도 전해 들었다. 황성에서의 초대에 응하지는 않았지만, 귀를 기울이고 있었던 까닭이었다.

따지자면 오스발트는 라리나와 연관이 있는 나라였다. 황태후의 모친이 오스발트 출신이었으니 말이다. 결국 힐라리아를 그렇게 만든 것은 어떻게든 라리나와 연관이 있는 자였다. 그것이 전 섭정왕이라면 더욱.

"친구……."

라리나가 가장 따뜻한 말을 곱씹었다. 원수나 다름없는 라리나를 여전히 친구로 여겨주는 힐라리아다. 왜 사람들이 힐라리아에게 푹 빠져 헤어 나오지 못하는지 알 것만 같다. 힐라리아는 힐라리아다. 변하지 않는 사철나무처럼 제자리를 지키고 서 있다.

힐라리아의 포용력에 라리나의 마음이 노곤하게 녹아내렸다. 처음 사교계에 발을 디뎠을 때부터 힐라리아를 아기 오리처럼 따랐던 라리나다. 힐라리아가 그녀에게 그다지 화가 나지 않았다는 게 이렇게 안심이 될 줄이야. 라리나가 서성이던 것을 그만두고 털썩 주저앉았다.

그리고 머지않아 힐라리아가 도착했다.

"라리나."

"히, 힐라리아!"

힐라리아가 달려오는 라리나를 받아 안았다. 이전보다 깡마른 라리나의 애처로움이 힐라리아의 손에도 도드라지게 느껴졌다. 이건 전부 힐라리아가 만들어낸 일이었다. 라리나를 세상으로 끌어내 잔혹한 진실에 처박은 이가 힐라리아다. 보통 나약한 인간들은 이런 경우 모든 죄를 타인에게 돌리곤 한다. 스스로는 아무런 죄도 없는 무결한 이인 것처럼. 그것이 나약한 자들이 세상을 살아가는 방식이었다.

하지만, 라리나는 그러지 않았다. 힐라리아를 마주 안아오는 따뜻한 체온이 그것을 반증했다. 힐라리아가 어느새 훌쩍 큰 병아리를 토닥였다.

"잘 지냈어요?"

"네, 네. 잘 지냈어요. 힐은요? 다쳤다는 이야기는 들었어요. 대체 어디가 어떻게……. 지금은 괜찮은 건가요? 대체 어느 놈이 그런 거죠?"

라리나가 다급하게 말했다. 힐라리아에게서 묻어나는 인위적인 냄새는 분명 약냄새였다.

"라리나. 그건 이미 다른 이들이 전부 했으니 라리나는 다른 걸 해줘요."

"다른 거……?"

힐라리아가 곱게 눈을 접어 웃었다. 사르르 흩어지는 미소가 홀릴 듯이 아름답다. 라리나가 열성적으로 고개를 끄덕였다.

"어떤 걸 하면 될까요?"

"나보다 당신의 이야기를 해봐요, 라리나. 어떻게 지냈는지. 당신이야말로 괜찮은 건지. 앞으로는 어떻게 할 건지. 과거의 이야기도 좋아요. 누군가가 들어줬으면 했던 이야기들을 해봐요, 라리나."

"……아주 긴 이야기가 될 거예요."

라리나가 울먹였다.

"나는 시간이 많아요. 아직 정식 직위도 없어 굳이 오늘 귀가하지 않아도 되지요."

힐라리아가 장난스럽게 웃었다.

"……다른 사람들도 만나고 싶어요, 힐라리아. 제이나와 실로테, 베아트리체가 나를 미워하진 않나요?"

"물론 당신을 걱정하고 있지요. 언제 이 문을 열고 나올까 기다리며 말이에요."

"……그들도 초대하면 올까요?"

"지금?"

라리나가 고개를 끄덕였다. 얼마나 부러웠는지 모른다. 그들 사이에 얼마나 끼고 싶었는지. 그들의 끈끈한 유대감에 라리나도 발을 들이고 싶었다. 한 번도 가져본 적 없던 내 편인 타인들이었다. 보고 싶었다.

라리나의 조름에 힐라리아가 고개를 끄덕였다. 실로테의 신분이나 제이나, 베아트리체의 상황은 아무래도 상관없다는 듯이. 그런 건 힐라리아가 얼마든지 해결해줄 수 있는 부분이었다.

"좋아요. 그러면 초대장을 쓰도록 해요. 오늘 즐거운 저녁 만찬을 즐기는 거예요. 와인도 마셔요."

"……힐라리아는 돌아가야 하지 않나요?"

"이 저택의 주인이 돌아오지 못하듯 에벤에셀도 마찬가지랍니다. 밀린 업무를 처리하느라 바빠요. 국경을 허물고 타국이 되었던 옛 땅을 수복하는 게 쉬운 일은 아니잖아요?"

라리나가 고개를 끄덕였다.

"정 내가 보고 싶으면 데리러 오겠죠."

황제를 상대로 저렇게 태평할 수 있는 사람은 힐라리아뿐일 것이다. 오히려 힐라리아가 지배자처럼 보였다. 두 사람의 관계에서 승기는 힐라리아가 쥐고 있는 듯했다.

"그래서. 초대장을 쓸 건가요?"

라리나가 고개를 거세게 끄덕였다.

"좋아요, 라리나."

라리나가 어미닭을 따르듯이 힐라리아를 졸졸 따랐다. 마치 자신의 저택인 것처럼 자연스럽게 활보하는 힐라리아를 시녀장이 안내했다. 덜덜 떨고 있던 라리나를 한 번에 음지에서 양지로 끌어낸 사람이다. 말로만 듣던 힐라리아를 보게 되어 감개가 무량했다. 게다가 이 저택에서 저녁 만찬을 즐긴다니.

'영웅을 위한 만찬을 준비해야겠군!'

시녀장마저 들뜨는 소식이었다. 당장 시장에 가야겠다. 신선한 재료들을 사다가 맛있는 음식을 잔뜩 만들어야 한다. 요리장을 닦달해 완벽한 저녁 만찬을 준비시켜야지. 무려 힐라리아 기네비어가 아니던가! 윈프리드를 구한 영웅! 시녀장이 남몰래 라리나와 힐라리아의 친분을 응원했다. 이렇게 힐라리아를 가까이서 봤다는 사실을 집으로 돌아가 자랑해야겠다고 생각하며.

그게 시작이었다, 오늘의 만찬은.

***

힐라리아와 라리나가 불러모은 이들은 초대를 전부 승낙했다. 라리나의 소식도 궁금했고 아직 승리의 달콤함도 채 즐기지 못했기에 당연한 일이었다. 서로의 무사함을 확인하고 지금을 즐길 시간 또한 중요한 법이다.

이번 일의 상흔은 모두에게 남았다. 라리나는 아무리 못났다 하나 가족들을 전부 잃어야 했다. 게다가 그들은 라리나에게 짙은 상처를 남겼다. 그녀가 평생을 믿고 살아온 것들은 거짓된 허울로 덮인 빛 좋은 개살구였다.

라리나에게는 부모도 그들이 살아온 삶마저도 전부가 기만이었다. 정의라 믿었던 것은 한낱 부질없는 욕심에 지나지 않았고 여태껏 살아왔던 모든 삶은 허상만 존재하는 모래성에서의 평안이었다. 라리나의 발밑이 무너져 내렸고 지금의 그녀는 허울만이 남았다. 그 삶을 다시 채워가는 것은 라리나의 몫이었다.

'그래도 나쁘지 않아.'

라리나가 입술에 묻은 와인을 쓱 훑었다. 그 첫 걸음을 윈프리드를 구하는 것으로 시작했고 지금은 이들과 함께하고 있었다. 라리나가 추구하는 정의와 같은 길을 걷는 사람들.

"라리나, 자꾸 다른 생각 할 거야?"

베아트리체가 입술을 삐죽이며 라리나를 재촉했다. 라리나가 상념을 지우고 잔을 비웠다.

"아니야. 다른 생각 안 해."

라리나가 고개를 젓고는 다리를 둥글게 말아 의자 위에 얹었다. 편한 옷을 입고 있는 덕에 움직임이 어렵지 않았다. 다들 자신이 편안해하는 자세로 앉아 있었다. 라리나가 무릎 위에 턱을 얹은 채로 눈을 깜빡였다. 베아트리체가 라리나의 빈 잔을 도로 채워주며 눈을 흘겼다.

베아트리체 또한 다르지 않았다. 고통스럽고 잔혹한 기억이 생생해서 아직까지 잊히지 않고 있었다. 피를 흘리며 쓰러져 헐떡이던 힐라리아, 몇 번이고 죽음을 목전에 두고 돌아왔던 힐라리아. 오스발트에서 기네비어로 돌아오는 길 내내 베아트리체는 힐라리아와 숨을 함께했다. 죽어가는 힐라리아에게서 화살을 뽑아내고 죽은 살을 파냈다. 눌어붙은 금속들로 스스로의 손에 화상을 입는 것은 신경도 쓰지 않으며 말이다.

분명히 힐라리아의 숨과 심장이 멎었었다. 더 이상 뛰지 않는 심장에 귀를 대고 미친 듯이 울부짖었던 그날의 기억이 선연하다. 의사와 제이나가 번갈아 가며 힐라리아의 가슴을 압박했다. 뒤늦게 뛰어 들어온 릴리도 합세해 힐라리아를 소생하는 데 힘을 보탰다. 그들이 있었기에 지금의 힐라리아도 있었다.

"왜 그렇게 봐?"

"그냥. 요새 더 좋아 보여서."

힐라리아가 어깨를 으쓱했다.

"나쁘지 않아. 나쁠 게 뭐가 있어, 베베. 전쟁은 끝났고 모두 살아남았잖아. 내가 하려고 했었던 건 전부 이뤘으니 나는 나쁠 게 없어. 아니, 좋아."

느릿한 힐라리아의 말에 베아트리체가 고개를 끄덕였다. 그들이 있었기에 지금의 힐라리아가 있었지만, 그와 반대로 힐라리아가 있었기에 모두가 있을 수 있었다. 그러니 이런 건 아무것도 아니다. 홀로 불안에 절어 잠을 자다가도 몇 번이고 일어나는 건 시간이 지나면 사라질 사소한 증상이다.

베아트리체가 힐라리아를 보며 천천히 호흡했다. 힐라리아가 숨을 내쉬고 움직이는 것을 따라서 말이다. 그렇게 한참을 따라하다 보면 힐라리아가 살아 있음을 인지하고 그제야 안도의 숨을 내쉬게 된다. 그것이 몇 주째 반복되고 있었다. 그런 베아트리체를 아는 것인지 힐라리아가 그녀의 손을 잡았다가 놓았다. 잠시간 다녀간 따스함에 베아트리체가 미소 지었다.

"베베, 너무 빨리 마시는 거 아니야?"

제이나가 걱정스러운 목소리로 물었다.

"이 정도는 괜찮아. 정말로 괜찮아. 나는 이 정도로 취하지 않지."

"……취해가는 것 같은데."

제이나가 웅얼거렸다. 매번 베아트리체가 취한 모습을 봐서 그런지 조금도 믿음이 가질 않았다.

"……안 취해. 나는 오늘 집에 돌아갈 거라고. 집에 가면……. 집에 가야 해……. 안 가면 네이선이 엉엉 울어."

그리곤 긴 한숨을 내쉰다. 확실히 나른해진 목소리였지만, 완전히 취해 보이진 않았다. 제이나가 생긋 웃으며 마시라는 듯이 베아트리체의 빈 잔 옆에 물 잔을 놓아주었다. 베아트리체가 물을 마시는 걸 확인하고 나서야 제이나가 고개를 돌렸다.

제이나가 잔을 쥔 손에 힘을 주었다가 풀었다. 이 정도로는 술에 취하지 않는다. 취할 수 없다. 상념에 잠긴 그녀의 눈이 흔들렸다. 제이나에게도 전쟁의 상흔은 남았다. 그저 느릿하게 세상을 부유하는 해파리 같았던 제이나에게 생기를 불어넣어준 것이 힐라리아였다.

제이나는 그런 힐라리아를 평생 지키기로 마음먹었다. 짧은 시간이었지만, 온 힘을 다해서 수련에 매진했다. 이전의 기억을 떠올리고 새로운 검법을 익히고 밤잠을 이루지 못하고 연무장을 돌았다. 물론 식단도 조절했다. 적당한 근육은 검을 휘두르는 것에 도움이 될 테니 중요한 일이었다. 점점 몸에 섬세하게 잡혀가는 근육들이 제이나의 피나는 노력을 증명했다.

하지만, 그런 노력은 아무것도 아니라는 듯이 세상은 힐라리아를 앗아갔다. 오스발트로 간 힐라리아를 쫓으며 제이나는 한숨도 제대로 자지 못했다. 골리엇의 닦달에 못 이겨 몸을 눕혔다가도 다시금 일어나는 나날이 반복되었다. 잃을 수도 있다는 상실감이 제이나를 뒤흔들었다. 그녀가 잠을 자는 사이 힐라리아가 떠날 수도 있다는 불안감이 평온했던 제이나의 속내를 갉아먹었다.

제이나는 고요히 미쳐가고 있었다. 제이나를 갉아먹던 벌레는 힐라리아가 돌아온 이후로 멈추었지만, 아직도 제이나를 호시탐탐 노리고 있었다. 방심하면 제이나는 다시 물어뜯길 것이다. 그것은 제이나의 강박이 되었다.

'이들을 지켜야 해. 내가 더, 더 열심히 해서……. 힐라리아를 지켜야 한다고. 우리의 평화를 지켜야 해.'

이것이 종내 제이나를 완전히 집어삼키더라도 말이다.

"제이나, 너는 왜 술에 취하질 않아?"

실로테가 불그스름한 얼굴로 눈을 가늘게 떴다. 분명 제이나의 속도에 맞춰서 마셨는데 그녀 혼자 취해가고 있는 것처럼 보였다. 얼굴이 붉어졌는지 화끈거리는 데다 눈이 자꾸만 감겼다. 실로테가 축 쳐져서는 제이나의 어깨에 기댔다.

"취할 수가 없어서 그래. 너희가 먼저 취하니까."

제이나의 대답을 들으며 실로테가 입술을 끌어 올렸다. 다른 이들에게도 그렇듯이 실로테에게도 전쟁은 상처로 남았다. 홀로 윈프리드에 남아 이들을 기다렸다. 하루가 영원 같은 기다림이었다. 들려오는 소식 속에 실로테가 아는 이들의 죽음이 섞여 있을까 하루에도 수십 번씩 창밖을 내다보았다. 그러다 보면 하루가 갔다. 다시 태양이 떠오르면 같은 행동을 반복했다.

실로테는 남겨지는 게 무서웠다. 아무리 위험하더라도 다른 이들이 있는 곳에 있고 싶었다. 실로테가 할 수 있는 일이 하나도 없더라도 말이다. 마음이 지옥인 것보단 그게 더 편할 것 같았다. 그때의 버릇은 여전히 남아 있었다. 실로테는 여전히 누군가를 기다리는 사람처럼 안절부절못하며 문을 몇 번이고 쳐다보곤 했다.

"후우……."

실로테의 눈썹이 바르르 떨렸다. 과거, 더 이상 돌아오지 않았던 부모님을 기다렸던 것만큼이나 간절히 이들을 기다렸다. 그때는 실로테의 기다림도 짊어져 줄 반에이크가 있었다. 훗날 서로에 대한 편견에 사로잡혀 적대시하게 되었더라도 과거엔 분명히 그랬다. 실로테와 반에이크가 완전히 틀어지게 된 게 언제였더라.

'아…….'

실로테가 입궁하고 나서였다. 실로테는 그 당시에 황비가 아주 대단한 감투라고 생각했다. 그러니 반에이크와 실로테 사이에는 깊은 골이 생겼다. 사실 그건 아무런 의미도 없었는데 말이다. 아마도 반에이크를 향한 부채감과 열등감의 발로였을 것이다. 어떻게든 반에이크보다 대단한 사람이 되어 그가 그랬듯 가문을 지켜내야 한다는 복잡한 감정들이 치기 어렸던 실로테를 뒤흔들었다.

'멍청한 실로테…….'

언젠가 반에이크에게 제대로 사과해야 할 것이다. 하지만, 나중에……. 그들에게는 이제 많은 시간이 남아 있었다. 조금은 늦장을 부려도 괜찮지 않을까? 지난 몇 달을 전력 질주해 왔더니 게을러진다. 실로테가 눈을 깜빡였다.

"취했네. 실로테? 실로테."

힐라리아의 목소리가 점점 멀어졌다. 실로테가 생긋 웃었다.

"힐라리아, 힐…… 어디 가?"

"안 가. 네가 잠들 것 같은데."

"으응?"

"어디 가는 건 내가 아니라 너일 것 같다고."

힐라리아가 중얼거리고는 케이티에게 눈짓했다. 이전보다 훨씬 나아진 점이 있다면 아무렇지도 않게 정령술을 사용할 수 있다는 것이다. 케이티가 손을 맞부딪쳤다. 그와 동시에 작은 난쟁이들이 퐁퐁 솟아나왔다. 우르르르 튀어나온 난쟁이들이 실로테를 향해 팔을 뻗었다.

[내가! 내가 할 거야!]

[내가! 나도 할 거야!]

난쟁이들이 몰려들어 실로테를 데리고 사라졌다. 그리고 케이티가 그들을 장군처럼 이끌었다.

"이쪽!"

이런 광경을 처음 접하는 제이나와 라리나가 눈을 동그랗게 뜨고 입을 벌렸다. 말로만 들었지 눈앞에서 보게 될 줄이야. 정령들이 늘 곁에 있다는 것도, 그들이 나쁘지 않다는 것도 힐라리아를 통해 배웠지만 신기한 건 어쩔 수 없었다.

"귀, 귀여워……."

라리나가 중얼거렸다.

"케이티도 저렇게 대단한 걸 할 수 있었어?"

"제이나, 기네비어의 핏줄이라면 조금이라도 정령을 부릴 수 있어. 케이티는 그중에서도 재능이 있는 편이었지. 하지만, 오래 부리진 못해."

안 그래도 케이티가 마석을 사탕처럼 씹으며 돌아왔다. 이제는 마석을 어디서나 구할 수 있게 되었다. 예전에는 마석을 사는 것도 이단이라고 치부받아 왔으나, 이제는 아니니까. 최상급의 마석은 쉬이 구할 수 없어도 이런 하급 마석은 어디서든 살 수 있었다.

힐라리아가 나른하게 미소 지었다. 꿈꾸었던 세상이 다가오고 있었다. 정령술사와 인간이 한데 어우러져 사는 세상. 정령이 인간을 돕고 인간이 정령을 돕는 그런 세상. 이것을 위해 힐라리아는 모든 것을 바쳤고 해냈다.

여전히 화살이 몸에 박혔던 기억은 생생해서 옆구리와 어깨가 시큰거렸다. 밤만 되면 통증에 잠을 못 이루기도 했고 악몽에 시달리며 몸을 동그랗게 말고 덜덜 떨었다. 그럼에도 괜찮았다. 힐라리아에게는 밤을 지켜주는 에벤에셀이 있지 않은가.

그녀가 울면 같이 울어주고 잠들지 못하면 시간을 함께 보내주는 사람. 입 안의 혀처럼 달아서 누구에게도 절대 내어주고 싶지 않은 사람. 지금 입 안을 맴도는 이 와인처럼 그녀를 행복하게 만들어주는 사람. 힐라리아가 와인잔을 기울였다. 에벤에셀이 보고 싶었다. 겨우 몇 시간 떨어져 있었다고.

***

밤이 무르익기 무섭게 마차 서너 대가 클라리넷 저택 앞에 멈췄다. 귀가하는 사람을 포함, 안에 있는 누군가를 데리러 온 이들이었다. 에반에셀, 네이선, 반에이크의 눈이 마주쳤다.

"하하. 이렇게 만나게 될 줄은 몰랐습니다……."

반에이크가 중얼거렸다. 그것도 이렇게 어색하게! 마찬가지로 어색했던 네이선이 해쓱한 얼굴을 수그렸다. 사실 오늘도 베아트리체가 데리러 오라고 말하지 않았다면 굳이 저택 밖을 나설 생각이 없었다. 하지만, 제너시스의 작은 폭군이 명령하지 않았던가. 데리러 오라고. 네이선으로서는 거부할 수 없는 명령이었다. 그래서 이 자리에 있다.

"뭐. 얼른 안으로 들어가시죠. 어쩌다가 다들 목적지가 같아진 듯하니."

분명 자신의 저택인데도 아닌 것 같다. 반에이크가 어색하게 에벤에셀과 네이선을 안내했다. 늦은 시간임에도 온 저택이 밝았다. 아직 저택의 주인이 돌아오지 않았기 때문이기도 했지만, 손님들이 돌아가지 못한 까닭이었다.

"폐하."

반에이크가 저택으로 들어서다 말고 에벤에셀을 불렀다. 에벤에셀이 고요히 고개를 돌렸다.

"실로테는 두고 가십시오."

그건 단호한 요구처럼 들렸으나, 간절한 부탁이었다. 반에이크의 눈이 애틋하게 휘어졌다.

"실로테가 원할 때면 언제든 출궁할 수 있도록 조치를 취해두었습니다."

"……감사합니다."

실로테와 클라리넷을 동시에 보호하기 위해 강제로 입궁시켰다. 그것을 이제야 바로잡을 수 있게 된 것이다. 에벤에셀은 황비를 폐비시키는 일을 아주 대수롭지 않게 대답했다. 이미 한 번 했으니 두 번은 어려울 것도 없다. 힐라리아는 오롯한 하나가 아니라면 에벤에셀의 마음을 받아주지 않겠다고 말했으니 어차피 해야 할 일이기도 했다.

'나는 천하의 악녀예요. 역사에도 그렇게 기록되겠죠? 황제를 홀로 독차지하려 하다니.'

'그럼 짐은 총애하는 황후의 치마폭에 휘말려 후궁을 비운 천하의 머저리가 되겠군.'

'그거 나쁘지 않은데요?'

남들은 생각지도 못했을 그런 대화들을 달콤한 밀어처럼 나누었다. 힐라리아는 그걸 참 즐거워했다. 에벤에셀이 다시 멈추었던 걸음을 옮겼다. 힐라리아는 데리러 오지 않으면 돌아가지 않을 거니까 그건 에벤에셀의 책임이라고 말했다. 매번 모든 책임을 에벤에셀에게 전가하는데 그 모습이 오히려 사랑스러운 것은 그녀가 힐라리아이기 때문이리라. 그리고 에벤에셀은 힐라리아에게 홀려 이 자리에 서 있었고.

저택에선 즐거운 웃음소리가 났다. 그 사이엔 분명 힐라리아의 목소리도 섞여 있었다. 또랑또랑하고 깨끗한 웃음소리였다. 저런 웃음소리를 들으니 에벤에셀은 지금 이 수고가 오히려 행복해졌다. 에벤에셀이 눈가를 접어 미소 지었다.

힐라리아는 이전보다 더 솔직해졌다. 더 잘 웃고 쉽게 속내를 드러냈다. 그만큼 편해졌다는 이야기겠지. 더 이상 윈프리드와 기네비어를 위협하는 적은 없었다. 아직 정리되지 않은 일들이 산재해 있었지만 말이다. 에벤에셀이 가볍게 계단을 올랐다. 또다시 그런 일이 벌어진다면 힐라리아는 다시 한번 망설임 없이 몸을 던질 것이다. 그들에게 자신을 던져주고 이득을 취하겠지.

'내가 더 강해져야 해.'

그러면 된다. 힐라리아가 굳이 그런 생각을 하지 않아도 될 정도로 에벤에셀이 강해진다면…….

"더 마시려고? 으음……. 아니야, 나는 그만 마시겠어."

"거짓말. 힐은 거짓말쟁이야."

"네가 주정뱅이인 거겠지."

힐라리아의 음성이 점차 가까워지고 에벤에셀의 발걸음도 빨라졌다.

'나를 지켜요.'

강해진다면 힐라리아가 말한 대로 그녀를 놓지 않고 지켜줄 수 있을 테니.

"힐라리아."

그녀의 대답이 돌아오길 고대하며 에벤에셀이 문을 활짝 열었다.

힐라리아가 사르르 강렬한 여름 장미처럼 웃었다.

***

힐라리아는 이른 점심을 먹고 침대를 뒹굴었다. 사실은 이른 점심이라기보다는 늦은 아침이라고 하는 게 맞았다. 이런 여유가 지속되는 게 얼마 만인지. 손에 들린 책을 힐라리아가 툭하고 떨어뜨렸다. 지금쯤 올리비아의 공포는 극에 달했을 것이다. 그도 아니면 오만한 성정대로 또 다른 착각에 빠졌을지도 모른다. 아무도 그녀를 해치지 못할 것이라는 생각. 에벤에셀이 올리비아를 마음에 담았을지도 모른다는 생각.

'정말 재밌어.'

올리비아는 애초에 힐라리아를 건드려서는 안 됐다. 처음 힐라리아가 내민 손을 거절하지 말고 잡았어야 했다. 욕심에 눈이 멀어 앞을 보지 못했던 것이 올리비아의 실책이었고, 지금까지 그 미련을 버리지 못한 것도 올리비아의 실책이었다.

게다가 올리비아는 힐라리아의 정의를 훼손했다. 그녀가 지키고자 하는 것들을 되지도 않는 이유로 건드렸다. 힐라리아를 마녀로 몰아 공격하는 건 기네비어 전체를 적으로 돌리는 짓임에도 불구하고 저질렀으니, 대가를 치러야지.

올리비아의 위치쯤 되었을 때는 자신의 행동이 불러일으킬 결과에 대해서 고심을 해야 함이 맞았다. 경솔한 짓으로 목숨을 재촉하게 되었으니 이 또한 올리비아의 몫. 올리비아를 궁지에 몰린 쥐처럼 가지고 노는 것은 그다지 힐라리아의 방식이 아니다. 힐라리아는 단숨에 목줄을 끊어놓는 쪽을 좋아했다. 하지만, 여태까지 올리비아를 묵히고 있었던 것은 가장 좋은 시기를 기다리기 위함이었다.

그리고 곧 그때가 온다. 곧 있으면 세 연합의 간부들이 윈프리드 제도로 이송될 것이다. 그들이 도착하고 나면 올리비아 또한 함께 단두대 위에 올릴 것이다. 나라를 팔아먹은 죄인으로서 말이다. 올리비아는 마녀라고 손가락질 받을 것이다. 여태껏 단두대에 올라 목이 잘려왔던 마녀들처럼 말이다.

그리고 그제야 사람들은 인식을 바로잡을 수 있을 테다. 마녀라고 손가락질 당하고 돌팔매질 당해 마땅한 죄인들은 정령술사가 아니라는 걸. 다르다는 이유로 두려워할 게 아니라 함께 나아가야 한다는 것을. 마땅히, 틀린 자들을 비난해야 한다는 걸. 그것으로 올리비아는 자신의 효용을 다할 것이다. 가장 극적인 연출을 위해 힐라리아는 조용히 기다리는 중이었다.

그러다 보니 하루, 하루를 흘려보내고 있었다. 이제 한 일주일가량 남았으려나. 이 평화에 돌을 던지는 게 아까우면서도 반드시 해야 할 일이라는 걸 안다. 사람들이 다시는 그러한 잘못을 저지르지 못하도록 말이다. 그렇게 힐라리아가 가만히 눈을 깜빡이고 있을 때였다.

"공주님."

케이티가 검은색 일색의 봉투를 들고 들어왔다.

"어디서 온 건데?"

힐라리아가 몸을 일으키며 물었다.

"모르겠어요. 마부가 들고 온 것을 전달받았을 뿐이에요."

"흐음."

힐라리아가 봉투를 가볍게 뜯었다. 만약 봉투에 마법적인 힘이 담겨 있었다면 애초에 황성을 넘지도 못했을 것이다. 속 안에 들어 있던 작은 쪽지가 툭 하고 떨어졌다.

〈제 선물은 만족스러우셨습까? -메일린 프로이턴.〉

이런. 먼 친구가 돌아온 모양이다.

"외출 준비를 해줘, 케이티."

힐라리아가 쪽지를 흔들었다. 메일린의 이름이 황금색으로 새겨져 있는 쪽지가 힐라리아의 움직임을 따라 반짝였다. 메일린은 힐라리아와 했던 약속을 지켰다. 이번 승리의 숨은 조력자 아니던가. 메일린은 베아트리체 일행이 프로이턴의 신분으로 위장할 수 있도록 돕고 프로이턴 황제를 움직여 오이겐을 압박했다. 세 연합의 한 축을 무너뜨린 것이다.

그럼에도 불구하고 오이겐의 땅에는 욕심내지 않고 그대로 물러섰다. 메일린도 알고 있었던 것이겠지. 프로이턴이 그 대가로 땅을 차지했더라면 그들 또한 윈프리드의 적이 되었을 거라는걸. 그때부터 윈프리드는 전력을 다해 프로이턴을 공격했을 것이다. 애초에 윈프리드에게는 옛 땅을 수복해 지난날의 치욕을 갚기 위한 전쟁이었으니 말이다.

하지만 프로이턴은 순순히 국경 너머로 물러갔다. 오이겐을 압박하는 것 외에는 아무런 명령을 받지 않은 것처럼. 메일린은 아주 적당한 선택으로 힐라리아에게 빚을 지웠다. 힐라리아의 분노를 사는 게 아니라.

"어디로 가시나요?"

"프로이턴 대사관. 이번에 보면 한동안 보지 못할 친구가 왔거든."

힐라리아가 비죽이 웃었다. 메일린에겐 쓸만한 무기를 쥐여줬으니 분명 이번이 마지막일 것이다. 힐라리아는 메일린에게 받을 것들이 아직 남아 있었다. 고틀리프가 비밀스럽게 윈프리드와 오스발트에 무기를 제공할 수 있었던 통로. 그것을 쥐고 나면 이 제국의 밀수로가 힐라리아의 손에 들어오게 된다.

빛이 있으면 어둠이 있는 법. 이 어둠을 어떻게 활용할지는 힐라리아의 몫이었다. 물론, 그것까지 받고 나면 갚아야 할 빚이 2배가 되겠지만 말이다.

힐라리아는 그 대가를 마땅히 치를 것이다.

***

메일린이 마지막으로 윈프리드의 모습을 찬찬히 훑어보았다. 시국이 안정되기 무섭게 윈프리드로의 입국을 감행했다. 지금이 아니면 쉽게 입국하지 못할 것이란 걸 알아서였다. 메일린은 프로이턴의 후계자의 자리에 앉게 될 것이고 힐라리아와는 이후 공식적인 자리에서나 만나게 될 테니까. 그렇게 되기 전에 사적인 문제를 마무리 지어야 한다. 물론, 힐라리아와 친목도 확실시할 필요가 있었다. 메일린이 기쁜 마음으로 힐라리아를 맞이했다.

"오랜만이군요, 힐라리아 공주."

힐라리아가 고개를 끄덕였다. 산뜻한 분홍색 드레스를 입은 그녀의 머리카락이 목 근처에서 찰랑였다. 이전보다 좀 더 가볍고 부드러워진 분위기였다. 힐라리아가 메일린을 향해 손을 내밀었다.

"그러게요. 오랜만입니다, 메일린 황녀."

두 사람이 손을 맞잡은 채로 웃었다. 위험하고 위태롭지만, 지금만큼은 굳건한 동맹이었다.

"이렇게 무사한 모습을 보니 마음이 놓이는군요."

메일린이 상냥하게 웃었다. 사실 그간 힐라리아가 무사히 돌아오기만을 빌었던 이들 중에는 메일린도 있었다. 힐라리아가 돌아오지 못하면 돌려받지 못할 것들도 문제였지만, 다른 이유도 있었다.

메일린은 힐라리아를 목표 삼았다. 가장 꽃답게 살되 누구보다도 강한 사람. 윈프리드를 지키고 다른 이들을 무릎 꿇려 놓고 정작 꽃처럼 웃는 사람. 꽃이되…… 누구보다도 위험한 향기를 풍기고 있는 힐라리아가 메일린의 새로운 목표였다.

프로이턴의 황제는 메일린에게 꽃처럼 살라고 말했다. 아픈 것, 위험한 것 모르는 사랑받는 꽃으로 살라고. 하지만, 메일린은 힐라리아를 보았다. 누구보다 사랑받으면서도 강철보다 단단한 사람이었다. 이 윈프리드 제국에서 가장 적으로 돌려선 안 될 사람을 꼽는다면 단연 힐라리아일 것이다. 가만히 앉아서도 체스를 두듯이 12수를 앞서 생각하는 힐라리아다. 힐라리아는 세심하고 우아한 방법으로 적들을 쓰러뜨렸다. 그러다가도 종종 누구보다 강력한 칼을 휘두르곤 했다.

그런 황제가 되겠노라고 아버지의 앞에 서서 맹세했다. 둘 다 놓치지 않는 황제가 되겠노라고.

그런 힐라리아가 꺾였더라면 메일린의 기세도 무너졌을지도 모른다. 선례로 삼을 명분이 없이는 프로이턴 황제도 마음을 돌렸을지도 모른다. 원체 갈대보다 가벼운 것이 황제의 마음 아닌가. 메일린이 맞잡은 손을 물끄러미 쳐다보았다. 따뜻한 체온이 느껴진다. 그리고 메일린은 비로소 깨달았다.

'안도했어, 내가.'

그건 차갑고 이성적인 느낌이 아니었다. 여태껏 메일린이 힐라리아를 그리 여겨왔던 것처럼 목표라거나 동맹이라거나, 그런 관계에 놓인 사람을 걱정하는 것처럼 메마른 느낌이 아니었다. 메일린은 힐라리아를 마음 깊이 걱정하고 있었던 것이다. 마치 친구처럼. 메일린이 천천히 고개를 들어 올렸다.

"힐라리아, 다행이에요……. 이렇게 무사히 돌아와서."

메일린이 목멘 목소리로 속삭였다. 스스로가 울먹이고 있다는 사실도 그제야 알아차렸다. 대체 힐라리아가 메일린에게 어떤 짓을 저지른 걸까? 이렇게 쉬이 타인과의 관계에 빠져드는 이가 아니었는데 말이다. 고작 대화 몇 번, 편지 몇 번이 아니었던가.

힐라리아의 빛에 홀린 사람 중에 메일린도 있었던 것이다. 바보처럼 울음을 터뜨리며 메일린은 그제야 떠올랐다. 프로이턴 대사에게 일임해도 됐었을 일을, 직접 처리하겠다고 윈프리드까지 쫓아온 이유를 이제야 알아차렸다. 힐라리아의 무사를 직접 두 눈으로 확인하고 싶었던 것이다.

"왜 울고 그래요, 메일린 황녀. 쉬이. 황제가 될 사람은 쉽게 울면 안 된다 잖아요."

"……소문낼 건가요? 힐라리아 공주는 내 편이 아니었어요? 설마, 내 정적들에게 내가 얼마나 마음이 약한 자인지 알릴 건가요?"

메일린이 투정 부리듯이 물었다. 그러지 않을 거라는 걸 알면서도 말이다. 힐라리아가 옅게 웃음을 터뜨렸다.

"그럴 리가 있겠어요? 나는 한 번 잡은 손은 절대로 놓지 않아요, 메일린 황녀. 당신이 먼저 놓지 않는다면 말이지요."

힐라리아의 다정한 속삭임에 메일린의 볼을 타고 울컥 눈물이 흘러내렸다. 이제껏 자매, 형제들의 눈치를 보느라 친구 한번 제대로 사귀어보지 못

했었다. 그저 살아남아 황제가 되는 것만을 생각하며 매달려왔다. 그런데 어느새 친구가 되었던 모양이다. 메일린이 힐라리아를 끌어안았다. 힐라리아는 기꺼이 마주 안아주었다. 왜들 이렇게 눈물이 많은 건지 모르겠다.

"쉬이……. 그만 울어요, 메일린 황녀. 나는 이리도 멀쩡한데."

"많이 다쳤었다고 들었어요."

"윈프리드의 기밀이 프로이턴에 흘러 들어가다니. 황성을 한번 정리해야겠군요."

"……멀쩡해 보여서 다행이에요."

"나도 전해 들었어요, 메일린 황녀. 프로이턴에서도 황위 계승자들을 단죄하고 있다죠. 그들이 암암리에 저지른 범죄들로 나라의 기강이 무너질 뻔하였다고 하더군요."

"프로이턴에도 윈프리드의 사람들이 숨어 있는 모양이니 청소를 한번 해야겠어요."

두 사람이 동시에 웃음을 터뜨렸다. 그것은 무언의 약속과도 같았다. 서로에게 그것은 필요악이었다. 서로를 견제할 구실을 하게 될 테니까. 하지만, 두 나라의 미래를 책임지고 있는 두 사람이 손을 잡았으니 한동안은 문제가 없을 터다.

"걱정해줘서 고마워요, 메일린 황녀."

"……내 우방을 당연히 내가 걱정해야죠."

메일린이 눈물을 깔끔히 닦아냈다.

"앞으로는 그런 위험에 스스로 뛰어들지 않기를 바랄게요."

힐라리아가 음습하게 웃었다. 분명 꽃처럼 아름다운 외양이었는데 힐라리아에게선 사신의 음험한 냄새가 풍겼다. 힐라리아가 느릿하게 속삭였다.

"내가 뛰어들었기에 그 많은 사람이 움직인 거예요, 메일린."

메일린이 눈을 동그랗게 떴다. 힐라리아가 메일린을 끌어안은 손에 힘을 주었다. 이건 힐라리아가 메일린에게만 드러내는 아주 깊숙한 속내였다.

"내가 먼저 뛰어들었기 때문에 기네비어와 윈프리드, 마지막으로 당신도 움직였어요. 오스발트로 간 게 내가 아니었다면 모두가 간절하게 움직였을까요?"

메일린의 손이 바들바들 떨렸다. 힐라리아를 향한 미약한 분노가 치솟았다가 다시금 사그라들었다. 힐라리아의 말이 맞다. 그녀였기에 그 많은 사람이 일사불란하게 움직인 것이다. 황성 깊은 곳에 안전히 있어도 모자랄 힐라리아가 먼저 위험 속에 몸을 던졌기에 나라가 움직인 것이다.

"이, 이……. 마녀."

"알아요. 하지만, 이건 메일린 황녀에게만 털어놓는 진심이에요."

"……대체 왜, 내게만 진실을 알려주는 거죠?"

"왜냐고?"

힐라리아가 눈을 접으며 웃었다. 붉은 입술이 위험하게 말려 올라갔다.

"앞으로도 내가 어떤 사람인지 잊지 말라는 거예요, 메일린 황녀. 앞으로도 당신은 나한테서 얻어갈 게 많을 거예요. 한 나라의 황제가 된다는 게 쉬운 일인가. 그것도 뒷배가 없는 당신이 말이에요."

"……"

메일린이 숨을 죽였다.

"그러니 당신은 내가 위험한 일을 자처하기 전에 그런 일들이 벌어지지 않게 도와야 할 거예요. 그게 당신에게도 좋을 테니까. 내가 이걸 당신에게만 말하는 건……. 항상 나를 보면서 불안해할 다른 이들과는 다르게 당신은 떠날 거거든."

"힐라리아!"

대체 무슨 말을 하는 거지? 메일린의 눈앞이 빙글빙글 돌았다.

"놀라지 말아요, 메일린. 나는 원래부터 이런 사람이었어. 그들은 항상 나를 보며, 내 부상을 보며 내가 어떤 짓까지 할 수 있는지 되새길 거야. 말을 타지 못하고 이따금 다리를 저는 나를 보면서 말이야."

"이, 이······!"

힐라리아가 메일린의 귓가에 속삭였다.

"매번 조심하겠지. 단단한 돌다리도 두드려 보면서 모든 상황을 살피고 또 살필 거야. 강해지기 위해서 노력할 거야. 나라는 존재가 또다시 위험을 자처하지 않도록 말이지. 그들은 나를 사랑하거든."

"······못됐어."

"그 애정을 이용해서라도 나는 원하는 걸 얻어내겠지. 늘 그랬듯이 말이야. 하지만, 당신은 내게서 멀리 떠나거든."

벨벳처럼 부드럽고 꿀을 잔뜩 넣은 음료처럼 풍부한 목소리가 메일린의 고막에 들러붙었다. 그건 어떤 협박보다도 달콤하고 음습했다. 이대로 메일린에게서 떨어지지 않을 것처럼 스며들었다.

"그래서 알려주는 거야. 직접적으로 말이야. 명심하고 가. 당신이 사랑하는 나는 윈프리드를 지키기 위해서라면 무엇이든 해. 어쩌면 유일할지도 모르는 당신의 친구가 말이야."

"나, 나는······."

"내가 이렇게 못되게 군다고 당신이 나를 미워할 수 있을까? 아니. 나는 그렇게 허술한 사람이 아니야, 메일린."

힐라리아의 손끝이 부드럽게 메일린의 어깨를 쓸어내렸다. 그 손끝에 담긴 치명적인 애정에 메일린이 숨을 들이켰다. 힐라리아는 태연한 낯짝으로 손쉽게 메일린을 홀려냈다.

"나 또한 당신을 위해 최선을 다할 거야. 나는 내 사람에게는 항상 그렇거든."

그 음성은 미치도록 따뜻했다. 굶주린 아이에게 주어진 부드러운 빵처럼 말이다.

'내 사람.'

별것 아닌 말이 메일린에게 인이 되어 박혔다.

"못된 년. 이 마녀 같은……. 악녀!"

메일린이 고개를 내저으며 소리쳤으나, 힐라리아에겐 먹히지 않았다.

"맞아, 나는 악녀야. 사람을 홀려서 이용하는 악녀. 하지만, 내가 다른 게 뭔지 알아?"

힐라리아의 손끝이 메일린의 턱을 쓸었다.

"내 것을 버리지 않는다는 거야, 메일린."

아. 메일린이 침음을 흘렸다. 홀려버렸다, 아주 단단히.

***

메일린과의 만남은 힐라리아에게도 꽤 고무적인 일이었다. 메일린이 이제 쉽게 윈프리드로 오지 못한다는 사실에 힘입어 평소에는 털어놓지 못할 것들을 속 시원히 털어놓았다. 스스로의 비틀어짐을 인지하고 있었다. 힐라리아의 내면은 사실 오스발트의 곤드레스나 죽은 황태후보다 더 꼬인 면이 없잖아 있었다.

그저 힐라리아는 그것을 아주 능숙하게 감추는 방법을 알고 있을 뿐이었다. 아무도 알아채지 못하도록 말이다. 처음으로 그런 자신을 마음껏 드러내 보았다. 메일린은 힐라리아 외에 다른 이들과 인연을 맺지 않았으니 힐라리아의 비밀을 그 누구에게도 털어놓지 못할 것이다. 마음이 홀가분했다.

"기분이 좋아 보이네?"

힐라리아가 프로이턴 대사관에 갔다는 소식을 쫓아온 것은 실로테였다. 황성으로 힐라리아를 만나러 갔는데 그녀가 외출했다는 소식을 들었다. 힐라리아와 단둘이 이야기할 것이 있어 부랴부랴 쫓아온 것이다.

"실로테? 여긴 어쩐 일이야?"

힐라리아로서는 조금 놀랄 수밖에 없는 일이었다. 아무도 없다고 생각해서 모든 것을 털어놓았는데 실로테가 밖에서 기다리고 있었다니. 들렸을 리 없다는 걸 알면서도 조금 미묘한 기분이 들었다. 힐라리아가 프로이턴 대사관 쪽을 힐끗 돌아보고는 다시 고개를 돌렸다. 아무리 힐라리아라고 한들 대놓고 '네 애정을 이용하고 있어'라는 말을 하는 건 조금 마음에 걸리는 일이었다.

"……할 말이 있어서 왔어, 힐라리아."

실로테가 생긋 웃었다. 실로테의 표정에서 힐라리아는 그녀가 아무것도 듣지 못했다는 것을 알아차렸다. 그래서 힐라리아는 다시 여유를 되찾았다. 생긋 웃으며 고개를 끄덕였다. 힐라리아를 기다리고 있던 황성 마차는 덕분에 텅 빈 채로 돌아가야 했다.

***

실로테가 힐라리아를 데려간 곳은 황성이 훤히 보이는 프라이빗 룸이었다. 요새는 귀족들이 특히 프라이빗 룸을 선호하는 추세였기 때문에 웬만한 카페와 레스토랑에는 프라이빗 룸이 있었다. 추가금을 내고 신분만 증명하면 얼마든지 대여할 수 있는 곳이었다.

특히 힐라리아는 누구나 알만한 제국의 유명 인사였다. 불꽃 같은 머리카락과 푸른 눈. 그녀에 대해서 대서특필한 신문들이 바닥에 낙엽처럼 굴러다녔고 힐라리아의 업적을 노래하는 음유시인들이 한둘이 아니다. 힐라리아와 실로테는 덕분에 어렵지 않게 예약이 꽉 찬 프라이빗 룸을 양도받을 수 있었다.

"식사는 했어? 프로이턴 대사관에는 무슨 일로 간 거야?"

"볼일이 있어서 다녀왔어."

"아."

실로테가 고개를 주억거렸다.

"메일린 황녀가 왔었던 모양이네. 듣기로는 프로이턴의 후계자가 메일린 황녀로 바뀐다고 하던데. 여기에 있어도 되는 거야?"

"곧 돌아갈 거야. 나한테 줄 게 있어서 온 거였거든."

힐라리아가 어깨를 으쓱했다. 실로테도 프로이턴 대사관에 신세를 진 적이 있었다. 안나의 신분을 발급받아준 것이 메일린 황녀 아니었던가. 힐라리아가 메일린에게 받을 것이 있다고 하면 받을 게 있는 것이다. 실로테는 힐라리아의 말을 흘려들었다. 언제나 그렇듯이 실로테가 알아야 할 일이면 알게 될 테니까.

"그런데 무슨 일 있어, 실로테?"

간밤에 에벤에셀은 반에이크의 요구에 따라 실로테를 클라리넷 저택에 두고 귀가했다. 실로테의 동의를 구하지 않은 일이니 그녀의 입장에선 기분이 나쁠 수도 있었다. 실로테의 대답이 돌아오기 전에 힐라리아가 그녀의 대답을 예상하고 대답할 말까지 정리를 끝냈다.

"일보다는 부탁이 있어."

실로테가 비장한 얼굴로 말을 꺼냈다.

***

올리비아는 스스로를 감금했다. 황성에서 쫓겨날 수도 있다는 두려움이 그녀를 그렇게 만들었다. 그나마 여전히 올리비아의 곁에는 첼로스테가 남아 있었는데 그녀는 별다른 말 없이 올리비아의 시중을 들었다. 올리비아는 첼로스테를 그녀의 사람이라고 믿지도 못하면서 시중들 이가 그녀뿐이라 곁에 둘 수밖에 없었다.

"……맛없어."

"그래도 드셔야 합니다."

올리비아의 괜한 심술을 첼로스테가 덤덤하게 받아 넘겼다. 즐겨 먹던 음식이고 요리장이 바뀐 것도 아닌데 맛이 달라졌을 리가 없다. 힐라리아와 에벤에셀은 올리비아에게 그 어떤 것도 하지 않았다. 물론 그녀의 결말이 그리 좋지 않을 거라는 걸 알고 있음에도 아무 내색하지 않는 것이다.

올리비아는 힐라리아가 정한 대로의 결말을 맞이할 것이다. 첼로스테의 고요한 눈동자가 올리비아를 향했다. 올리비아는 그때까지 죽어선 안 된다. 첼로스테의 임무는 힐라리아가 원하는 순간까지 올리비아를 살려서 목숨을 붙여 놓는 거였다.

"……황제께서 나를 언제 찾아주실까?"

첼로스테가 속으로 헛웃음을 지었다. 어떤 의미로는 대단했다. 저 꼴이 되어서도 여전히 희망을 버리지 못하는 것을 보면. 그도 아니면 스스로의 불안감을 억누르기 위해서 꾸는 꿈일지도 모른다. 첼로스테가 올리비아를 서늘한 눈으로 노려보았다. 여전히 첼로스테는 실로테가 남기고 간 단검을 속에 품고 있었다. 언제든지 필요하다면 사용할 것이다.

"……언젠가요."

올리비아가 힐라리아가 말하는 효용가치를 다 하고 죽어야 할 날이 온다면 한 번쯤은 만날 수 있지 않을까? 죽기 전이든, 혹은 죽은 후든 말이다. 첼로스테는 그것에 대한 낙관적인 대답을 내놓았다.

"반드시 만나실 수 있을 겁니다."

미묘한 기색이 어린 것을 알아차리지 못한 올리비아가 고개를 끄덕였다. 첼로스테의 시선이 올리비아가 걸치고 있는 것들을 훑었다. 올리비아에게 이어지던 황성의 지원은 끊겼다. 지금 올리비아가 걸치고 있는 것은 일전에 첼로스테가 힐라리아의 것을 훔쳐다준 것이다. 당장이라도 올리비아에게서 저것들을 빼앗고 싶었지만, 그래선 안 된다. 저것들은 올리비아의 목줄을 조일 또 하나의 무기가 될 테니까.

***

"왜 이렇게 비장해? 대체 무슨 말을 하려고."

힐라리아가 의아하다는 듯이 물었다.

"무슨 말은……. 별건 아니고."

실로테가 망설이다가 말을 꺼냈다.

"나는 곧 황성을 떠나게 되겠지? 아니, 이미 쫓겨난 건가?"

"무슨 말이 하고 싶은 거야?"

실로테가 더 이상 에벤에셀에게 미련이 없다는 건 검증된 사실이었다. 힐라리아는 그간 실로테를 주도면밀하게 관찰해왔으니까. 힐라리아에 대한 타인의 감정을 이용하기 위해서는 그만한 주의와 노력이 필요한 법이다. 한데 실로테의 반응은 어딘가 이상했다. 무언가 에벤에셀보다는 황성에 미련이 있는 사람 같달까.

"……나 황성을 나가고 싶지 않아."

그리고 힐라리아의 예상대로였다. 하지만 이유를 알 순 없었다. 실로테가 그만큼 권력욕이 있는 사람이었나? 이제 와 힐라리아를 상대로 에벤에셀의 애정을 다투겠다고? 두 사람 사이에 형성된 우정을 기반으로 한 단단한 관계를 고작 그깟 것 때문에 허물어버리겠다고? 실로테는 그렇게 멍청한 사람이 아니다. 힐라리아가 실로테를 고요히 응시했다.

"제대로 설명해, 실로테."

"네 곁에 있고 싶어."

실로테의 말은 힐라리아로서는 뜻밖이었다.

"네 곁에 있게 해줘, 힐. 베아트리체도 기네비어로 간다며. 그렇다면 나야. 나만이 너를 보필할 수 있어. 네가 황후가 되고 역사에 위대한 자로서 남을 수 있도록 내가 도울 수 있다고."

힐라리아가 저도 모르게 찻잔을 꾹 쥐었다.

"……네게서 멀어지는 게 불안해."

어쩌면 열렬한 사랑고백보다 더 대단한 말일지도 모른다.

"너에게서 내가 도태될까 봐 불안하다고. 그러니 내가 황성에 머물 수 있게……."

"실로테. 괜찮아."

"뭐?"

힐라리아가 어처구니없다는 듯이 웃었다. 대체 왜 저런 걸 불안해하는 거지? 실로테가 일견 귀여워 보이기까지 했다. 힐라리아가 자신의 사람으로 삼을 자를 잊을 거라고 생각하는 건가? 게다가 실로테는 힐라리아의 비밀을 아무렇지도 않게 받아들여준 사람 중 한 명 아니던가. 힐라리아의 제멋대로인 성향을 알면서도 그녀를 보필하겠다고 말할 수 있는 사람인데. 실로테는 힐라리아에게 필요한 사람이었지 버려야 할 사람은 아니었다.

"정말로 걱정할 필요 없어. 너는 네가 원하는 대로 하면 돼. 네가 원하는 게 황성에 머무는 게 아니라 나를 돕고 싶은 거라면 나는 너를 황후의 보좌관으로 삼을 거야."

"힐라리아……."

역대로 황후의 보좌관 자리는 경쟁이 치열했다. 귀족 가 영애로서 오를 수 있는 가장 높은 자리임과 동시에 황후의 영광을 함께할 수 있는 자리 아니던가. 가문의 명예를 드높일 수 있는 일이었다. 그래서 보통 황후의 보좌관 자리는 학식이 높고 경험이 많은 이들이 맡곤 했다.

그들에 비하면 실로테는 햇병아리에 불과했다. 욕심은 있었지만, 기대도 했지만, 차마 요구할 수 없었던? 그런데 힐라리아는 아무렇지도 않게 보좌관 이야기를 꺼냈다.

"너라면 잘할 수 있을 거라고 믿거든. 베아트리체가 있었다면 나도 고민을 했겠지만, 그것도 아니고. 실로테 너는 황성도 잘 파악하고 있는 데다가 국제정세에도 능하지. 게다가 시류 변화에도 민감해. 충분히 보좌관 자리에 앉을 수 있다고 생각해."

그게 힐라리아의 진심이었다. 사실 작금의 귀부인들 중에 이번 전쟁에 공을 세운 이는 없었다. 실로테는 첼로스테와 함께 올리비아를 견제하고 그 이전에는 힐라리아의 일을 도왔다. 힐라리아가 없었던 동안에 엉망으로 구는 올리비아의 행패에도 불구하고 황성 내정이 제대로 굴러갈 수 있었던 데에는 실로테의 노력도 섞여 있었다.

스베인과 반에이크만으로는 할 수 없는 일들을 실로테가 처리했다는 걸 알고 있다. 분명 실로테는 힐라리아를 위해 최선을 다해줄 것이다. 힐라리아는 실로테의 최선을 믿기로 했다.

"실로테, 내가 왜 너를 버릴 거라고 생각하는 거야?"

힐라리아가 의아하다는 듯이 물었다.

"나는 한 번도 너를 배제하고 내 미래를 생각한 적이 없는데 말이야."

실로테의 눈동자가 떨렸다. 그것은 힐라리아의 입으로 확정받은 실로테의 미래이기도 했다. 윈프리드의 앞날에 실로테가 할 일이 있을 거라는. 베아트리체야 늘 힐라리아의 사람이니 상관없고 제이나는 검으로써 자신의 재능을 증명했다. 그렇다면 실로테는? 왠지 다른 이들에 비하면 무능력해 보였다.

실로테는 원래 자아성찰을 잘하는 편이었고 스스로가 힐라리아로부터 도태될 수 있다는 결론을 내렸다. 그러니 이렇게 매달리기라도 해야지. 실로테의 남모를 고민들은 어제 힐라리아가 그녀만 두고 돌아갔을 때 절정에 달했다. 그런 실로테에게 힐라리아가 못을 박아 네 자리는 항상 있다고 말해준 것이다. 실로테의 몸에서 긴장이 풀렸다. 손바닥에 얼굴을 묻은 채로 실로테가 웅얼거렸다.

"……네게 내가 쓸모없을 줄 알았어."

이전에는 너무 당연하게 생각했다. 힐라리아를 황후로 만들고 그녀를 보필할 사람은 실로테뿐이라고. 하지만, 생각보다 힐라리아 곁에는 인재도 많았고 힐라리아 스스로도 뛰어났다. 실로테가 굳이 남아 있을 자리가 없어 보였다는 거다. 그래서 고민 끝에 힐라리아를 찾아왔다. 아니, 조급함에 눈을 뜨고 준비를 끝내자마자 힐라리아를 쫓아다녔다. 그러다 보니…….

꼬르르륵- 식사도 하지 못했다.

"식사도 안 한 거야?"

"네가 날 두고 가버릴 것 같았거든."

실로테가 웅얼거렸다. 힐라리아가 웃음을 터뜨렸다. 왜 이렇게 주변에 바보 같은 이들이 많은 거지? 힐라리아는 그들을 이용하는 만큼 철저히 챙긴다. 그들은 영원히 힐라리아의 부속품이 된 것이다. 그들 중 하나라도 빠지면 힐라리아는 제 기능을 하지 못한다. 애초에 그들의 애정에 기생하고 있으니 말이다. 애정을 매개 삼아 숙주에 기생하는 기생충처럼 힐라리아는 그들을 끌어들였다.

"나는 너희를 두고 어디에도 안 가. 죽지 않는 한 말이야."

힐라리아가 생긋 웃으며 말했다. 물론 그 말은 실로테의 불안감을 다시 부추기는 말이기도 했다.

"죽는 것도 안 돼! 너는 이미 네 마음대로 죽을 수 없는 몸이라고!"

실로테가 신경질적으로 외쳤다. 그에 반해 힐라리아는 소리 내어 웃음을 터뜨렸다.

"식사를 해야겠다."

힐라리아가 종을 흔들자 레스토랑의 급사가 왔다. 그에게 적당히 음식을 주문한 힐라리아가 턱을 괴었다. 이제야 완전히 안심한 실로테가 불평을 늘어놓았다. 어젯밤 힐라리아가 그녀만 두고 떠났을 때 사실 얼마나 불안했는지 토로하고 대체 왜 그렇게 무모하고 제멋대로냐며 비난을 쏟아냈다.

"실로테는 알아서 잘할 거라는 말이 얼마나 부담스러웠는지 아니? 너는 왜 그렇게……. 하아, 지금 내가 이런 말을 해서 뭐 해. 이미 지난 일인데."

"응, 미안해."

힐라리아가 가볍게 말을 흘려보냈다.

"거짓말."

"그래서 미안하단 거였어. 전혀 미안하지 않아서. 결과론적으론 너는 내 기대보다 더 잘해줬거든."

실로테가 이를 악물고 힐라리아를 노려보았다.

"못됐어."

"그건 인정할게."

"으!"

실로테가 부들부들 떨었다. 하지만, 그것도 맛있는 음식을 먹고 힐라리아와 웃고 떠드는 동안 사라져버렸다. 힐라리아가 식사를 마치고 물었다.

"아직도 짜증나? 화가 난다거나."

"아니⋯⋯."

"거 봐. 배고픈 거 맞잖아."

힐라리아가 키득키득 웃었다.

"그런데 일리는 어떡할 거야? 여전히 내 궁에 있을 텐데."

"네 호적을 정리하면서 내보내려고. 곧 어머니의 마법도 풀릴 거야."

힐라리아의 새파란 눈이 야생의 냄새를 풍겼다. 일리는 이미 헬레나미아의 마법과 많이 동화되었다. 어차피 전쟁은 끝났다. 앞으로 그가 어떤 선택을 할지는 그자의 몫이다. 하지만, 중요한 것은 하늘이 한 번도 힐라리아를 배반한 적이 없다는 것이다. 그저 작은 기억을 일리에게 심어둘 생각이었다. 기억이라기보단 세뇌에 가까울 테지만.

우연은 없고 모든 건 만들어진 필연에 불과하다는 게 힐라리아의 지론이었다. 이 모든 상황을 힐라리아가 만들어냈듯이. 실로테가 힐라리아의 눈빛을 발견하고는 어깨를 움츠렸다. 힐라리아가 저런 눈빛을 할 때는 모른 척하는 게 상책이라는 걸 이제는 안다.

'어휴⋯⋯. 눈빛은 짐승이야.'

실로테가 혀를 내둘렀다.

***

힐라리아가 언제든지 돌아오지 않을 수도 있다. 그러한 불안감은 에벤에셀에게 기생충처럼 들러붙어 있었다. 그녀가 언제든 에벤에셀을 뒤로하고 떠날 수 있다는 사실이 매일같이 그를 들쑤셔댔다. 불안은 계기만 있다면 손쉽게 발작할 수 있는 기폭제가 되기도 하는 법.

예를 들어, 지금처럼 힐라리아 없이 텅 빈 마차만 돌아왔을 때. 마차의 문을 짚은 에벤에셀의 손에 힘이 들어갔다. 빠각 소리가 나며 마차 문 옆면이 부스러졌다. 부스러기가 흘러내리는 것을 에벤에셀이 무감한 눈으로 쳐다보았다.

완벽한 흑백의 세상이었다. 선연하게 불타오르는 힐라리아가 없다. 그의 품에 안겨서 사랑을 속삭이는 힐라리아가 없다. 그녀의 존재가 말끔히 지워진 것처럼 말이다. 부서진 마차처럼 에벤에셀의 세상도 조금씩 무너지기 시작했다. 하루에도 몇 번씩 에벤에셀의 세상은 무너졌다가 수복되길 반복하고 있었다. 그 과정은 끔찍하리만큼 고요하고 절망적이었지만, 그럼에도 에벤에셀은 견딜 수 있었다. 곁에 힐라리아가 있기 때문이었다.

"힐라리아는?"

에벤에셀이 무감하게 물었다. 그의 곁을 배회하는 나비 힐이 괜찮다고 그를 달래주듯이 날개를 열심히 파닥였다.

[실로테를 만났어. 금방 돌아올 거야.]

아. 에벤에셀이 고개를 끄덕였다. 실로테를 만나서 이야기를 나누고 식사를 한 뒤에 돌아온다면 앞으로 길어야 2시간 정도. 딱 그 정도. 에벤에셀의 시계가 다시 돌아가기 시작했다. 그건 1초가 영원처럼 느껴지는 기나긴 기다림의 반복이었다.

＊

"괜찮으신 겁니까?"

"짐은 아무런 문제가 없습니다."

"표정이 안 그러신데요."

반에이크가 어깨를 으쓱했다. 에벤에셀이 시선을 도로 아래로 내렸다. 더이상 반에이크를 상대할 생각이 없다는 듯이. 반에이크도 용건을 마친 상태였기 때문에 결재 받은 서류와 함께 순순히 물러섰다.

전쟁은 끝났고 지금 제국은 경사를 앞두고 있었다. 에벤에셀이 힐라리아를 황후로 책봉하겠다는 의지를 밝힌 것이다. 지금에 이르러서 에벤에셀의 명을 거역할 귀족은 남아 있지 않았고 그들은 힐라리아를 황후로 책봉하는 일에 만장일치로 동의했다. 제국의 영웅, 기네비어의 공주. 신분도 명분도 모두 완벽했다. 타국에서는 대단한 황후를 얻게 된 윈프리드를 부러워했고 그들에게 힐라리아라는 존재가 있다는 사실을 시기했다.

힐라리아는 윈프리드의 상징이 되었다. 하루가 다르게 여론이 판이하게 달라지고 있었다. 어제는 힐라리아를 제국의 전쟁 영웅이라고 칭송했다면 오늘은 힐라리아를 두고 붉은 여왕이라 칭했고 아마도 내일이면 힐라리아를 신격화하여 찬양할지도 몰랐다. 덕분에 힐라리아의 국제적 위상도 점점 높아져 가고 있는 추세였다.

에벤에셀의 힐라리아를, 모두가 원하는 것이다. 그것 또한 에벤에셀에게는 그다지 기쁜 일만은 아니었다. 힐라리아가 에벤에셀의 곁을 비우는 시간이 길어질수록 무너진 세상을 수복하는 시간이 오래 걸렸다. 마음속에 괴물이 태어났다. 좌절과 두려움, 불안감으로 잉태되어 알을 깨고 나온 괴물이 에벤에셀의 내부에서 울부짖었다.

'힐라리아를 가둬. 어디도 못 가게 하면 되잖아?'

'힐라리아의 발밑에 엎드려서 빌어봐. 혹시 알아? 제국을 구원했으니 너도 구원해줄지도.'

'그러면 힐라리아가 너를 미워하고 부담스러워할걸?'

괴물이 아가리를 벌려 속삭였다. 괴물은 에벤에셀을 뒤흔드는 데 목적이 있는 듯했다. 에벤에셀의 불안감을 증폭시키고 그가 힐라리아에게 좀 더 집착하게 만드는 데 집중하고 있었다. 그녀를 구속하라고 속삭이다가도 그랬다가는 힐라리아의 미움을 살 거라고 말한다. 에벤에셀이 눈을 깜빡였다.

"전쟁이 끝났으니 백성들의 마음을 달래줄 무언가가 필요합니다, 폐하. 황후 책봉식을 성대하게 열면 좋을 것 같습니다."

"이런 연출은 힐라리아 님께서 특히나 잘하시니 논의해보아야 할 것 같습니다. 허락해주세요, 폐하."

"이것은 이번 전쟁으로 인한 피해 상황입니다. 윈프리드 제국 내에는 그리 피해가 크지 않습니다. 기사들이 지나간 노도가 입은 피해를 제외하고는요. 그리고 국경이 넓어졌으니 새로운 성을 축조해야 합니다. 지금 있는 성은 그대로 두고 성을 하나 더 쌓아 이중으로 하는 것도 나쁘지 않을 듯합니다. 폐하?"

에벤에셀의 집무실에 모여든 각 부처의 장관들이 그를 닦달했다.

"……힐라리아와 의논하여 책봉식을 꾸리도록 하고, 전쟁으로 인한 피해가 적다 하니 다행입니다. 피해를 입은 노도는 새로이 보수를 하도록 하십시오. 그리고 이중으로 성을 쌓아 대비를 하는 것도 나쁘지 않을 듯합니다. 오늘의 아군이 내일의 적이 되는 세상이니."

"예, 폐하."

"지당하십니다."

답을 얻은 이들이 서류를 품에 안고 물러섰다. 이전에 비해 에벤에셀의 분위기가 많이 누그러졌다. 예전엔 손을 대면 '앗, 동상 걸렸어!' 정도였다면, 지금은 '앗, 차가워!' 정도로 변했달까. 에벤에셀이 도로 서류로 시선을 돌렸다.

"황후 책봉식은 언제로 예정하십니까? 이젠 날짜를 정해주셔야 합니다."

물론, 그렇다고 황제의 업무가 끝난 것은 아니었다.

황후의 책봉식. 그건 힐라리아와 에벤에셀의 결혼을 뜻하기도 했다. 성대한 축제가 될 거라는 데 이견이 없는 이유이기도 했다. 지금부터 매달려 준비해도 결혼식과 병행하려면 최소한 한두 달은 있어야 했다. 다른 건 다 괜찮다고 해도 드레스를 가봉하고 제작할 시간이 필요했기 때문이었다.

에벤에셀이 느리게 눈을 깜빡였다. 사실 그는 그런 것에 아무런 욕심도 없지만, 힐라리아는 아니다. 그녀는 어떤 상황이든 이용해서 마법을 부리길 좋아했다. 가장 효과적으로 말이다. 아마도 힐라리아는 이번 결혼식으로 전쟁에 지친 제국민들의 마음을 달래고 그들의 사기를 끌어 올리길 바랄 것이다. 힐라리아가 그렇듯이 그들도 윈프리드에 대한 마음이 깊어지도록. 힐라리아에겐 사랑조차도 전부 이용할 수 있는 도구이자 대상이니.

'다 괜찮으니까 얼른 돌아오면 안 될까?'

에벤에셀이 느리게 숨을 내쉬었다. 멎어버린 그의 세상은 지루하고 허무하다.

[힐이다! 힐라리아야! 지금 마차에서 내리고 있다고!]

그때, 나비 힐이 요란하게 힐라리아의 복귀를 알렸다. 이제야. 느리게 흐르던 에벤에셀의 세상에 빛이 들기 시작했다. 흑백으로 무너져 있던 세상이 찬란한 빛과 함께 다시금 수복되기 시작한 것이다. 새로운 벽돌을 쌓고 시간이 흐른다. 여유로운 에벤에셀의 미소도 돌아왔다. 갑작스러운 그의 변화에 결재를 받을 서류를 한 아름씩 안고 있던 이들이 당황했다.

"어흠……. 잠시 쉬시는 게 좋을 듯합니다."

스베인이 그것을 중재했다. 에벤에셀의 반응을 보아하니 힐라리아가 돌아온 것 같았다. 이럴 땐 눈치 있게 힐라리아와 에벤에셀을 만나게 해줘야 한다. 왠지 모르게 에벤에셀은 쇠사슬에 구속된 드래곤처럼 보였다. 힐라리아라는 주인에게 복종하는. 사실 이건 거창한 비유였고 주인이 돌아오길 고대하던 강아지처럼 보였다. 스베인이 다시 한번 헛기침했다. 뒤로 빠지라고 눈짓하는 스베인을 알아차린 이들이 의아해하며 물러섰다.

"그러는 게 좋겠군요. 짐도 잠시 숨을 돌리러 다녀와야겠습니다. 날이 이토록 좋은데 안에만 있는 것은 서글픈 일이니까요."

에벤에셀이 저렇게 감성적인 말을 할 수 있는 사람이었나? 당황한 대신들이 숨을 죽였다. 왠지 모르게 아까와 달리 들떠 보이는 에벤에셀을 막아섰다가는 큰일이 날 것 같았다. 스베인이 에벤에셀의 뒤에서 손날로 목을 쭉 그어 보였기 때문이었다. 에벤에셀이 자신의 집무실을 가벼운 발걸음으로 벗어났다. 남겨진 자들은 반에이크의 몫이었다.

"급한 서류는 이쪽으로 가져오시죠. 대신 확인해드리겠습니다."

"정말 그래도 되는 건가? 아무리 그래도 황제 폐하의 낙인이……."

"국방비 출납과 같은 중요한 일입니까? 그도 아니면 타국과의 외교 문제가 달려 있는?"

"그런 것이 아니네. 이번에 제국으로 돌아온 북부의 땅에 대한 논의 내용이네. 그들은 오랫동안 윈프리드에서 떨어져 있었던 탓인지 낙후되어 있네. 그 문제를 해결하기 위한 예산 편성 요청서네. 꽤 큰 금액이……."

반에이크가 재정부 장관의 서류를 빼앗아 살폈다. 꽤 큰 예산이 들어갈 일이었으나 북부에 대한 확실한 원조가 있어야 그들을 흡수하는 데 잡음이 없을 것이다. 타국에 보이기도 좋기도 하고. 반에이크가 망설임 없이 서명했다.

"엇, 이건……! 황제 폐하의 서명입니다."

이 정도는 아무것도 아니지. 반에이크가 생긋 웃으며 물었다.

"다음?"

"정말 이래도……?"

"제가 잘 추려서 황제 폐하께 보고 드리도록 하겠습니다."

"어흠!"

에벤에셀을 마냥 기다리기엔 퇴근이 하고 싶었던 대신들이 반에이크 앞으로 몰려들었다. 진정한 평화의 시대가 도래했다. 논의 사항이라고 해봤자 수복과 새로운 황후 책봉에 대한 이야기들뿐이다. 서류를 검토하는 반에이크의 입가에도 가벼운 미소가 번졌다.

***

"힐라리아!"

에벤에셀이 힐라리아를 폭 끌어안았다. 마차에서 내려 케이티와 대화를 나누고 있던 힐라리아가 뒤쪽으로 손을 뻗어 에벤에셀의 볼을 쓸어주었다. 정령들이 들썩이며 에벤에셀이 오고 있다고 날개를 파닥이는데 모를 리가 없었다. 익숙하고 묵직한 향이 힐라리아를 파고들었다.

"잠시만요. 케이티, 첼로스테에게 좀 더 고생해달라고 전해줘. 조금 있으면 죄인들이 압송되어 올 거야. 시기 조율이 중요해."

"예, 공주님."

"이왕이면 결혼식 3일 전이면 좋겠어. 사람들에게 경각심을 심어준 후에 성대한 결혼식으로 마음을 풀어주는 거지."

"그렇게 전달해둘게요."

케이티가 두 사람에게 예의를 갖추고는 종종걸음으로 사라졌다.

힐라리아가 천천히 몸을 돌렸다.

"왜 이렇게 급해요?"

타박을 하면서도 에벤에셀을 보듬는 손길은 따뜻했다. 그 손바닥에 볼을 비비며 에벤에셀이 나른하게 웃었다. 여태까지 불안감에 시달리던 적조차 없었던 것처럼.

"기다렸으니까요. 금세 돌아온다더니 오지는 않고……."

"마부에게 말을 해두었는데요."

아. 마부가 뭐라고 떠들어 댔던 것 같기도 하다. 에벤에셀이 아무것도 모르겠다는 듯이 힐라리아의 어깨에 고개를 묻었다. 그녀의 매혹적인 향이 에벤에셀의 폐부를 가득 채웠다. 코끝이 찡할 정도로 깊게 숨을 들이마셨다. 그러고 나서야 에벤에셀의 세상이 완벽하게 수복되었다. 괴물이 입을 다물고 고개를 수그렸다.

"그랬던 것도 같군요."

에벤에셀이 느리게 대답했다.

"당신도 참……. 메일린하고 이야기는 잘 끝났어요. 메일린 황녀는 오늘

밤 프로이턴으로 돌아갈 거예요. 메일린이 프로이턴의 차기 황제가 되겠죠."

"그렇군요."

"그리고 실로테를 궁에 들이려고 해요. 나도 황후가 되면 제대로 된 보좌관이 필요하지 않겠어요? 실로테가 그 역할을 해줄 거예요. 괜찮아요?"

"그렇군요."

힐라리아가 에벤에셀의 머리를 쓰다듬었다.

"당신, 이런 일에 관심 없군요?"

"힐라리아만으로도 벅차서 그렇습니다."

그렇게 말하면……. 힐라리아가 눈빛을 누그러뜨렸다. 아무리 달래줘도 에벤에셀은 나아졌다가 나빠졌다가를 반복했다. 그가 힐라리아의 위기를 수도 없이 견뎌왔던 것처럼 말이다. 오랜 시간이 걸릴 거라는 건 예상했지만……. 힐라리아가 에벤에셀을 힘을 줘 끌어안았다.

'미안해요, 아프게 해서.'

그의 뺨에 입술을 붙인 채로 힐라리아가 속삭였다.

"내가 평생 책임질게요. 나밖에 없다 하시니."

에벤에셀이 강아지처럼 고개를 끄덕였다. 그의 절반밖에 되지 않는 힐라리아다. 품에 들어차는 여린 몸이 에벤에셀을 받치고 있었다. 그런데도 그를 끌어안아주는 품은 단단해서 안도하고 기댈 수 있었다.

"이제 에벤에셀의 이야기를 해봐요. 당신의 오늘도 바빴을 테니까요. 대신들이 뭐라고 떠들어 대던가요?"

"결혼식 날짜를 정해야 한다고 성화들이더군요."

"아. 죄인들이 압송되어 오는 게 언제쯤이었죠?"

"다음 주면 도착할 겁니다. 왕족들과 반란의 싹이 될 수 있는 자들만 골라 윈프리드로 압송해 오고 있다더군요."

"베아트리체에게 듣기로는 정보국 사람들의 일처리가 그렇게 깔끔하고 좋다면서요? 앞으로도 윈프리드를 위한 큰 동량이 되겠군요. 다음 주쯤이라면, 다음 주 안으로 재판을 마무리하고 형을 집행하면 좋겠어요."

"힐라리아가 원한다면 그렇게 해요."

"형을 집행하고 그다음 날 올리비아를 위한 단두대도 준비해주면 좋겠군요. 그런 안 좋은 일은 빠르게 처리될수록 좀 더 효과가 크지 않겠어요? 사람들의 시선이 아직 그 일에 쏠려 있을 때요."

"힐라리아의 말이 맞아요."

"다 좋다고 그러면 어떡해요?"

힐라리아가 웃음 섞인 목소리로 물었다. 이미 힐라리아의 머릿속에는 앞으로 해야 할 일이 차곡차곡 정리되어 있었다. 조금이라도 흐트러지면 여태껏 공들여 쌓아올린 탑이 무너질 수도 있는 일이다.

힐라리아는 그런 실수는 용납할 수 없었다. 모든 준비가 완벽한 날에 에벤에셀과 식을 올릴 것이다. 모든 사람의 축복을 받으면서 말이다. 그 누구도 힐라리아를 반대하지 않고 기네비어를 부정하지 않게 되는 그날에.

"그렇다면 식은 이 주 후에 올리게 되겠군요."

스베인과 반에이크가 들었다면 거품 물 소리였다. 하지만, 힐라리아는 원한다면 반드시 그렇게 되게 하는 사람이다. 그녀가 입 밖으로 꺼냈으니 이루어질 일이었다. 에벤에셀이 그런 건 아무런 상관도 없다는 듯이 힐라리아의 몸을 좀 더 끌어당겼다. 그녀와 조금이라도 벌어져 있는 틈이 못마땅했다.

"그렇게 하도록 해요. 힐라리아는 누구보다 완벽한 신부가 될 거예요."

힐라리아가 결정했으니 에벤에셀은 그녀의 뜻을 이루어줄 것이다. 힐라리아가 그녀의 품에 잔뜩 구겨진 채로 안겨 있는 에벤에셀의 이마에 입을 맞췄다. 물론, 반발 세력은 있었다.

"그건 불가! 합니다! 이 주라니요! 이 주 안에 완벽한 결혼식이라니……. 으아아악!"

고함을 지르다 반에이크에게 발을 짓밟힌 스베인이 빠르게 물러섰다. 반발하는 스베인의 앞을 반에이크가 막아선 것이다. 대체 이게 무슨 짓이야!

"쉿. 황성의 평화를 무너뜨리는 자는 누구도 용서하지 않겠네."

***

힐라리아가 선언한 날짜를 맞추기 위해 황성에 오랜만에 활기가 돌기 시작했다. 전쟁으로 인해 짙게 남아 있던 우울함이 완전히 걷힌 것처럼 말이다. 급히 힐라리아의 치수를 재고 전투적으로 나가는 황실 재단사들의 뒷모습을 보며 베아트리체가 혀를 찼다.

"너무 급하게 잡은 거 아니야?"

"나는 그렇게 생각하지 않아."

힐라리아가 생긋 웃었다. 베아트리체가 힐라리아를 물끄러미 응시했다. 결혼식과 책봉식이 이 주 후로 잡혔다는 소식에 급히 입궁했다. 사교계에도 베아트리체와 힐라리아가 사촌 관계라는 이야기가 점차 퍼져 나가고 있었다. 덕분에 먼 곳에 있는 기네비어를 대신해 힐라리아의 준비를 제너시스에서 전부 일임하게 되었다. 베아트리체의 이름이 다시 한번 대두되기 시작했다. 그리고 그녀의 저택에서 지내고 있는 네이선 황자에 대해서도.

사람들은 이들의 관계에 대해서 떠들어 댔다.

'두 사촌이 황실을 집어삼켰군그래.'

'그런데 네이선 황자하고 에벤에셀 황제는 대립관계 아닌가? 그러면 힐라리아와 베아트리체도 반목하게 되는 건가?'

'흐음……. 누가 기네비어를 차지하느냐가 문제겠군. 소문에 의하면 베아트리체가 힐라리아 대신에 기네비어의 공왕비가 될 거라던데. 자네는 들은 거 없나?'

'결국 둘 중 하나 아닌가. 기네비어가 윈프리드를 집어삼키거나 혹은 그

반대거나. 아, 선택지가 하나 더 있군. 힐라리아와 베아트리체가 반목하기보단 손을 잡을 수도 있지. 이 동네 귀족들이 다 그렇듯이 후자 아니겠나.'

각자 좋을 대로 판단하고 기준을 세워 두 사람에게 들이댔다. 베아트리체가 테이블에 올려진 신문들을 훑어보고는 한숨을 길게 내쉬었다. 그들은 베아트리체와 제너시스, 기네비어, 힐라리아, 그리고 황실의 관계에 대해서 대서특필했다. 누가 더 많이 그들에 대해서 파헤치고 자극적이게 신문 기사를 쓰는지 경쟁하는 것 같았다.

"……정말 마음에 안 들어. 기사들은 항상 이렇게 자극적이어야 하는 걸까? 얘들은 자기가 뭐라고 하는지는 알고 떠들어 대는 거야?"

무슨 생각을 하고 있는지는 모르겠지만, 그리 좋은 생각은 아니라는 데에 베아트리체는 제너시스를 걸 수 있었다. 힐라리아가 입술을 끌어 올렸다.

"말의 대가는 항상 무거운 법이지. 그들도 자신들이 입을 놀린 대가를 치러야 할 거야. 내가 원할 때, 내가 원하는 방식으로 말이지."

"……대체 무슨 생각해?"

힐라리아가 황성을 둘러보았다.

"정말 사람들 생각은 이상한 것 같지 않니? 이 황성에 살고 있다고 사람이, 사람이 아니게 여겨지다니. 그래 봐야 집인데 말이야."

힐라리아가 나지막한 목소리로 말했다. 아무런 표정이 없었지만, 무심하다기보다는 그 속에 들끓고 있는 차가운 분노가 고스란히 느껴졌다. 힐라리아는 무언가에 대해서 확실히 분노하고 있었다.

"누군가는 살아가는 집이고 그들 또한 가족이라는 구성원을 이루지. 생각하는 거에 따라서 아주 평범하고 단순할 수 있는 명제야."

베아트리체가 고개를 끄덕였다. 힐라리아의 말이 맞다. 황성이라는 거대한 건물에서 결국은 어느 한 '가족'이 거주하고 있는 것이다. 황제와 황후, 그들의 아이들. 평민들이나 귀족들이나 똑같다. 그들도 부모가 가진 것을 물려받고 가문을 이끌어갈 사람을 필요로 한다.

하지만 황성에서 산다는 이유로 그들은 특별한 취급을 받고 괴물이 되어 간다. 황태후가 입궁해서 그랬듯이 말이다. 괴물이 되지 않고서는 살 수 없게 만든다. 지금만 해도 힐라리아와 베아트리체는 가족의 의 따위는 저버리고 서로를 향해 칼을 겨눈 자들이 되어 있었다.

권력을 탐하고 그것을 차지하기 위해서 가족을 향해 얼마든지 칼을 겨눌 수 있는 파렴치한으로 변모한 것이다. 황태후가 변한 과정도 다르지 않았을 것이다. 말에는 힘이 있어서 때로는 그 말이 사람을 변화시키기도 한다. 지금 힐라리아와 베아트리체에게 사람들이 저지르는 짓처럼.

'너희 정말 친한 거 맞아? 가족 맞느냐고. 생각해봐. 서로를 물어뜯으면 얻을 수 있는 것들을 말이야.'

앞으로도 그럴 것이다. 두 사람이 서로의 행사에 불참하는 기색만 엿보여도 불화설이 불거질 것이며 수도 없이 의심할 것이다. 종내 정말로 그 말들이 사실로 변질될 때까지. 환멸스러우나 그것이 인간의 흥미위주 특성인 것을 어쩌겠나. 힐라리아 또한 그들과 똑같은 인간이었다.

다만, 힐라리아는 그런 인간들의 특성을 이용할 줄 알았다. 게다가 힐라리아는 이렇게 자극적인 기사들을 뽑아내며 흥미를 끌어들이는 여론의 목줄을 틀어쥘 수 있는 힘과 능력이 있었다. 그들은 힐라리아를 너무 우습게 보고 있었다. 여태까지 다른 이들이 그러했듯이 여론의 힘에 놀아날 것이라고 믿고 되는대로 지껄인다. 힐라리아가 설핏 웃었다.

"간담회를 열어야겠어."

"뭐, 뭐? 누구를 초대하려고?"

"기자들을 초대해야지 누굴 초대하겠어. 그들을 불러들여. 내가 아주 즐거운 이야기를 할 것 같거든."

"……여론을 탄압하는 건 안 돼."

"물론 당연하지. 나는 여론을 존중하는 사람이야."

절대 아닌 것 같은데.

베아트리체가 의심스러운 눈으로 힐라리아를 위, 아래로 훑어보았다.

"그럼?"

"그렇다고 내가 휘둘릴 순 없잖아? 나는 그들의 눈치를 보면서 행동하긴 싫어. 나는 해야 할 게 많은 사람이거든. 이럴 땐 머리를 써야지."

힐라리아가 자신의 머리를 톡톡 쳤다.

"……나도 똑같이 머리를 굴리고 있는데 네가 하는 말은 왜 이해 못 하겠니? 알았어. 간담회는 언제가 좋을까?"

힐라리아가 비죽이 입술을 끌어 올렸다. 베아트리체와 케이티가 심술이 덕지덕지 붙었다고 평가하는 표정이었다. 뭔가 사람 간담 서늘하게 하는?

"대체 또 무슨 말을 하려고 그래? 가뜩이나 네가 국혼을 무슨 티파티 하듯이 잡아서 골이 아파 죽겠는데!"

베아트리체가 앙증맞게 주먹을 꾹 쥐고는 외쳤다.

"오늘 저녁 어때?"

"뭐? 뭘래! 국혼을?"

무려 국혼이다. 그것도 황제의 국혼을 어쩜 저렇게 이용해먹을 도구 정도로 생각하는지! 힐라리아와 에벤에셀 사이에 정말로 로맨스와 낭만, 사랑 같은 것이 존재한다는 사실이 신기할 따름이다. 그리고 에벤에셀은 대체 왜 저런 힐라리아를 그냥 두는 거지? 아니. 똑같은 사람들끼리 만난 건가?

그래, 네 마음대로 해라! 오늘 저녁에 하면 그게 국혼이니? 말 그대로 티파티지! 베아트리체가 소리를 지르려고 입을 열려고 할 때였다.

"내가 설마 국혼을 그렇게 가벼운 마음가짐으로 치를까."

"그래서 이 주야?"

힐라리아가 화사한 미소를 지었다. 그게 왠지 모르게 독을 품은 장미처럼 느껴지는 이유를 모르겠다.

"내가 오늘 저녁에 하고 싶은 건 간담회야. 여태까지 그들이 멋대로 떠들어 댈 수 있도록 뒀잖아."

힐라리아가 테이블 위를 손가락으로 툭툭 두드렸다.

"하지만, 계속 이런 식으로 둘 순 없지. 언론이 자유를 잃어버리는 것도 문제지만, 이렇게 황실을 장난감처럼 다루는 것도 문제거든? 이건 거의 적 같잖아."

왜 욕같이 들리는 건지. 그건 힐라리아의 표정이 사납게 일렁이고 있었기 때문이었다. 사실 힐라리아의 말이 맞았다. 언론은 영웅 힐라리아의 인간적인 면모를 대두한다고 떠들어 대면서 한편 그녀를 깎아내리려 노력하고 있었다. 이건 황실이 너무 독보적인 인기와 힘을 가지게 되면 언론이 힘을 잃기 때문에, 여론을 만들어내는 언론들이 담합하여 일을 벌이는 거였다.

베아트리체가 힐라리아의 눈치를 살폈다.

"그래서 어떻게 하려고?"

"적당한 선에서 타협해야지. 지금은 저들도 황실의 편을 들어줘야 할 때야. 신전마저 우리를 지지하고 있다고. 전쟁은 이제야 끝났고 오스발트와 사리프, 오이겐을 성공적으로 흡수해야 하지. 한데 언론이 자유를 믿고 이렇게 까불어대면 어떻게 될까?"

"……"

"사람들은 의문을 가지게 될 거야. 힐라리아 기네비어가 정말로 영웅인가. 기네비어의 정령술사들은 정말 위험하지 않은가. 윈프리드와 기네비어가 반목하는 것은 아닌가. 또 다른 내전의 가능성은? 그것을 막기 위해 차라리 기네비어의 문을 다시 닫는 건 어떤가."

힐라리아의 목소리에 서늘한 적의가 서렸다. 애초에 신문들을 모아놓고 유심히 보고 있을 때부터 알아차려야 했다. 힐라리아는 지금 아주 화가 난 상태였다.

"베아트리체. 지금 당장 저들을 불러모아. 황실에서 힐라리아 기네비어가 간담회를 주최한다고 전해. 참석여부는 자유지만, 그로 인해 따르는 불이익은 책임지지 않는다고 말이야."

힐라리아의 미소가 붉다. 베아트리체가 눈을 질끈 감았다. 건드리지 않으면 물지 않는 애를 왜들 이렇게 자극하는 걸까? 이해가 가질 않는다.

***

힐라리아가 말한 불이익을 두려워한 언론사 사람들은 전부 황성으로 향했다. 그들은 저녁시간의 자유를 박탈당한 것에 대해 심히 유감인 듯했으나 그들이 쓴 기사가 있어 아무 말도 못 하고 서로의 눈치만 보고 있었다. 그런데 다행히도 간담회 장소는 그리 딱딱하고 긴장된 분위기는 아니었다. 오히려 티파티가 열릴 것 같달까? 밖이 훤히 보이는 유리온실의 내부는 따뜻하고 낭만적이기까지 했다.

"대체 무슨 말을 하려고 이 시간에 불러모은 걸까요?"

"불이익이라니. 나는 절대로 가만히 있지 않을 겁니다. 황실에서 불합리한 압력을 행사한다면 말이지요."

"그건 나도 마찬가지입니다. 나는 언론의 자유는 존중되어야 한다고 생각해요."

"이건 절대로 뜻을 꺾을 수 없는 문제입니다."

웅성웅성 서로 목소리를 높이기 시작할 때, 온실의 문이 열렸다. 그동안 말로만 들었던 대단한 힐라리아가 들어왔다. 단발의 붉은 머리카락이 저녁임에도 선연하게 눈에 띄었다. 마치 활활 타오르는 것처럼 보였다. 그 뒤를 베아트리체가 따르고 있었다. 그 외에도 지금 언론들이 눈에 불을 켜고 지켜보고 있는 제이나 로마노프와 실로테 클라리넷, 심지어 라리나 윈프리드도 한 자리에 모여 있었다.

'세상에!'

그들은 힐라리아가 말한 불이익이 무엇인지 바로 알아차렸다. 이런 자리에서 오간 이야기를 듣지 못하고 기사를 내지 못한다면 그들은 그대로 도태

될 것이다. 오늘 연락을 받고 참석 여부를 고민했던 과거의 자신을 정신 차리도록 때려줘야 한다. 기자들의 눈빛이 먹이를 앞둔 짐승처럼 번뜩였다.

"이렇게……."

힐라리아가 느른한 미소를 지었다. 그건 세상을 발아래 둔 맹수의 미소였다.

"제 갑작스러운 요청에 응해주신 여러분께 감사의 인사를 먼저 드리고 싶군요. 이 자리에 와 주셔서 감사합니다."

"아닙니다. 초대해주셔서 감사합니다."

가장 연륜 있는 기자가 대표로 인사했다. 힐라리아와 그녀의 일행이 좌정했다. 그들끼리 앉은 테이블은 마치 침범할 수 없는 성역 같았다. 그러나 기를 써서라도 발을 들이고 싶은. 각 가문의 유력자가 한 자리에 모여 있는 것 아니던가. 모두가 궁금해하고 있었다.

제이나 로마노프가 황비 자리에서 폐비당하고 힐라리아의 기사로 서약하는 자리에서 어떤 압력은 없었는지. 또한, 실로테 클라리넷이 감금당하고 황비 자리에서 급작스럽게 물러나는 과정에서 갈등은 없었는지. 라리나 윈프리드는 시벨로프의 멸문 이후로 황적에 입적되었는데 그게 어떻게 된 일인지. 베아트리체 제너시스가 기네비어의 공왕비로 천거된 사연은 무엇인지!

한창 윈프리드를 달구고 있는 이슈들 아니던가. 그중 하나만 기사로 써도 하루치 매출이 한 달 매출은 될 것인데 지금 그 모든 게 한 자리에 모여 있었다.

"자, 그러면 이야기를 나누기 전에 제가 할 이야기가 있답니다."

힐라리아가 찻잔을 들었다. 그 행동이 지독하게 느리게 느껴지는 건 배를 곯은 아이처럼 이 상황이 견디기 힘들 정도로 먹음직스러워서일 것이다. 힐라리아가 눈을 곱게 접었다. 푸른 눈이 그들을 매혹시킬 것처럼 청명하게 빛나고 있었다. 그 안에 일렁이는 풍부한 감정들과 빛들이 아름답다.

"요새 써주신 기사는 정말 재미있게 읽고 있답니다. 하지만, 걱정하지 않으셔도 될 듯합니다. 베아트리체 제너시스를 공왕비로 천거한 것이 바로 저거든요. 그러니 윈프리드와 기네비어 사이에 생길 불화에 대해서는 더 이상 기사로 보고 싶지 않습니다."

"하지만, 부부 사이도 틀어집니다. 언제든 틀어질 수 있는⋯⋯."

힐라리아가 손을 들어 올렸다.

"언론은 완벽한 진실만을 전해야 한다고 알고 있습니다만. 지금 그것이 진실인가요? 아니면 추측인가요?"

가만히 있으면 중간이라도 가지. 실로테가 고개를 내저었다. 안 그래도 요새 언론이 움직이는 게 영 불안해 보였는데 기어이 힐라리아가 나섰다. 오늘 힐라리아의 초대를 받고 나서 어찌나 불안하던지. 다행히 힐라리아의 위험한 초대에 제국의 언론들은 전부 응했다.

"⋯⋯추측입니다."

"그러면 그건 그대들의 실수가 맞군요. 그렇지요?"

수긍할 수밖에 없는 말이었다.

"나는 지금부터 제안을 할 겁니다. 이걸 받아들일지는 그대들이 결정할 몫이지요."

힐라리아가 나긋한 손길로 턱을 괴었다. 고개를 기울이는 폼에 여유가 흘러 넘쳤다. 기자들은 힐라리아 기네비어가 절대로 만만치 않다는 사실을 알아차렸다. 여태껏 그들이 손에 두고 주물러왔던 귀족들이나 황족들과는 전혀 달랐다. 언론의 눈치를 보거나 탄압하여 불이익을 주거나. 하지만, 이번엔 왠지 반대일 것 같달까.

"제안은 간단합니다. 나는 그대들의 자유를 존중합니다. 하지만, 자유가 방종이 되어서는 안 되지요. 특히 지금 같은 시국에 말입니다. 하여, 나는 그대들이 완벽한 진실만 전달할 수 있도록 달에 한 번씩 이런 간담회를 개최할까 합니다."

"⋯⋯."

"그 자리엔 이들을 비롯한 제국의 권력자들이 참석하게 될 겁니다."

"그걸 어찌 장담하시나요?"

"그럼, 대체 누가 내 초대를 거부할까요? 그대들도 전부 이 자리에 있는 것을."

오만하지만, 반박할 수 없는 말이었다.

"그대들은 앞으로 추측이 아닌 사실만 전달하시면 됩니다. 만약, 이를 받아들이지 못하겠다 하시는 분들은 얼마든지 이 자리를 나가십시오."

힐라리아가 생긋 웃었다.

"하지만, 그로 인해 생길 불이익에 대해서는 나는 책임지지 않겠습니다. 다시는 이런 자리에 초대하지도 않을 생각이고요."

자유는 여전히 언론의 몫이었다. 선택 또한.

하지만, 고를 수 있는 선택지는 단 하나뿐이었다.

＊＊

힐라리아의 기사가 된다는 것. 어느 위급 상황에서도 대처할 줄 알아야 한다는 것. 가장 조심해야 할 것은 힐라리아의 돌발 행동이다. 그녀는 필요하다 싶으면 스스로를 위험 속에 던져 넣을 사람이었으니까.

제이나는 그런 상황에 대비하기 위해 순발력 훈련 중이었다. 골리엇은 제이나의 곁에 잔류하는 것을 선택했지만, 지금은 잠시 로마노프 령에 내려가 있었다.

지금 제이나의 훈련을 도와주고 있는 것은 위베르였다. 기어이 힐라리아를 쫓아 올라온 위베르다. 그와 기네비어의 기사들이 도착한 것은 어젯밤이었다. 힐라리아 곁에 누구라도 있어야 한다고 공왕비의 허락을 맡고 왔단다.

"그렇게 검을 쓰면 안 돼. 좀 더 가벼워야 한다고요."

위베르가 답답하다는 듯이 말했다. 로마노프와 기네비어의 검법이 많이 다름에도 불구하고 기네비어의 검법도 배우기로 한 것은 제이나의 선택이었다. 조금이라도 더 발전하기 위해서. 기네비어는 의외로 로마노프보다 좀 더 가볍고 빠른 검법을 구사했다. 하지만, 중요한 건 위베르가 남을 가르치는 데 그다지 능력이 없다는 것이다.

"위베르 경. 정말로 가르치는 데에는 재능이 없으신 듯합니다."

결국 참다못한 제이나가 한숨을 내쉬었다. 위베르가 퉁명스럽게 말했다.

"제가 원래 그렇습니다. 조금만 참으세요."

사실 위베르는 이전에 제이나와 말다툼을 한 이후로 그녀가 조금 어려웠다. 위베르보다 훨씬 더 힐라리아에 대해서 잘 아는 것 같았던 제이나. 그녀가 위베르에게 쏘아붙이던 목소리가 귓가에 쟁쟁한 듯했다.

위베르는 힐라리아처럼 강단 있고 거침없는 자들에게 약했다. 여동생에게 약한 것처럼 말이다. 그래서 제이나 앞에서는 주눅 들게 된다. 제이나가 덩치에 맞지 않게 우물쭈물하는 위베르에게 말했다.

"위베르 경. 식사하셨어요?"

"아직입니다."

"그럼 식사나 같이 하시죠. 저도 아직 식사 전이라서요."

위베르와 조금 분위기를 풀어보기 위해서라도 뭔가 대화를 나눠봐야겠다. 위베르가 황성에 잔류하기로 마음먹었다면 쭉 부딪히게 될 텐데 계속해서 데면데면할 수는 없지 않나. 게다가 위베르를 완전히 외면할 수도 없는 게 그는 힐라리아를 닮았다. 눈매라든가, 분위기라든가. 제이나가 곧은 시선으로 위베르를 응시했다. 망설이던 위베르가 고개를 끄덕였다.

"좋습니다."

제이나가 자리를 정리했다.

***

결혼식을 준비하는 건 꽤 고된 일임에도 불구하고 황성 사람들은 번갯불에 콩 구워 먹듯이 진행하고 있었다. 무려 구국영웅 힐라리아와 황제의 혼인이다. 사람들의 온갖 이목이 쏠려 있었다. 그게 힐라리아를 두고 다른 사람들이 발을 동동대는 이유였다. 베아트리체도 그 사람들 중에 한 명이었다.

"웨딩드레스를 중간 점검해야 하는데. 입어볼 수 있겠어?"

힐라리아가 어깨를 으쓱했다. 베아트리체는 힐라리아의 웨딩드레스에 온갖 심혈을 기울이고 있었다. 힐라리아가 일생에 한 번 입을 웨딩드레스다. 모든 수식어를 가져다 붙여도 아깝지 않을만한 드레스를 입혀주고 싶었다.

그건 모두의 의견이었다. 베아트리체의 손짓에 드레스 가봉을 맡은 이들이 몰려 들어왔다. 원래라면 힐라리아의 보좌관 시녀가 해야 할 일이었지만, 아직은 마땅한 자가 없어 베아트리체와 실로테가 도맡아 진행하는 중이었다.

물론 훗날엔 실로테가 홀로 해야 할 일이기도 했다. 실로테는 지금 결혼식에 사용될 커튼과 카펫 같은 것들을 고르고 결혼식장을 꾸미고 있었다. 워낙 감각 있는 사람이니 누구도 실망시키지 않을 것이다. 힐라리아가 드레스를 입은 모습을 보며 베아트리체가 꼼꼼히 확인했다.

"살이 좀 찐 것 같다. 다행이네. 허리는 좀 늘려야겠어요."

"네."

"살이 찐 게 다행이야?"

힐라리아가 비죽이 웃었다. 신부가 살이 쪄서 드레스를 수정하게 생겼는데 다행이라니.

"……너 아프고 나서 살이 너무 빠졌어. 이 정도 늘려서 가봉하시죠. 그때까지 이 정도는 찌겠지."

"나 살찌우는 게 목표야?"

"응. 딱 이 정도만."

베아트리체가 검지와 엄지 사이를 살짝 벌려 보였다.

"그나저나. 위베르가 왔다며?"

"응. 뭘 그렇게들 유난인지."

"네가 그렇게 만든 거지."

베아트리체가 일침을 가하고는 힐라리아의 자태를 살폈다. 속상하게 이전보다 마르긴 정말 많이 말랐다. 마치 부러질 것 같은 힐라리아의 손목을 만지작거리며 베아트리체가 한숨을 내쉬었다.

"아프지 좀 말고. 응?"

곧 있으면 힐라리아의 곁을 떠나야 한다는 사실이 베아트리체를 서글프게 했다. 차라리 옆에 있으면 바로 살필 수 있어서 괜찮은데 기네비어로 떠나고 나면 그것조차 할 수 없게 된다. 베아트리체에게 힐라리아는 물가에 내놓은 어린아이 같았다.

"위험한 일은 지양하고."

베아트리체가 힐라리아를 만날 때마다 하는 말들이었다. 힐라리아를 두고 떠날 것이 너무 걱정된다. 그녀가 옆에서 챙겨줘야 하는데…….

"힐라리아……. 나 걱정돼서 죽을 것 같아."

코를 훌쩍이며 베아트리체가 힐라리아의 손을 잡았다.

"얘가 왜 이래?"

"네가 자꾸 이상한 짓을 하니까……. 아니야. 또 그런 일이 있겠어?"

베아트리체가 고개를 내저었다. 기네비어와 윈프리드가 제 할 일만 잘한다면 힐라리아가 또다시 위험을 자처하는 일은 없을 것이다.

그래, 그렇기만 한다면.

"왜 이렇게 감상적이야?"

"네가 결혼한다니까……. 몰라, 이상해. 이상하게 울적해. 널 두고 혼자 기네비어로 가는 것도 이상하고 네가 여기에 혼자 남는 것도 이상해. 나와 네 자리가 바뀌는 것 같잖아."

"뭘 그렇게 걱정이야. 기네비어와 윈프리드가 먼 것도 아니고."

"아프지 마……. 약속해."

"알았다니까?"

힐라리아가 베아트리체의 머리를 쓰다듬었다.

"베베, 너는 너무 잔걱정이 많아. 전에는 괜찮더니."

"요새 이상하다니까. 그런데 드레스가 결혼식 날까지 완성될까요? 아직 기본 가봉밖에 끝나지 않았는데."

"가능합니다, 베아트리체 님. 이미 재료도 다 구비해두었구요. 이제 작업만 착수하면 됩니다. 일주일 밤새우면 어찌어찌 되지 않을까요?"

황실 재단사가 가볍게 대답하고는 고개를 조아렸다.

"작업이 바빠 이만 물러가겠습니다."

"수고해요."

힐라리아가 슬쩍 웃으며 손을 흔들었다.

"그나저나 프로이턴에서 새로운 후계자를 제대로 공표했다며? 메일린 프로이턴이 책봉식을 치렀다더라."

"그랬지. 그 덕에 다른 후계자들은 전부 쫓겨났어. 메일린이 내가 준 선물을 아주 적절하게 이용했거든."

"어후. 그 사람도 보통은 아니야. 자기 핏줄들을 그렇게 한 번에 쳐내고 말이야."

"메일린은 야심가거든. 그 자리를 위해서 타국까지 와서 무기밀매를 주도할 정도로."

"결국 목표를 이뤄냈고. 갑자기 그런 생각이 드네. 메일린 황녀가 윈프리드에 태어나지 않은 게 다행이라는 생각."

"왜?"

"너하고 좋은 친구보단 라이벌이 됐을 것 같거든."

안 그래도 메일린은 힐라리아가 다녀온 미래에서 윈프리드의 황후가 되었던 사람이었다. 그녀가 만약 이번에도 황제가 되지 못했더라면, 그래서 윈프리드에 잔류했더라면…….

'어떤 선택을 했을지 모르지.'

물론 메일린이 무슨 선택을 하든지 간에 힐라리아가 자신이 선택한 자리를 내어놓을 리는 없었지만. 메일린은 황제가 될 것이고 윈프리드는 당분간 단단한 우방을 얻었다. 프로이턴이 메일린의 손아귀에 떨어졌으니 말이다. 메일린은 힐라리아를 잡은 손을 놓지 못한다. 그녀에게는 우방이 오직 힐라리아 하나뿐이었으므로.

'당신이 미워요.'

떠나기 직전 눈물 젖은 눈으로 중얼거리던 메일린이 떠오른다.

'차라리 프로이턴으로 갈래요, 힐라리아? 당신을 지켜줄게요. 아무것도 안 하고 가만히 있어도 될 정도로 해줄게.'

'거절하겠어요.'

'……아쉽네요. 그대가 말했듯이 내게 친구는 힐라리아 하나뿐이고 그대는 나의 강력한 지지자죠. 목적이 있다고 해도 말이에요. 게다가 나는 그런 투명한 관계가 더 오래 간다고 생각해요. 그러니 힐라리아가 프로이턴으로 와준다면 정말 좋을 것 같은데.'

'설득하려고 노력하지 말아요. 아무리 해도 나는 넘어가지 않을 거니까.'

'어째서?'

'나는 윈프리드를 사랑하거든요. 물론 에벤에셀도. 그 사람은 나 없이는 살지 못한대요. 하지만, 메일린 황녀는 아니잖아요?'

'황제는…….'

'지금쯤 나만 기다리고 있을 거예요.'

몇 번의 거절 끝에 메일린도 힐라리아를 포기했다. 그러곤 모든 사업체를 힐라리아에게 넘겼다. 무기 사업 일체를 말이다. 고틀리프로부터 수입하던 경로를 힐라리아에게 공개하고 루트를 전부 알려주었다. 그뿐만 아니라 메일린과 거래했던 사람들까지 전부 말이다. 메일린은 힐라리아에게 그들을 '팔아넘긴' 것이다. 조금의 죄책감도 없이. 그런 면에선 힐라리아와 참 잘 맞는다.

"어쩌면 그럴지도."

의자에 기대 앉아 있던 힐라리아가 차를 마셨다. 요새 특히나 힐라리아의 건강에 주의를 기울이고 있는 사용인들은 항상 몸에 좋은 차를 스틸로즈 궁에 준비해두었다. 밤이면 찾아오는 에벤에셀이 즐겨 마시는 차도 준비되어 있었다. 그러다 보니 매일 이렇게 각 시간마다 다른 차가 올라온다. 영양사의 지시대로 시간대 별로 몸에 좋은 차가 올라오는 것이다. 게다가…….

"이거 맛있네. 요새 올라오는 간식들이 다 맛있는 거 같아."

"이곳 사람들이 나를 살찌우기 위해 최선을 다하고 있는 중이거든. 고칼로리 식단으로 준비되어 있지."

"원래 고칼로리가 달고 맛있는 법이지. 이거 맛있……. 어우, 갑자기 속이……. 우욱……."

베아트리체가 허리를 숙였다. 머리를 짚은 베아트리체가 벌떡 일어섰다. 이전에는 잘만 먹었던 과자 냄새가 갑자기 역겹게 느껴졌다.

"왜 그래?"

"과자에서 이상한 냄새가 나……."

베아트리체가 테이블을 짚었다. 그러다가 재빨리 뒤로 물러선다. 힐라리아가 눈짓으로 테이블을 치우도록 했다. 최대한 멀리 물러서 있던 베아트리체가 그제야 자리로 다가왔다.

"왜 그러세요, 베아트리체 님?"

"모르겠어. 케이티, 소화제가 있을까?"

"체하신 건 아닌 것 같은데……. 의사를 불러올까요?"

힐라리아가 고개를 끄덕였다. 병은 키우는 것보다 빠르게 진단받고 치료하는 편이 낫다. 힐라리아가 그런 생각을 하고 있을 때 시녀들의 눈이 마주쳤다. 하지만 잠시 잠깐일 뿐, 이내 흩어졌다.

"실로테는 잘하고 있겠지?"

"그 애를 믿어. 뭘 시켰을 때 한 번도 제대로 못 해낸 적이 없는 사람이거든."

"네 곁엔 그런 사람들만 모여 있어서 정말 다행이야."

그렇게 일상적인 대화를 나누고 있을 때였다. 중간중간 에벤에셀이 보낸 시종이 오갔다. 힐라리아가 식사는 제대로 했는지, 약은 먹었는지, 차는 마셨는지 혹은 간식은 잘 먹는지, 드레스는 잘 입어 보았는지. 모든 것이 궁금한 듯했다. 힐라리아는 그때마다 성심성의껏 대답해주었다. 그렇지 않으면 잔뜩 겁먹은 에벤에셀이 업무를 내팽개치고 올지도 모르니 말이다.

"힐라리아."

그리고 그사이에 의사가 도착했다. 하루에 한 번, 매일같이 힐라리아를 진찰하는 의사였다. 그녀가 베아트리체를 진찰하다 잠시 뒤, 질문을 건넸다.

"몸은 어떠십니까? 요새 식사는 잘하고 계시는지요."

"음. 잘 먹을 땐 잘 먹고 못 먹을 땐 못 먹어요. 이상하게 피곤하긴 한 것 같은데 아무래도 무리를 한 건 사실이니까."

베아트리체가 성심성의껏 대답했다.

"그리고 한 가지 더. 혹, 월경은 하고 계십니까?"

힐라리아가 잔을 손에 쥔 채로 뻣뻣하게 굳었다. 삐걱이며 베아트리체를 돌아보는 눈이 경악에 차 있었다. 베아트리체가 별안간 새빨갛게 달아올랐다.

"그……. 어…….."

"베베?"

베아트리체가 눈을 굴리다가 한숨을 푹 내쉬었다.

"……하룻밤 만에 그게 가능한 일인가요?"

"불가능할 것도 없는 일입니다, 베아트리체 영애."

힐라리아가 입을 벌렸다. 어쩌면 가능성이 있을지도 모른다고 생각했었지만, 너무 빨랐다. 아기라니! 베아트리체가 네이선을 챙기는 건 아직까진 인도적이고 윤리적인 이유라고 생각했다. 본디 베아트리체는 잔정이 많고 타인을 챙기길 좋아하는 성품이었으니까. 한데, 그게 아니라면?

"……임신하셨습니다."

의사가 선고했다. 베아트리체가 어깨를 움츠리고는 눈을 질끈 감았다. 홍당무처럼 달아오른 얼굴이 힐라리아의 시야에 들어왔다.

대체 이게 무슨…….

"어느 틈에?"

베아트리체가 목을 가다듬었다.

"임신 초기시니 각별히 조심하시는 게 좋을 듯합니다. 보통 입덧이 올 시기는 아닌데……. 사람마다 다른 법이니까요."

"초기라면……."

"한 달 조금 안 되신 것 같습니다."

힐라리아가 황성으로 돌아온 지 한 달 조금 안 되었으니까…….

베아트리체가 고개를 홱하고 돌렸다.

"내 결혼이 아니라 네 결혼을 먼저 했어야 했나 봐."

"큼큼. 아, 아니야……. 아직 결혼할 생각은 없는걸."

"그건 또 무슨 소리야?"

힐라리아가 의아한 듯이 물었다.

"아직 우리는……."

베아트리체가 볼을 붉혔다.

"사귄다거나 하는 사이도 아닌데?"

"그럼?"

"그냥 어쩌다가 하룻밤 같이 보낸 사이……."

힐라리아가 머리를 짚었다. 그렇게 힐라리아에게 사고를 치면 안 된다,

위험은 피해 다녀라 떠들어 대더니. 오히려 대단한 사고를 친 쪽은 베아트리체였다.

"그럼 아이는 어떡할 건데?"

"이제 차차 고민해봐야지. 이렇게 될 거라고는 생각하지 못했으니까."

베아트리체가 헤헤, 웃었다. 황성에 오자마자 베아트리체가 한 일은 네이선을 데리고 저택으로 가는 일이었다. 사실 의도한 일이 아니다 보니 어쩌다 그렇게 되었는지는 모르겠다. 네이선과 술을 잔뜩 마셨다는 것과 우는 그를 달래준 기억이 마지막이었는데…… 일어나 보니 그런 것이지. 베아트리체가 방긋 웃으며 힐라리아를 돌아보았다.

"우리 어머니한테 말씀드릴 거야?"

"그러면. 모른 척할까?"

힐라리아가 어처구니없다는 듯이 말했다.

사실 생각해보면 힐라리아보다 더 대책 없는 사고를 치는 쪽은 베아트리체였다. 예전이나 지금이나…… 크리스티나가 알게 되면 기네비어에서 한 걸음에 달려올지도 모른다. 베아트리체의 등짝을 내리치며 외치겠지.

'내가 못 살아, 베아트리체!!!!'

***

의사는 베아트리체에게 초기 임산부가 조심해야 할 것들을 일러주고는 돌아갔다. 그가 떠나기 전에 베아트리체는 방 안에 있던 이들에게 비밀을 유지할 것을 철저하게 당부했다. 이어 베아트리체는 힐라리아의 주의를 돌리기 위해 노력했다. 지금 이 상황을 면피하기 위해서 말이다.

"……힐라리아, 그래서 그 무기사업은 어떻게 되는 건데? 고틀리프에서 밀수입하던 것 말이야. 그 루트를 알아낸 건 좋지만, 네가 불법을 저지를 수는 없잖아."

"세탁해야지."

"세탁?"

"불법을 합법으로 바꿔야지. 그 과정에서 통과해야 할 세관들이나 검사들이 많겠지만, 최대한 손실을 최소화할 수 있는 방법을 찾아보려고. 네가 그간 의상실로 벌어들인 돈을 이용해서 말이야."

"아하."

"애초에 윈프리드는 방산 사업 쪽이 약한 편이었어. 이번 기회에 그걸 보완하는 것도 나쁘지 않을 거라는 게 내 생각이야. 무기사업을 합법적으로 황실이 흡수하는 거지. 지금은 수입으로 시작하지만, 훗날에는 자체 생산이 가능하도록 말이야."

"제대로 지원하겠다는 거네?"

"방산 사업은 어느 시대에나 중요한 법이니까."

힐라리아가 어깨를 으쓱했다. 황태후가 남긴 어느 것 하나 버리지 않고 재활용할 생각이다. 당신은 고작 그렇게밖에 이용하지 못했던 것을 어떻게 적절하게 사용할 수 있는지 보여주기 위해서라도. 저승에서 땅을 치고 후회하기만을 바랄 뿐이다. 모두가 황태후의 상황에 처한다고 똑같은 행동을 하는 것은 아니다. 힐라리아도 황태후가 그간 겪은 일에 대해서 전부 전해들었다. 그녀에게 붙여둔 사람과 정령이 한둘이 아니었으니 당연한 일이었다.

하지만, 힐라리아는 여전히 그녀를 이해하지 못한다. 누군가의 강압이 있었더라도 자신의 소신을 지키는 건 힐라리아에게는 그리 어려운 일이 아니었으므로. 목숨을 던져서라도 자신이 믿는 소신이라면 밀어붙인다. 그게 여태까지 힐라리아가 살아온 방식이었다.

그래서 힐라리아는 스스로 증명해 나가기로 했다. 황태후의 선택이 잘못되었다는 것을, 평생에 걸쳐서 말이다. 이건 스스로의 불행으로 제국을 불행하게 만들었던 황태후에게 보이기 위함이기도 했지만, 스스로가 옳다는 걸 증명하기 위함이기도 했다. 라리나와 네이선을 위해서라도 말이다.

힐라리아가 입술을 끌어 올렸다. 윈프리드는 그간 세 왕국의 독립으로 인해 많이 약해진 상태였다. 게다가 기네비어와 알게 모르게 갈등을 겪고 있었으니 더욱더. 하지만, 이제 윈프리드는 완전한 나라로 거듭났다. 더 이상 내전은 없을 것이다. 오스발트와 사리프, 오이겐에는 에벤에셀과 상의 후에 기네비어의 기사들을 파견하기로 했다. 기네비어 또한 윈프리드로부터 독립한 나라였기 때문이었다.

스스로 윈프리드이기를 자처하고 윈프리드의 속국으로 머물고 있긴 하지만 엄연한 공국이었다. 그들이 윈프리드보다는 기네비어와 좀 더 유대감을 형성하기 좋을 거라는 게 두 사람의 판단이었다. 윈프리드는 더욱 강대해질 것이다. 그 누구도 넘보지 못하도록 말이다.

"언론에 윈프리드가 새롭게 시작하게 될 방산 사업에 대해서 잘 포장해서 흘려주면 좋겠어. 물론, 다음 달에 있을 정기 모임에서 말이야."

"그때까지 쓸만한 시나리오로 정리해볼게."

"그런데 말이야."

힐라리아가 텅 빈 찻잔을 훑어보던 시선을 불시에 들어 올렸다. 힐라리아의 시선이 베아트리체를 서늘하게 훑어보았다.

"그 전에. 대체 어떻게 된 일인지 하나부터 열까지 털어놓는 게 좋을 거야. 그래야 너는 내 입을 막을 수 있을 테니까 말이야."

틀렸다. 성공적으로 말을 돌렸다고 생각했는데 그렇지 않은 모양이었다. 베아트리체가 어색하게 웃으며 몸을 뺐다.

"그게 말이야……."

"물론, 네이선에게는 알릴 생각이겠지? 너 혼자 이런 일을 독단적으로 결정하진 않을 거라고 믿어, 베아트리체."

그 또한 말이지……. 베아트리체가 눈을 굴리다가 한숨을 쉬곤 고개를 끄덕였다. 힐라리아의 말이 틀리지 않았다는 걸 알고 있는 까닭이었다. 지금쯤 저택에서 소일거리를 하며 베아트리체를 기다리고 있을 네이선에게도 예의가 아니다.

'기억이나 할까.'

베아트리체는 기억하지 못하길 바랐다. 네이선과 베아트리체는 그 정도로 깊은 관계는 아니었고 어쩌다가 이어진 관계였다. 그런 불확실한 관계를 몸 한 번 섞었다고 진지하게 이어가기에는 위험하지 않을까? 베아트리체는 이런 면에서는 자신이 없었다. 하도 여러 인간 군상을 겪어와서일지도 모른다.

베아트리체는 기본적으로 인간을 불신했다. 힐라리아가 제도로 오기 전까지 진정한 친구가 한 명도 없었던 것도 그런 이유였다. 오히려 힐라리아보다 냉소적인 편이랄까.

"이야기는 하겠지만, 그 이후는 모르겠어."

"베베."

"네이선이 나쁜 사람이 아니라는 건 알아. 이용만 당한 불쌍한 이라는 것도 알고 있어. 하지만, 그게 네이선이 아이에게 좋은 아버지가 되어줄 거라는 증거가 되진 못하잖아."

베아트리체가 어깨를 으쓱했다. 힐라리아가 잠시간 베아트리체를 쳐다보다가 고개를 끄덕였다. 힐라리아가 나설 수 있는 건 여기까지다. 더 이상은 월권이었다. 그저 힐라리아가 이제부터 할 일은……

"널 닮았다면 귀여운 아이일거야. 딸일까, 아들일까? 어떤 옷이 어울리려나."

그런 귀여운 고민을 하는 것뿐이었다.

Chapter 17.
힐라리아가 포기한 것

베아트리체는 꽤 긴 시간 동안 힐라리아와 이야기를 나누었다. 그녀가 돌아간 것이 저녁 시간이 임박한 어스름한 때였으니. 그리고 그때부터는 에벤에셀과 힐라리아의 시간이었다. 힐라리아는 황성이라는 제한적인 공간을 재미있게 활용하는 수십 가지의 방법을 알고 있었다. 기네비어에서 그랬듯이 말이다.

정원에 때아닌 연기가 피어올랐다. 힐라리아가 화톳불을 올리고 그 위에 작물을 얹은 것이다. 구수하게 익어가는 고구마와 감자, 옥수수 같은 것들의 냄새가 텅 빈 위장을 자극했다. 꼬치에 끼워 굽고 있는 닭고기의 냄새도 말이다.

"오늘 베아트리체 영애와는 어떤 이야기를 나눈 겁니까? 오랜 시간 머물렀다가 돌아간 것으로 아는데."

"그리 중요한 이야기는 아니었습니다."

힐라리아가 생긋 웃었다. 솔로 서늘한 어깨를 감싸고는 의자 속에 몸을 파묻었다. 그리 안락하진 않지만, 나름 따뜻하고 포근했다.

"중요한 이야기를 나눈 것 같은 얼굴인데요."

에벤에셀이 힐라리아의 곁에 바짝 다가서며 물었다.

"대답 안 해줄 겁니까? 또 위험한 일을 모의한 건가요? 그도 아니면, 베아트리체 영애가 기네비어를 맡아주기 싫어졌다고 하던가요?"

"그런 게 아니에요."

힐라리아가 고개를 저었다.

"그런데 어째서 그런 얼굴을 합니까?"

"욕심이 생겨서요."

결국 힐라리아가 털어놓았다.

"바라지 않는다고 생각했던 것을 바라게 되어서 그렇습니다. 나는 내가 희생하기로 결심했을 때 사소한 욕심은 버렸다고 생각했습니다. 하지만, 그게 아니었어요."

힐라리아가 고개를 저었다.

"나도 그저 한낱 인간에 지나지 않았던 겁니다. 나도 여전히 사소한 것들을 바라고 있어요. 에벤에셀, 나는 그저 모른 척했을 뿐 그 어떤 것도 포기하지 않았던 거예요."

"힐라리아, 대체 무슨……."

힐라리아가 떨리는 손바닥에 얼굴을 묻었다. 간헐적인 떨림이 힐라리아의 어깨에 배어 있었다. 에벤에셀이 어쩔 줄 몰라 하며 힐라리아의 어깨를 끌어안았다. 소리 내 울지도 않는 속울음이었다. 눈물 한 방울 흘리지 않으면서 힐라리아는 울고 있었다.

"대체 왜……."

"에벤에셀. 사실 내가 황후가 되는 것도 과한 욕심인지 몰라요. 그대가 원한다면 언제든 후궁을 들여야만 하는 처지인 내가……."

"힐."

에벤에셀이 힐라리아를 강압적으로 불렀다. 그녀에게 한 번도 그런 식으로 대한 적 없었던 에벤에셀이다. 한데 떨고 있는 힐라리아의 고개를 강제로 들게 하는 손길은 거칠었다. 힐라리아의 턱을 쥔 손이 단단하다. 그 속에 녹아든 고집을 힐라리아도 고스란히 느낄 수 있을 정도로.

"그런 말, 다시는 하지 마. 나를 시험하는 거라면 더욱더."

에벤에셀의 푸른 눈이 어둠 속에서 짐승처럼 타올랐다.

새파란 빛을 발하는 눈동자는 은은한 분노를 내포하고 있었다.

"그런 게 아니야."

힐라리아가 바스라질 것 같은 목소리로 속삭였다. 어룽진 눈물이 힐라리아의 눈가를 촉촉이 적시고 있었다. 에벤에셀이 힐라리아의 눈을 뚫어지라 쳐다보았다. 오늘 잠시도 힐라리아의 행적을 놓친 일이 없었다. 베아트리체가 힐라리아를 고통스럽게 만들었을 리도 없다.

한순간도 낌새를 놓치지 않았는데 어째서. 에벤에셀이 힐라리아 주변에 쳐둔 거미줄은 그리 낙낙하지 않았다. 힐라리아를 촘촘히 옭아매고 있었다. 그의 광적인 집착과 음울한 불안을 아는 힐라리아가 묵인한 일이기도 했다. 에벤에셀이 초조한 마음으로 오늘 하루, 그녀의 행적을 더듬었다. 대체 어디서.

"……에벤에셀. 나는 아이를 가질 수 없는 몸이에요."

힐라리아가 바스러진 목소리로 속삭였다. 언젠가 망가진 인형처럼 바닥으로 쓰러지던 그때가 떠오른다. 에벤에셀의 행동이 굳었다. 힐라리아의 처연한 얼굴을 바라보는 에벤에셀의 얼굴이 망연했다.

"힐……."

"나는 아이를 가질 수 없어요. 그건 당신에게 치명적인 약점이 될 거야. 내가 그 사실을 숨기고 여기까지 온 것만 해도 대단한 죄라는 걸 알아요. 이건 제국의 안보를 뒤흔드는 일이죠."

힐라리아가 이 사실을 알게 된 건 그리 오래되지 않았다. 황성에 와서 쓰러지고 의사의 진단을 받았다. 어쩌면 아이를 가지기 힘들지도 모른다. '가질 수 없다'와 '힘들다'는 함의하고 있는 뜻이 많이 달랐지만, 힐라리아는 가질 수 없다고 못 박았다.

희망고문을 하는 건 힐라리아가 좋아하는 방식이 아니다. 한 번의 좌절은 딛고 일어서면 그만이지만, 연이은 좌절은 그게 힘들었다. 힐라리아는 스스로가 임신할 수 없다고 못 박았다. 힐라리아의 몸이 바스라질 것처럼 흔들렸다.

"나는……."

에벤에셀이 그녀의 말을 막았다.

"이상해. 신기하기도 한 것 같고."

에벤에셀의 푸른 눈은 짙은 남청빛으로 가라앉아 원색을 짐작할 수 없을 정도였다. 힐라리아가 에벤에셀을 마주 보았다. 조금도 예상하지 못한 반응이었다. 왜 놀라지 않지?

"……그대가 그런 걸 걱정할 거라곤 생각지도 못했어."

에벤에셀이 힐라리아의 뺨에 입술을 맞댔다. 다정한 위로가 섞인 몸짓이었다.

"그간 그대는 너무 많은 걸 해왔잖아. 그러니까 너무 결을 달리한달까."

에벤에셀의 입술이 힐라리아의 귓불에도 닿았다. 귓불을 살짝 머금었다 놓아주는 몸짓이 애틋하고 따뜻했다. 성감보다는 온기를 불러일으키는 행동이었다.

"나는 그런 건 아무런 상관도 없어, 힐. 나는 그대를 무사히 돌려받은 것만으로도 신께 감사하지. 그대를 닮은 아이. 물론 있으면 좋을 거야. 하지만, 그게 절대 전제는 되지 않아. 제국을 이어받을 이들은 많아."

에벤에셀의 손길이 힐라리아의 등을 쓸어내렸다.

"나라의 어린 인재들을 뽑아서 양자로 들이는 방법도 있지."

"에벤에셀……."

"걱정할 필요 없다는 소리야. 정말로."

모든 걸 포기할 수 있을 정도로 귀한 사람이었다. 힐라리아를 온전히 얻었다는 것만으로도 에벤에셀은 감사하고 또 감사했다. 그녀가 떠날까, 혹은 죽어버릴까 고민하고 불안하다. 하지만, 그런 걸로 고민해본 적은 없었다.

에벤에셀에게 힐라리아는 그만큼이었다.

"내게 중한 것은 하나뿐이거든."

힐라리아의 버석한 얼굴에 에벤에셀이 연신 입을 맞추었다. 그런 고민을 하고 있었다는 사실이, 정말 비열하게도, 사랑스러웠다. 힐라리아가 에벤에셀을 마음에 담고 있다는 증거였다. 그녀가 그런 사실을 뒤로하고 에벤에셀을 욕심냈다는 것은 힐라리아가 그를 사랑한다는 증거였다.

'제기랄.'

에벤에셀이 잇새로 욕설을 짓씹었다. 힐라리아가 심각하다는 걸 안다. 그녀의 고민에 충분히 동조하는 척해줄 수도 있다. 하지만. 에벤에셀이 참지 못하겠다는 듯이 힐라리아를 끌어안았다.

에벤에셀이 힐라리아의 목덜미에 입술을 비볐다. 분명한 뜻을 내포한 몸짓이었다. 이 질척한 애정이 사랑인지 혹은 다른 감정인지 모르겠다. 에벤에셀을 밑바닥부터 집어삼키고 있는 이 감정이 말이다. 그를 무너뜨리기도 하고 살게도 한다. 그가 가장 중요하게 여겼던 가치를 뒤바꾸기도 한다. 그럼에도 포기할 수 없는 달콤함이 분명 있었다.

"그게 어떻게 아무렇지도 않다고……."

힐라리아가 중얼거렸다. 제국에 있어서는 분명 중요한 가치였다. 에벤에셀이 황제로서 분명히 고려해야 할 일이었다. 제국의 미래가 달린 일이었으니. 하지만, 아무런 상관도 없다고 말한다. 에벤에셀이, 그런 성격이었던가?

그는 철두철미하다. 모든 상황을 재단하려고 하며 미래를 내다보며 움직인다. 그건 힐라리아와 톱니바퀴처럼 맞물리는 성향이었다. 그렇기에 누구보다 에벤에셀을 잘 알고 있다고 여겼다. 한데 상관없다고?

앞으로 걸어야 할 가시밭길이 이리 눈에 보이는데도, 괜찮다고?

힐라리아는 욕심이었다지만, 에벤에셀은…….

'아.'

그가 힐라리아에게 수도 없이 속삭였던 사랑일 것이다. 일견 지독하게까지 느껴지는 그 사랑. 힐라리아가 에벤에셀의 머리에 얼굴을 묻었다.

그는 어느 상황에서도 사랑을 말한다. 힐라리아의 고민조차도 아무렇지도 않게 만들어버린다. 그저 에벤에셀은 힐라리아가 그를 사랑하는 증거를 내보일 때마다 이렇게 그녀에게 발정하며 수도 없이 그녀를 요구한다. 에벤에셀은 힐라리아를 집어삼키고 싶은 것 같았다. 살갗이 조금이라도 떨어지는 걸 못 견디겠다는 듯이 굴었다.

"……힐, 그대가 나를 사랑한다는 걸 깨달을 때마다 미칠 것 같아."

에벤에셀이 힐라리아의 가슴골에 고개를 묻은 채로 웅얼거렸다.

"갈증이 나. 도저히 가시지 않아. 이 갈증이 말이야. 물을 마시고 나면 가셔야 하는 게 갈증인데 아무리 그대를 마셔도 가시질 않아."

에벤에셀이 힐라리아의 드레스 리본을 손가락에 감았다.

"나를 허락해, 힐라리아."

물론, 힐라리아는 에벤에셀을 거절하지 않았다. 매번 에벤에셀이 힐라리아를 원할 때마다, 그 이상으로 그녀 또한 그를 원했다. 그에게서 떨어지고 싶지 않다. 그저 에벤에셀을 끌어안고 이 밤을, 그리고 아침을 지새우고 싶은 적도 많았다. 에벤에셀과 함께라면 지루할 정도로 머리 아픈 현실도 모두 잊을 수 있었다. 꿈같은 나날을 반복하다 보면 결국엔 그녀도 그 꿈의 일부가 되지 않을까 생각한 적도 있다.

지금도 그럴 것이다. 이번에도 고루하고 지긋지긋한 이 상황을 잊어버릴 수 있겠지. 아이에 대한 것도, 후계에 대한 것도. 어쩌면 힐라리아에게 여태껏 가장 중요한 가치였던 제국에 대한 것도 말이다.

"망설이지 마, 에벤에셀."

힐라리아가 붉은 입술을 달싹였다. 달콤하게 감겨드는 입술과 그 사이로 전해지는 숨결이 마음에 스몄다. 맞물린 것은 입술뿐만이 아니었다. 마음도 함께 맞물렸다. 에벤에셀이 힐라리아를 집어삼켰다. 손가락에 감은 리본을 끌어 내리고 말캉한 등을 쓸어내렸다.

갈비뼈가 도드라지도록 마른 힐라리아가 안타깝다. 속이 상해 미칠 것 같다가도 이리도 예쁘게 안겨드는 걸 보면 모든 게 잊혀진다. 사락거리는 소리를 내던 얇은 홈드레스가 바닥에 떨어졌다. 발밑에 고인 드레스가 두 사람에게 짓밟혔다. 질척이며 문대지는 살덩이가 뜨겁다.

힐라리아가 에벤에셀의 셔츠를 끌어 내렸다. 제대로 단추를 푸르지도 못한 덕에 단추가 사방으로 튀었다. 힐라리아가 단단한 에벤에셀의 허리를 더듬었다. 맞닿은 살결에서 전해지는 온기에 마음의 추위마저 사라지는 듯했다. 에벤에셀이 힐라리아를 안아 올렸다. 갑작스러운 마찰로 힐라리아의 살결이 쓸려 붉은 자국이 남았다.

"……사랑한다고 말했던가?"

"오늘치는 아직이야."

힐라리아가 새초롬히 대답했다. 에벤에셀보다 시선이 높아진 힐라리아의 엉덩이가 난간에 닿았다. 벌거벗은 등이 서늘할 만도 했지만, 그저 뜨겁기만 했다. 에벤에셀이 힐라리아의 등을 손바닥으로 훑어 내렸다.

"말랐어."

에벤에셀이 사랑을 속삭이는 대신에 불만을 토해냈다.

"잘 먹고, 잘 자고, 잘 웃고. 응?"

에벤에셀이 어린아이를 달래듯 속삭였다. 대답을 종용하듯이 에벤에셀이 힐라리아를 올려다본다. 맞닿은 두 푸른 눈엔 진득한 늪처럼 깊고 다정한 햇살처럼 따뜻한 모순적인 사랑이 고여 있었다.

집착과 사랑. 그 양면적인 감정은 겨우 종이 한 장 차이밖에 되질 않는다. 지독하리만치 중독성이 강한 감정에 몸서리치다가도 이렇게 다정하니 빠져나오고 싶지 않다. 그대로 침잠해 저 깊은 곳으로 끌려 들어간다 해도 말이다. 에벤에셀을 이대로 먹어치우고 싶다. 그가 힐라리아를 보며 입맛을 다시듯이 그녀도 마찬가지였다.

에벤에셀을 마주하고 있으면 마음속 괴물이 입을 벌리고 그에게로 달려들 것만 같았다. 그를 텅 빈 가슴에 가득 담고 나면 허기가 가실까? 그를 향한 갈증이 조금은 사그라질까? 사람 미치게 만드는 이 감정이 말이다.

힐라리아가 허리를 수그려 속삭였다.

"……내가 어린앤가."

에벤에셀의 허리에 다리를 감아 끌어당기며 키스했다. 얽혀드는 더운 살덩이가 진저리쳐질 정도로 달고…… 힐라리아가 에벤에셀의 뒷목을 끌어당겼다. 좀 더 가까이 달라붙으라는 듯이. 에벤에셀이 힐라리아를 다시금 번쩍 안아들었다. 매미처럼 달라붙은 그녀를 안아든 채로 테라스 문을 열었다. 서늘한 힐라리아의 피부를 쓸어내리며 에벤에셀이 그 어깨에 입술을 맞붙였다. 그녀에게 숨결을 불어넣듯이 말이다.

"사랑해."

에벤에셀이 여상하게 속삭였다.

이제는 이 사랑이 일상이라 더 없이 덤덤하게. 힐라리아가 생긋 웃었다.

"나도 사랑해."

아무리 어두운 밤이라도 당신만 있으면 이겨낼 수 있을 것 같아. 힐라리아가 에벤에셀의 뺨을 쓸어내렸다. 앞에 펼쳐진 것이 가시밭길이라고 하더라도 감히 걸어갈 수 있을 것도 같아.

"나를 버리지 마."

당신이 없는 내 하루를 상상하는 건 끔찍하거든.

"나를 두고 다른 꿈을 꾸지 마."

내가 당신에게 줄 수 있는 게 없다 하더라도 당신은 나를 버려선 안 돼.

"나만 사랑해야 해."

수많은 말들이 녹아내렸다. 에벤에셀이 힐라리아에게 대답처럼 키스했다. 네가 원하는 건 무엇이든 해주겠다는 듯이 간절하고 애틋하게.

***

오스발트와 사리프, 오이겐에서 왕족들이 도착했다.

발코니에 기대서서 밖을 내다보던 힐라리아가 난간을 움켜쥐었다.

"올리비아는?"

"제 방에 있어."

실로테가 가볍게 대답했다. 곧 있으면 올리비아의 재판이 열린다. 이미 모든 건 준비되어 있었다. 첼로스테는 힐라리아가 명령한 대로 올리비아를 '마녀'라고 재단할만한 증거들을 착실히 모았고 그것을 어젯밤 힐라리아에게로 고스란히 가져왔다.

시나리오는 완벽했다. 힐라리아는 그것을 어젯밤 그녀를 찾아온 에벤에셀에게 발고했고 사안의 중대함을 인지한 황제는 이른 새벽부터 귀족 회의를 주관했다. 세 나라의 왕족들을 처벌하는 일로 인해 올리비아의 일이 묻히지 않게 하기 위함이었다. 게다가 나라를 음해한 올리비아와 나라를 위협한 세 나라의 왕족들이 맞물려 엄청난 반향을 불러일으킬 게 뻔했다.

힐라리아가 의도한 대로 말이다. 그녀의 푸른 눈이 날것처럼 빛났다. 휘어 올려지는 붉은 입술이 요사스럽다. 실로테가 힐라리아에게 겉옷을 건넸다.

"이제 가자. 올리비아가 곧 단두대에 오를 거야."

새벽 회의에서 올리비아는 사형을 언도받았다. 올리비아를 죽음으로 몰아넣었다는 죄책감? 그런 게 있을 리가 있나. 애초에 올리비아는 반역도였고 힐라리아는 그에 걸맞은 대우를 해주는 것뿐이다. 그 죽음을 말미암아 기네비어에 덧씌워졌던 마녀라는 오명을 벗겨내려 하고 있을 뿐이다.

그리고 결혼식이 있는 날. 에벤에셀은 기네비어에 대한 사과문을 공표할 것이다. 윈프리드의 황실이 직접 과거의 실책을 인정하고 사과한다. 이게 얼마나 큰 의미를 가지는 것인지. 힐라리아가 기네비어를 위해 해줄 수 있는 마지막 선물일지도 모른다.

힐라리아의 뒤로 수많이 이들이 따랐다. 실로테, 제이나, 그리고 베아트리체. 케이티와 첼로스테를 비롯한 시녀들과 하녀들까지. 처음 케이티와 단둘이 황성으로 들어왔던 것과는 다르게 말이다. 힐라리아가 입은 고귀한 흰 여우 망토가 바람에 휘날렸다. 그 속에 차려입은 금빛 드레스가 힐라리아에게 그림처럼 어우러진다. 조금의 흐트러짐도 없는 걸음걸이로 힐라리아가 빛 속으로 나아갔다. 단두대 밑에 모여 있던 사람들이 함성을 내질렀다.

"황후 마마!"

누가 먼저 시작이었는지는 모르겠다. 광장은 열망과 환호로 들썩이고 있었다. 단두대 쪽으로 몰려든 이들을 제지하는 기사들의 얼굴이 힘겨워 보인다. 위베르가 힐라리아에게 손을 내밀었다. 그녀를 단두대 위로 에스코트하기 위함이었다. 에벤에셀은 오늘 이 자리에 참석하지 않았다. 사람을 음해하고 사술을 행한 죄인의 처벌이 오로지 힐라리아의 몫으로 떨어진 것이다.

"힐라리아."

위베르의 눈동자에 온갖 감정이 넘실거린다.

"수고했어."

힐라리아가 고개를 끄덕였다. 어린 시절 힐라리아가 말했다.

'난 꼭 온 세상을 누빌 거야. 기네비어는 너무 좁아.'

'그게 가능하겠어? 기네비어의 왕족은 특히나 밖을 나가기 힘들어. 크리스티나 이모님을 봐. 나간 이후로는 못 돌아오시잖아.'

'문을 열 거야. 저 문을 활짝 열고 자유롭게 오갈 수 있게 할 거라고. 이게 뭐야. 우린 위대한 붉은 여왕의 핏줄인데 말이야.'

어린아이의 치기라고 생각했다. 어릴 적부터 사랑만 받고 자란 아이라 어려운 것을 몰라서 하는 소리라고. 하지만, 힐라리아가 장성해가는 모습을 보면서 위베르 또한 꿈을 꾸기 시작했다. 기네비어를 벗어나 저 먼 대륙으로 나아가는 꿈을 말이다. 위베르뿐이었을까. 형제들 모두가 작고 여린 힐라리아에게 자신의 미래를 내걸었다. 그녀라면 할 수 있을 거라는 묘한 기대감으로 말이다.

그리고 힐라리아는 호언장담했던 대로 해냈다. 기네비어의 문을 열고 그들에게 진정한 자유를 선물했다. 그 모든 감정이 전해졌을지는 모르겠다.

그저 힐라리아는 생긋 웃었다.

"고마워, 힐라리아."

위베르의 목소리에 진한 물기가 어렸다. 누군가의 죽음을 앞두고도 염치없게 기뻤다. 힐라리아가 단두대에 올랐다. 그녀의 이름을 연호하는 이들의 얼굴에는 희열이 가득하다. 저들은 기네비어에서 온 자들이 아니다. 윈프리드의 사람이었다. 그간 기네비어를 박해하고 핍박했던 이들.

힐라리아가 심호흡을 했다.

"기네비어의 공주, 힐라리아입니다."

"와아아아아악!"

"공주님!!!"

"황후 마마! 만만세!!"

심장을 두드리는 것 같은 함성이었다.

힐라리아는 그들이 잦아들기만을 기다렸다.

"그간 정령술사들은 말도 안 되는 오명을 써 왔습니다. 사람들을 저주해서 죽인다는 '마녀'라는 오명이지요. 하지만, 마녀는 따로 있었습니다."

힐라리아가 눈짓하자 시종장이 나섰다.

"죄인 올리비아를 앞으로!"

올리비아가 끌려 단두대 위로 올라왔다.

힐라리아가 서늘한 눈빛으로 그녀를 맞이했다. 두 손이 결박당한 올리비아는 악에 받쳐서는 힐라리아를 노려보고 있었다. 입이 틀어 막혀 있지 않았더라면 힐라리아에게 욕설을 내뱉었겠지. 평생 남을 음해하고 괴롭혀왔던 올리비아다. 상대적 약자의 자리에 스스로가 서게 될 줄은 상상도 못 했을 것이다. 힐라리아가 오만하게 그녀를 내려다보았다.

"죄인 올리비아는 힐라리아 기네비어를 마녀로 모함한 것으로도 모자라 사술을 행하였다."

올리비아가 고개를 내저었다. 힐라리아가 입술을 끌어 올렸다.

물론, 올리비아는 사술을 행하지 않았다. 그저 힐라리아가 한 것처럼 꾸미려 했을 뿐이다. 힐라리아는 받은 것을 그대로 돌려주었다. 첼로스테는 올리비아가 구한 부적들과 저주 술법들을 똑같이 복제해서 올리비아의 궁에 심었다. 그게 첼로스테가 올리비아의 궁에 여태까지 남아 있어야 했던 이유였다. 올리비아가 완벽한 '마녀'로 거듭나는 것을 돕기 위하여.

"게다가 힐라리아 기네비어의 소지품을 훔쳐 그녀를 음해하였다."

힐라리아가 입술을 길게 끌어 올렸다. 괜히 첼로스테가 힐라리아의 물건을 훔쳐 올리비아에게 내주었을까. 모두 지금 이 순간을 위한 각본에 지나지 않았다. 올리비아에게 힐라리아를 질투해 그녀를 내쫓았다는 인상을 더해주기 위해서. 힐라리아는 증좌를 탑처럼 차곡차곡 쌓아올렸다. 한순간에 무너져 그녀의 거름이 되어줄 올리비아를 기대하며.

"올리비아의 죄명은 끝이 없어 전부 언급하는 것도 무의미하다."

시종장을 향해 힐라리아가 고개를 끄덕였다.

스베인이 손에 들려 있던 양피지를 갈무리했다.

"하여, 윈프리드의 황제 에벤에셀 윈프리드의 이름으로 올리비아의 사형을 집행한다."

그 뒤에 길게 이어지는 말들은 바람처럼 스쳐 지나갔다. 사람들의 환호 소리와 맞물린 탓이었다. 힐라리아가 짐승처럼 웃으며 올리비아에게 다가갔다. 그녀에게로 허리를 수그린 힐라리아가 악마처럼 속삭였다.

"기분이 어때? 타인이 아닌 네 죽음을 앞둔 기분 말이야."

"우으으으읍!"

힐라리아가 손짓했다. 기사가 염려스러운 얼굴을 했지만, 올리비아의 재갈을 풀어주었다. 예상대로 악독한 욕설이 쏟아져 나왔다. 힐라리아를 저주하고 그녀의 죽음을 이야기하는 것들이었다. 하지만, 그러면 뭐하나.

"살아남는 건 나고 죽는 건 너일 텐데."

"이 악마 같은 년!! 죽어서도 너를 저주할 거야, 힐라리아! 네년이 죽인 사람들을 생각해! 그들이 끝까지 너를 놓아주지 않을 테니까!"

"걱정하지 않아도 돼, 올리비아. 나는 이전에도, 그리고 지금도 여전히 그들의 죽음을 기억하고 있으니까."

힐라리아가 매끄러운 목소리로 말했다.

"하지만, 밤을 지새우며 되씹어도 나는 내가 한 일들을 후회하지 않아."

힐라리아가 올리비아의 뺨을 쓸었다.

"나로 인해 죽은 이들보다 살아갈 이들이 더 많을 테니. 어리석은 올리비아. 내 손이 보여? 피로 붉게 물들어 있잖니. 여기에 하나 더해진다고 해서 무엇이 문제일까."

"……사람들이 눈이 멀어 너를 영웅이라 떠들어 대지만, 과연 역사도 그럴까? 너는 악녀고 살인자야."

올리비아가 이를 갈며 뇌까렸다. 조금이라도 힐라리아에게 상처를 주고 싶은 모양인데 틀렸다. 힐라리아는 그런 걸로 상처받지 않는다. 최악과 차악의 갈림길에서 그녀는 항상 차악의 길을 걸어왔다. 그것만으로도 힐라리아는 성공했다고 할 수 있었다. 아무도 죽지 않았잖은가. 힐라리아가 살리고자 했던 이들이 모두 살아 있지 않은가. 그럼 되었다.

악몽 같은 죄책감. 그녀의 손에 갈려 나가던 곤드레스의 단단한 뼈의 감촉. 손가락을 잔뜩 적시던 붉은 피의 비린내. 그 외에도 힐라리아가 천천히 죽음으로 몰아넣었던 이들의 비명 소리. 힐라리아의 오감에 오물처럼 눌어붙어 사라지지 않는 것들이었다.

"그럼 어때."

힐라리아가 고개를 갸웃했다.

"내 가치는 내가 결정해. 내가 나를 가치 있게 여긴다면 그런 거야. 내 선택이 내 마음에 흡족하다면 된 거라고. 나는 내 정의와 신념을 지켰고 너는 그러지 못한 것뿐이야. 올리비아. 패배자가 말이 많은 건 그리 보기에 좋지 않아."

그렇다. 힐라리아는 수많은 악의들로부터 살아남았다. 그러니 그녀의 악의는 선의가 되었고 정의가 되었다. 승리자인 것이다.

"조용히 죽어줘, 올리비아. 네 죽음은 나를 위한 반석이 될 테니 말이야."

"빌어먹을 년. 넌 절대로 편히 죽지 못할 거야!"

"내 죽음까지 네가 걱정해줄 필요는 없어."

힐라리아가 천천히 허리를 피곤 심호흡했다. 올리비아의 눈빛이 번뜩였다. 그것을 발견하지 못한 것은 힐라리아 또한 지금 이 순간에 고양되어 있었던 까닭이었다.

사람들은 힐라리아의 이름을 연호하고 올리비아를 마녀라고 매도하고 있었다. 사람들의 인식에 뿌리 깊게 박혀 있던 마녀의 정의가 새롭게 쓰이는 순간이었다. 마녀는 이능을 발휘하는 자들이 아니라, 타인을 저주하고 사술을 행하는 자들이 되었다. 힐라리아가 이 순간을 위해 얼마나 공을 들였던가. 그러니 알아차리지 못했다. 올리비아가 몸을 일으켰다. 족쇄에 묶인 발목이 틀어지는 것도 무시한 채로 말이다.

"죽어!!!!!"

올리비아가 손에 들린 나이프를 힐라리아를 향해 내질렀다. 나이프는 마지막 만찬의 부산물이었다. 힐라리아가 천천히 몸을 돌렸다.

왠지 그녀는 웃었던 것 같다.

"안 돼애!!!!"

누군가의 핏물이 단두대를 적셨다. 올리비아가 고개를 치켜들었다. 기대했던 힐라리아는 고개를 치켜들고 웃고 있었다. 그렇다면 누가?

올리비아가 나이프를 떨어뜨렸다. 바닥을 나뒹군 건…….

"일리?"

힐라리아가 여상한 목소리로 중얼거렸다. 놓아주었던 나비가 돌아와 주인을 살렸다. 힐라리아가 고요히 침잠한 눈으로 그를 응시했다. 헐떡이며 그녀를 향해 손을 내미는 일리를 말이다.

"제, 제가 주인님을 살렸어요……. 그렇죠?"

안타깝게도 그것은 힐라리아에게 그 어떤 감상도 주지 못했다. 힐라리아에게 일리는 여전히 기네비어와 윈프리드를 팔아먹고 수많은 죽음을 불러일으킨 원흉이었다. 다만, 힐라리아는 뻗어진 가녀린 손을 가볍게 쥐어주었을 뿐이다. 이것이 일리의 마지막이라면 이 정도 애도는 해줄 수 있었다.

짐승처럼 몸부림치던 올리비아가 단두대로 끌려갔다. 힐라리아를 기사들이 둘러쌌다. 힐라리아는 올리비아를 집어삼켰다. 집어삼키고 또 삼켜지는, 인생은 약육강식의 세계 아니던가. 힐라리아는 살아남은 것뿐이다.

***

올리비아의 죽음은 힐라리아의 의도대로 이용되었다. 누군가는 타인의 죽음마저 이용하는 힐라리아를 악녀라고 손가락질할지도 모른다. 힐라리아가 턱을 괸 채로 손가락으로 테이블을 톡톡 두드렸다.

내일이면 온갖 인사들이 황성으로 몰려들 것이다. 무려 오스발트와 오이겐, 사리프의 왕족들을 상대로 한 재판이 있는 날 아니던가. 에벤에셀 또한 그 일로 바빠 침실에도 오지 못하고 있었다. 그들은 죄인이었다.

'정확히 말하면 죄인의 후손이지.'

영주들이 윈프리드를 배반하고 황실을 향해 검을 겨누었던 사건 아니던가. 그들은 반역을 성공하진 못했지만, 각자의 영지를 독립시키는 데 성공했다. 당시의 북부엔 뛰어난 전사가 많았으므로 가능한 일이었다.

하지만, 그때의 영광은 이미 쇠락했다. 윈프리드로부터 독립한 세 왕국은 현실에 안주한 채로 점점 망가져갔다. 야만적이라고 불릴 정도로 뛰어났던 북부의 검술은 먼 역사 속에 묻혀버렸다.

그러니 이렇게 속수무책으로 무너지지. 윈프리드와 기네비어의 기사들이 세 왕국을 정복하는 데는 그리 긴 시간이 걸리지 않았다. 지키는 이들마저도 도망을 치는 마당에 민간인들이야. 게다가 그들은 지도자가 바뀌어도 별반 상관없는 이들이었다.

'왕이 될 그릇이 아니었던 거지.'

힐라리아가 무심한 표정으로 테이블 위를 덧그렸다. 와인잔에 맺힌 물방울이 테이블 위에 떨어졌다. 그 위를 손가락으로 휘저었다. 무심한 표정이 자신의 손가락을 따라 움직였다. 처음부터 이렇게 될 일이었던 것이다. 참 오래된 은원이다. 복수는 복수를 부르는 법이니 내일 그 치들은 아마도 목숨을 구명하지 못할 것이다.

사람들이 범하는 오류 중 가장 어처구니없는 것은 위정자들이 항상 자비로 워야 한다는 것이다. 하지만, 그들은 때로는 살인마나 악귀보다 더 잔인해지곤 한다. 그래야만이 이 제국이 유지될 테니까. 화근이 될 싹을 애초에 잘라내는 것이다. 사실 따지자면 황제만큼 살아 있는 동안 타인의 죽음을 사주한 자는 없다. 내일의 에벤에셀이 그렇듯이. 에벤에셀은 그 예쁜 입술을 벌려 명할 것이다.

'저들을 모두 죽여 효시하라. 윈프리드를 위협한 대가가 무엇인지 다른 이들에게 보이라.'

일종의 공포정치였다. 하지만, 선정만으로는 반발하는 귀족들을 억누르기 힘들다는 게 정설이니 어느 정도의 잔혹성은 필수적이다. 그러니 힐라리아 같은 존재가 필요해지는 것이다. 이런 감상에 젖는 것은 홀로 남은 탓도 있겠으나 올리비아의 발악이 귓전을 떠나질 않아서였다.

악귀처럼 눈을 부라리며 힐라리아를 노려보았다. 붉은 핏줄이 일어선 눈으로 게거품을 흘리며 힐라리아의 이름을 부르짖었다. 지독한 악의였다. 힐라리아가 테이블을 죽 하고 그어내렸다. 힐라리아도 사람이라 그런 말에 흔들리는 것인지 아까부터 쓸모없는 상념이 자꾸만 그녀를 찾아들었다.

'죽어 마땅한 이였어.'

죄책감을 느끼지 않는다고 해놓고. 힐라리아가 자조했다. 아직도 이렇게 약하면 어쩌자는 거야. 지옥에서 살아 돌아와 악마가 되기로 했으면 이런 건 각오했어야지. 힐라리아가 심호흡했다.

284

이래서 사람은 망각의 동물이라는 건가. 쓸모없는 애상감에 젖은 스스로가 썩 마음에 들지 않는다. 차라리 이렇게 시간을 보내는 것보단 움직이고 일을 하는 게 나았다. 힐라리아가 몸을 일으켰다. 아이를 갖지도 못하는 몸을 황후에 앉힌다는 데 그에 상응하는 대가를 치러야지.

'차라리 일을 하자.'

힐라리아가 그런 마음으로 숄을 어깨에 걸칠 때였다.

"힐라리아."

언제 들어와 있었는지 모를 에벤에셀이 그녀를 불렀다. 나지막하고 익숙한 목소리에 흔들리던 힐라리아의 마음이 쿵 하고 가라앉았다. 바닥을 드러내고 출렁이던 마음이 말라버렸다. 그 틈을 가득 메운 것은 에벤에셀이었다.

"왜 그런 표정을 해?"

피곤한 얼굴이었지만, 그는 분명 웃고 있었다. 힐라리아를 보는 눈은 피로함 가운데에서도 기쁨으로 반짝이고 있었다. 그와 동시에 힐라리아의 상념도 흩어져버렸다.

"당신 생각을 하고 있었지."

듣기 좋은 말을 속삭이며 힐라리아가 에벤에셀을 닮은 미소를 지었다. 이건 조건반사적인 일이다. 힐라리아만 보면 저리 꽃처럼 웃는 이를 두고 울상을 할 수는 없지 않은가. 에벤에셀이 힐라리아의 뒤로 다가와 그녀를 끌어안았다. 달콤하게 감겨드는 체온이 서로에겐 위로가 되었다.

"거짓말. 내 생각을 하면서 그런 표정을 할 리가 없잖아."

에벤에셀이 조급하게 속삭였다.

"다른 생각을 하는 건 아니지?"

"내가 할 다른 생각이 있어?"

에벤에셀이 숨을 죽였다. 바로 돌아오지 않는 대답이 이토록 그를 떨리게 만든다. 힐라리아라면 무엇이든 할 수 있는 사람이었다. 그게 설사 죽음에 이르는 일이라고 해도 말이다. 에벤에셀의 떨리는 동공을 마주하던 힐라리아가 불현듯 무언가 깨달은 듯 눈을 크게 떴다.

왜 그런 상념들이 힐라리아를 지배했는지 알아차린 것이다. 항상 한 몸처럼 같이 있던 에벤에셀이 없으니 그랬던 거다. 그 무료함을 채우려고 의식의 흐름을 따라가다 보니 굳이 하지 않아도 될 생각을 하고 죄책감을 가지게 되었던 것이지. 그렇다면 그런 틈을 주지 않으면 되는 거 아닌가?

에벤에셀 또한 마찬가지다. 그가 불안해하고 있다면 그녀가 곁에 없었던 시간 때문일 것이다. 그렇다면 에벤에셀에게 틈을 주지 않으면 된다.

'……연애하는 것 같잖아.'

여전히 처음 만난 것처럼 말이다. 서로가 곁에 없음을 견딜 수 없는 관계라니. 아직도 그런 풋풋함이 남아 있었다니. 힐라리아가 웃음을 터뜨렸다.

힐라리아가 말했다.

"평생 이렇게 살았으면 좋겠어요."

에벤에셀이 눈썹을 들썩였다. 이렇게 살고 싶다니.

"평생 서로가 없는 순간을 못 견뎌 하면서 사는 거지."

힐라리아가 달콤하게 속삭였다. 곱게 접힌 눈가에 웃음기가 가득 어렸다. 힐라리아가 진심으로 즐거워하고 있다는 사실에 에벤에셀이 어처구니없는 웃음을 지었다.

"당신은 그게 즐거워?"

"응. 풋풋하잖아. 그 내면이 그렇지 않다고 해도 말이야. 결국은 하나거든. 당신은 나 없이 못 살고, 나는 당신 없이 못 산다는 거."

힐라리아가 까르르 웃었다.

"내가 없으면 당신은 불안하고 당신이 없으면 나는 지루해. 이 삶이 너무 지루해서 끝없이 생각하게 돼. 내가 그동안 저질러온 수많은 일들을 말이야. 나는 사람인가 봐."

힐라리아가 중얼거렸다.

"그럼 당신이 사람이지, 아니라고 생각했단 말이야?"

"나는 내가 아주 나쁜 사람인 줄 알았거든. 대단한 악인이라 인간의 마음 따위는 없는 줄 알았어."

"그럴 리가 있나."

에벤에셀이 힐라리아를 마주 안았다.

그녀가 무슨 말을 하는지 알 것 같았다. 그녀는 지금 평생, 그리고 매순간 함께하자고 말하고 있는 거 아닌가? 서로가 없으면 안 된다고.

"그러니까…… 사랑해."

결론은 그거였다.

***

베아트리체에게도 밤이 찾아왔다.

비밀을 털어놓을 시간이 온 것이다. 미루다 보니 어느새 지금이라 오늘을 넘기지 않기로 마음먹었다. 베아트리체가 심호흡을 했다. 어떤 말을 해야 할지 머릿속이 정리가 되질 않는다. 이런 경우는 처음이라 그렇다. 책에서도 이럴 때 어떻게 대처해야 하는지 적혀 있지 않았다. 정답이 없는 일이다. 베아트리체가 주방에 들른 것도 그런 일환이었다. 정답이 없다.

'또 술을 먹여?'

지금 취해서 어쩌려고.

'차를……?'

차만 마시다가 아무 말도 못 할 것 같은데. 베아트리체가 주방을 불안하게 서성이는 걸 시녀들도 이상하게 응시했다. 분명 무슨 변고가 있는 듯한데 입을 꾹 다물고 말해주질 않는다. 원체 살가운 상관이 아니라는 건 알지만 말이다.

"……냉수 마시고 정신이나 차리자."

베아트리체가 찬물을 벌컥벌컥 마셨다. 쩽한 머리만큼 정신이 확 드는 것 같다. 베아트리체가 전투적인 기세로 걸음을 옮겼다.

"네이선은?"

"방에 계십니다."

그날 이후로 얼굴을 보기 힘들었던 네이선이다. 베아트리체가 망설이다가 방 앞에 섰다. 이럴 땐 왜 이렇게 걸음이 빠른 건지. 베아트리체가 방문을 두드렸다.

"네."

정갈한 대답이 들려왔다.

"나예요, 베아트리체."

성급한 대답만큼이나 성급하게 문이 활짝 열렸다. 네이선이 고개를 쭉 내밀었다. 베아트리체가 뒷걸음질 치다가 고개를 저었다. 두 사람의 이상한 기류를 시녀들도 알아차렸지만, 그들 앞에서 문이 굳게 닫혔다.

"……퇴근이나 할걸."

"영애가 기색이 이상하니 여태 있었던 거지."

"대체 무슨 일이람?"

"몰라. 두 분이서 연애라도 하시나."

그것보다 더한 일을 했다는 걸 그들은 조금도 짐작하지 못했다.

**

"그…… 잠시 시간 돼요?"

분명 오기 전에 주방에서 찬물을 들이켜고 왔는데 말이 제대로 나오질 않는다. 베아트리체가 몇 번이고 목을 가다듬었다. 어떡해. 네이선과는 아주 멀리 떨어져서 서로를 외면하고 있었다. 그날 있었던 사고가 두 사람을 어색하게 만든 것이다.

"무, 무, 무슨 일로……."

하필이면…… 베아트리체가 숨을 삼켰다. 그리고 보니 그런 사건이 있었던 곳이 바로 이곳인데 스스로 걸어 들어오다니.

'베아트리체 무슨 생각인 거야!'

스스로를 타박하며 베아트리체가 고개를 내저었다.

'차라리 네이선을 불러냈어야지!'

침대를 보니 머리가 빙글빙글 돌았다.

그날의 기억이 낯부끄러울 정도로 생생하게 떠오르고 있었다.

'이, 이쯤에서 옷을 벗었던 것……. 어머나, 베아트리체!!!'

으아아아아. 이래가지고 무슨 이야기를 하겠다고!

베아트리체가 뒷걸음질 쳤다.

"어, 어……. 다, 다음에……. 그래요. 다음에……."

그렇게 도망치려 하는 베아트리체를 네이선이 붙들었다.

"무, 무슨 일 있는 거예요? 할 말이 있는 것 같았는데……."

"아."

베아트리체가 고개를 돌렸다. 문고리를 잡았던 손에서 힘이 빠져나갔다. 막상 네이선의 얼굴을 보니 당황스러움과 어색함보다는 현실이 그녀를 에워쌌다. 네이선 또한 알 권리가 있는 사람이었다. 그 또한 이 일을 책임져야 할 사람이니까. 베아트리체가 한숨을 푹 쉬고는 몸을 돌렸다.

도망치지 마. 도망쳐서는 안 돼, 베아트리체. 그건 그녀에게 찾아온 이 아이를 외면하는 일이 될 것이다. 아이를 위해서도 해서는 안 되는 일이었다.

"할, 말이 있어요."

베아트리체가 용기를 내서 한 걸음 내디뎠다.

"무슨……."

네이선이 입술을 꾹 깨물었다. 그날 이후로 수도 없이 고민했다.

기억 못 하는 척도 했다가 기억하고 있다는 사실을 드러내기도 했다가. 다시는 술을 마시지 않겠다고 다짐하기도 했다. 네이선이 후회하는 것은 베아트리체와 그런 관계를 맺은 것이 아니다.

베아트리체는 그에게 과분한 사람이었고 누구든 사랑할 수밖에 없는 사람이었다. 네이선도 베아트리체가 내뿜은 빛에 홀린 전적이 있지 않았던가. 그게 사랑으로 변질된다고 해도 이상할 것이 없다.

다만, 그런 상황이었던 것을 후회한다. 진심이 통해 서로에게 끌린 관계가 아니라 술에 취해 어쩌다 보니 저질렀던 것을 후회한다. 베아트리체는 그런 대접을 받을 사람이 아니었으니까.

네이선이 맴돌았다. 그래서 사과를 해야 하는데 베아트리체만 보면 얼굴이 빨개지는 통에 하지 못했다. 지금도 그렇다. 얼굴에서 느껴지는 열기가 온몸으로 퍼져나가고 있었다. 네이선이 버벅거리는 입을 틀어막았다. 대체 왜 베아트리체 앞에만 서면 이런 얼간이가 되는 건지.

네이선이 한숨을 푹 내쉬었다. 그렇게 서로의 눈치만 보며 망설이던 두 사람 중에 먼저 입을 연 것은 베아트리체였다. 항상 그랬듯이 말이다.

"……그게, 중요하게 할 말이 있긴 해요."

베아트리체가 눈을 질끈 감았다가 떴다.

"이건 네이선도 반드시 알아야만 하는 일이에요."

"제가 반드시……."

베아트리체가 심호흡을 했다. 바짝 마른입을 혀로 훑고는 입을 열었다.

"내가……."

네이선이 숨을 죽였다.

"내가……. 아……."

"아……?"

네이선이 고개를 갸웃했다. 무슨 말을 하려는지 도저히 유추가 불가능한 말이었다. 그러다가 덜컥 마음이 내려앉았다.

'내쫓으려는 건가?'

애초에 네이선과는 그런 관계가 될 생각이 없었으니 나가 달라는 걸까?

그도 아니면 다른 사람이 생겼다는 말을 하려고.

'다른 사람은 무슨.'

애초에 네이선과 베아트리체는 연인도 뭣도 아닌 친구라는 애매한 경계에 서 있었으니 그냥 떠나면 그만이다. 하지만, 새로 생긴 연인이 네이선을 불편하게 생각할 수는 있다. 두 사람은 이미 선을 넘었으니까.

'그러니 나가 달라는 건가?'

베아트리체가 바란다면 순순히 나가야 한다. 네이선은 베아트리체에게 신세를 지고 있는 입장이었고 그녀는 저택의 주인이었으므로. 네이선의 심장이 불안함으로 떨렸다. 하지만, 베아트리체가 나가라고 한다고 해도…….

'나가기 싫어.'

그게 본심이었다. 베아트리체의 곁을 떠나고 싶지 않다는 것. 죄책감에 죽어가다가도 그녀를 보면 다시금 살아나곤 했다. 썩어버린 심장에 빛이 드는 기분이었다. 베아트리체는 조곤조곤한 목소리로 그를 위로하기도 하고 채찍질하기도 했다. 그 속에 숨은 세심한 배려와 다정함에 이미 중독되어버렸다. 해바라기가 해를 좇듯 네이선도 어느새 그녀를 좇고 있었다.

'그녀의 곁에서 떨어지고 싶지 않아.'

네이선이 조급한 마음에 입술을 짓씹었다. 사형 선고를 기다리는 사형수의 마음을 알 것도 같았다. 그것이 아니라면 베아트리체가 저렇게 망설이는 기색을 할 리가 없다. 몇 번이고 말을 망설일 리도 없고 말이다. 착한 사람이니까.

'내가 먼저 말해야 하는 건가.'

당신의 부담을 덜어주기 위해서라면 떠나 줄 수 있다고 말이다. 설사 그것이 거짓이라도 베아트리체를 위해 해야 한다면……. 하지만, 곧이어 베아트리체가 한 말은 그런 예상과는 아예 동떨어져 있었다.

"……있죠. 네이선, 당신은 아기를 어떻게 생각해요?"

생각지도 못한 질문이라 네이선이 멍하니 되물었다.

"네?"

베아트리체가 심호흡을 했다.

"나, 임신했어요."

세상이 정지했다.

"책임지라는 건 아닌데. 이 아이, 당신 아이예요."

쾅- 그건 새로운 인생의 터닝 포인트가 될 문이 열리는 소리였다.

***

많은 피가 흘렀다. 그만큼 죽은 자들의 사체가 성 앞에 효시되었고 사람들은 죄인들의 말로를 똑똑히 기억했다. 윈프리드 황실은 절대로 분탕질 친 자를 가만두지 않는다는 사실 또한 말이다. 귀족들에게는 경각심을 불러일으켰고 국민들에게는 공포와 동시에 황실을 향한 경외를 심어주었다. 그게 강압적이고 폭력적이더라도 꼭 필요한 일이기도 했다.

그리고 그들의 마음을 조금은 느슨하게 풀어줄 국혼이 곧바로 준비되었다. 빠듯했던 이 주였다. 온 사람들이 매달려 최선을 다했다. 무려 힐라리아와 에벤에셀의 결혼식이다. 힐라리아는 겁도 없이 야외 결혼식을 선택했다. 모두가 지켜보는 광장에서 결혼식을 올리겠다는 것이다. 처음에는 내부 홀에 준비하던 자들이 새롭게 내려진 임무에 득달같이 달려들었다.

사형이 집행되는 광장과는 거리가 있는 또 다른 광장이 장소로 선택되었다. 하지만, 평소에도 유동인구가 많은 곳이다. 안전에 안전을 기해야만 한다. 기사들이 곳곳에 배치되고 사람들의 밀집을 통제하기 위한 루틴이 짜여졌다. 황성 사람들은 이제는 힐라리아의 말이라면 달이 태양이 된다고 해도 믿을 지경이었기에 가능한 일이었다.

항상 무언가 의도하지 않고는 움직이지 않는 힐라리아다. 그녀가 하는 일 대부분에는 심오한 뜻이 있었고 그것은 한 번도 윈프리드에 반한 적이 없었다. 그리하여 모두의 노력으로 이루어진 결혼식이었다. 결혼식 3일 전부터 몰려들기 시작한 손님들도 차질 없이 각자가 머물러야 할 처소로 안내되었다. 황성 사용인들의 각고의 노력으로 만들어낸 일사불란함이었다.

그리고 마지막 손님이 도착했다. 이제는 윈프리드의 가장 강력한 우방으로 자리매김하게 된 프로이턴의 손님들이었다. 이번에 내방한 프로이턴의 사신은 다름 아닌 메일린 황태녀였다. 진정한 후계로 발돋움하게 되어 공식적으로 방문한 것이다. 메일린이 시원하게 웃으며 힐라리아에게 손을 내밀었다.

"이렇게 만나게 되어서 영광이에요, 힐라리아 공주."

"……메일린 황태녀 전하. 저도 영광입니다."

두 사람은 처음 만나는 사이인 것처럼 서로의 손을 잡고 인사를 나누었다. 그들의 능청스러움에 케이티와 첼로스테가 혀를 내둘렀다. 메일린이 생긋 웃으며 힐라리아를 잡아당겼다. 무너진 균형으로 힐라리아의 몸이 메일린에게로 쏟아졌다. 메일린이 힐라리아를 받쳐 등을 감싸고는 속삭였다.

"이렇게 빨리 다시 보게 될 줄은 몰랐어요. 너무 이르게 결혼하는 건 아닌가요?"

"적절한 시기라고 판단됩니다만."

힐라리아가 능청스럽게 대꾸했다.

"……기회가 된다면 프로이턴으로 데려가려고 했더니. 듣자 하니 윈프리드의 복지 사업을 추진한 것도 그대라지요?"

"프로이턴으로 정식 초청해주세요, 황태녀 전하. 그러면 기쁜 마음으로 응할 수 있도록 하겠습니다."

힐라리아에게는 도저히 못 당하겠다. 메일린이 고개를 내저었다.

"정말이죠? 나는 그 말 믿을 거예요! 프로이턴은 낙후된 지역이 많아요. 나는 복지에 관해서는 윈프리드로부터 배울 점이 많다고 생각하죠. 그리고 힐라리아로부터도요."

"……그리 생각해주신다니 영광입니다, 메일린 전하."

"이에 관한 이야기는 다음에 자세히 하도록 해요."

메일린이 힐라리아에게 떨어져서는 가식적으로 포장된 미소를 머금었다.

"결혼 축하해요. 조금은 당신이 아까운 것도 같지만."

그렇게 마지막 손님까지 마중했다.

오늘 밤이 지나고 내일이 오면 결혼식이다. 감회가 새로웠다.

홀로 남은 힐라리아는 와인잔을 기울이고 있었다. 결혼 전날 밤에는 절대로 예비부부가 만나선 안 된다는 관습에 따라 힐라리아는 오늘 홀로 잠들게 되었다. 힐라리아의 곁은 베아트리체가 지키게 되었다. 먼길을 오느라 고생한 기네비어의 식구들은 이른 저녁부터 단잠에 빠진 까닭이었다.

"무슨 생각해?"

"그냥. 여러 생각."

미래를 보고 돌아와 입궁을 결정하고 여기에 오기까지 겪었던 수많은 일들이 파노라마처럼 스쳐 지나갔다. 결혼은 새로운 인생의 시작과 같다. 힐라리아는 그 시작점에 서 있는 것이다.

힐라리아가 가늘게 뜬 눈으로 와인잔을 살폈다. 어쩌면 인생은 이 한 잔의 술과 같을지도 모른다. 포도가 수많은 가공을 거쳐 와인이 되어 힐라리아의 잔에 담기기까지. 온갖 고난과 역경을 겪고 나서야 지금이 있게 될 테니.

잔을 돌리자 휘몰아치는 보랏빛 액체에 힐라리아가 비친다.

그리고 한 번에 마시면 사라져버리는 허망함조차 닮았다. 올리비아나 황태후는 더 이상 떠들지 않는다. 윈프리드를 위협하는 일도 하지 못하고 그저 그렇게 사람들 기억 속에 묻혀 사라지는 것이다. 향기로 잠시 머물다가 사라지는 와인처럼 말이다.

물론 힐라리아에게 남은 것은 있었다. 그녀가 지켜낸 사람들과 에벤에셀. 내일이면 정식으로 힐라리아의 남편이 되어줄 에벤에셀. 매순간 힐라리아가 있어 다행이라고 말해주는 그 남자 말이다. 그녀가 없으면 한시도 살 수 없을 것처럼 구는 냉막한 에벤에셀이 힐라리아에게 남았다. 타인에게 보이는 표정과 힐라리아에게 보이는 표정이 다르다는 걸 안다. 그 간극마저 사랑스럽다면 힐라리아가 미친 것일까?

힐라리아는 에벤에셀의 존재 자체가 흡족스러웠다. 이제는 목표를 잃은 것처럼 무기력해진 힐라리아에게 새로운 목표가 되어주는 사람이었다. 에벤에셀이 나아가는 앞길에 도움이 되고 싶다. 그의 인생의 동반자가 되어서 말이다. 에벤에셀은 힐라리아와 같은 꿈을 꾸고 있었으니 분명 즐거운 일일 것이다. 이 인생이 내내 지루하지 않겠지. 평범함을 누리진 못하겠지만 말이다.

"……네가 감상에 젖기도 하는구나."

베아트리체가 키득키득 웃고는 힐라리아가 앉은 소파 옆을 파고들었다. 베개를 끌어안은 모양새가 꼭 어린아이 같았다.

"옆으로 좀 가봐."

"저쪽에도 자리 있잖아."

"거기엔 네가 없잖아! 곧 있으면 유부녀 되는 친구 옆에 좀 앉아보자."

"베베, 좁아!"

"안 좁아. 곧 있으면 네가 기네비어가 아니라 윈프리드가 된다니. 나 진짜 감회가 새롭거든."

"전에도 결혼은 했었어."

"그거랑 이거는 다르지. 그때의 너와 지금의 네가 다르듯이 말이야."

베아트리체가 힐라리아의 어깨에 살포시 기댔다. 눈을 깜박이는 베아트리체의 얼굴이 천진난만했다. 힐라리아가 베아트리체에게 물었다.

"그래서 너는 어떻게 됐어?"

그간 정신없이 바빠서 확인하지 못했던 것을 이제야 확인한다.

힐라리아가 입술을 달싹였다.

"아이."

"……아."

"어떻게 하기로 했어? 결정은 한 거야? 네이선은 아는 거니?"

"네이선도 알고. 고민은 아직 하는 중이야."

"내가 아주 좋은 이모가 되어줄 수 있을 것 같은데. 두 사람을 닮은 아이라면 분명 사랑스러울 거거든."

"너는 눈빛이 음흉해서 안 돼."

"에에. 그런 소리 처음 들어."

"그러니까 내가 하는 거지. 아무튼 너는 안 돼! 우리 아이한테 위험해."

베아트리체가 장난스럽게 대꾸하고는 눈을 데구르르 굴렸다. 네이선의 반응이 지금도 선명하다. 두 팔을 허우적거리며 물에 빠진 물고기처럼 굴다가 별안간 몸을 벌떡 일으켰다. 그리곤 베아트리체에게 다가와 차마 손을 뻗지도 못하고 망설이고 또 망설였다. 베아트리체가 만지면 부서질 것처럼 말이다. 그러다가 손을 도로 움츠렸었다. 결국 용기 없는 네이선을 대신해 그의 손을 잡은 것은 베아트리체였다. 그날 밤의 기억이 다시금 떠올랐다.

***

"아이를 가졌어요."

베아트리체가 재차 말했다. 멍하니 서 있기만 하는 네이선이 제대로 듣지 못한 것 같아서였다. 베아트리체가 네이선 앞에서 손을 흔들었다.

"저기요, 네이선?"

"……제 아이 말씀하셨습니까?"

"네, 네이선의 아이요. 우리가 일전에 저지른 일에 대한 대가죠. 그리고 선물이기도 하고요."

네이선이 베아트리체와 맞잡은 손에 반대쪽 손을 얹었다.

마치 베아트리체의 손을 보호하는 것처럼 말이다.

"……아이를 낳을 건가요?"

네이선이 망설이다 물었다.

"나는 그럴 생각이에요. 아이 엄마가 되는 건 정말 좋은 일이거든요. 이 아이가 자라는 만큼 나도 성장할 거고 아이로 인해 지금보다 더 많은 행복을 얻게 될 거라고 생각해요. 그래서 나는 이 아이가 갑작스럽긴 해도 반갑네요. 네이선이 동의하지 않는다고 해도 이건 내게 결정권이 있다고 생각해요."

베아트리체가 강경하게 말했다. 사실 담담한 척하고 있지만, 네이선이 아이를 반대할까 봐 무서웠다. 아이에 대한 책임은 네이선에게도 있으니 그에게도 의견을 보탤 권리가 있었다. 베아트리체가 네이선의 기색을 살폈다.

"나는 베베의 의견에 동의해요."

네이선이 엄숙하게 선언했다.

"아이는 어떤 경우에라도 축복이고 선물이에요. 베아트리체가 그 아이를 낳아 주겠다고 말해서 고맙기도 해요. 그리고 말해줘서 고맙고요. 얼마든지 베아트리체 가 숨기고 싶었다면 숨길 수 있었을 테니까요."

"그럴 이유가 없었죠."

"당연한 일을 한다는 것도 꽤 어려운 일이라……. 아무튼, 베아트리체. 내가 걱 정하는 건 한 가지예요."

네이선이 씁쓸하게 웃었다.

"나는 평범한 유년시절을 보내지 못했어요. 남들 다 있는 살가운 부모도 없었죠. 놀다가 돌아오면 안아줄 어머니도 없었고 고민을 털어놓을 다정한 아버지도 없었 어요. 베아트리체, 내가 아이에게 좋은 아버지 역할을 할 수 있을까요?"

"네이선."

베아트리체가 입술을 깨물었다. 네이선이 거기까지 생각해줄 거라고는 생각지 도 못했다. 그저 네이선이 아이의 존재를 부정하지 않기만을 바라고 있었다. 네이 선이 아이의 존재를 부정한다면 꽤 슬플 것 같았기에. 한데 네이선은 아이에게 좋 은 아버지가 될 수 있는지를 고민하고 있었다. 그 말은, 네이선이 아이에 대한 양육 책임을 베아트리체에게 떠넘기지 않고 함께 짊어지겠다는 뜻이었다. 그것만으로 도…….

"네이선은 좋은 사람이에요."

"……베베한테만 그럴지도요."

"아니요. 확실히 네이선은 좋은 사람이에요. 사실 나도 좋은 부모가 무엇인지 몰라요. 한 번도 해보지 못한 걸 누가 알겠어요. 하지만……."

베아트리체가 네이선의 손을 끌어서 잡았다.

달콤하게 감겨드는 다정한 체온에 몸이 바르르 떨릴 지경이었다.

"확실한 건 우리는 같이 노력할 수 있다는 거예요. 노력하다 보면 좋은 부모는 못 되어도 그 흉내는 낼 수 있지 않을까요?"

"……그렇게 생각해요, 정말로?"

"물론이에요, 네이선. 나는 네이선이 이 아이를 외면하지 않아준 것만으로도 충분하게 여긴답니다."

"……당연한 일인걸요."

"네이선이 말했잖아요. 당연하고 평범한 일을 하는 것도 어려운 거라고. 네이선은 지금 어려운 일을 해낸 거예요."

베아트리체가 네이선이 했던 말을 그대로 인용했다. 두 사람 모두 아이를 낳는 일에 동의했다. 그리고 그 아이를 위해 노력해보기로 약속했다.

그것만으로도 지금으로선 꽤 괜찮은 결말 아닐까.

***

베아트리체가 두서없이 늘어놓는 이야기를 듣던 힐라리아가 결론 내렸다.

"결국은 네이선도 동의한 거라는 거지? 아이 낳는 거 말이야."

"응."

"그리고 같이 아이도 키워주기로 했고."

"그렇지."

"결혼도 해?"

"뭐?"

베아트리체가 화들짝 놀랐다. 난데없이 결혼이라니!!

"무슨 결혼을 말하는 거야! 우리는 아이를 가진 것뿐이지 결혼하기로 한 건 아니었다구!"

힐라리아가 피식 웃었다. 얼마 있지 않아 결혼하기로 했다면서 서로의 손을 잡고 나타날 두 사람이 그려지는 듯했다. 서로에게 호의적인 두 남녀가 함께 부대끼며 살아간다. 그들이 부대끼는 것이 살갗이든 혹은 감정이든 간에 말이다. 잦은 교류는 분명 두 사람 사이에 어떤 관계를 형성시킬 것이고 정말로 원수 같은 사이가 아니라면 해피엔딩을 맞이할 가능성이 높았다.

베아트리체는 애써 부정하려 하고 있지만 말이다.

"입덧은 안 심해?"

"그럭저럭. 먹을 것도 안 가리는 편이야."

"다행이네. 필요한 건 없니?"

"요새 나만 보면 필요한 거 없냐고 묻더라."

"임산부는 필요한 게 많다길래."

힐라리아가 어깨를 으쓱했다. 자신도 모르게 그러고 있었나 보다, 생각하며. 베아트리체가 이 작은 몸에 더 작은 아기를 품고 있다는 이야기를 들었을 때의 경이감이 잊히질 않아서 이러는지도 모른다. 힐라리아에게 아이를 가진다는 것은 기적과 같은 일이었다. 힐라리아는 임신 가능성에 대해 부정적인 선고를 받았기 때문이었다. 그래서 베아트리체가 부럽고 시기가 나기도 하지만, 대체적으로는 좋았다.

"좋은 이모 노릇을 하려고."

"됐어……. 지금도 충분해. 네이선은 정말 안달복달하거든."

베아트리체가 어깨를 으쓱했다. 굳이 그럴 필요 없는데도 그런다며 타박을 덧붙였지만, 기반에 깔려 있는 것은 은근한 자랑과 호감이었다. 네이선을 사랑하는 건 아니라도 분명히 호감을 품고 있었다.

"……네이선이 정말 노력하는구나."

"그렇다니까."

힐라리아가 확인을 마쳤다. 베아트리체는 확실히 네이선을 향한 호감을 품고 있었고 그것을 굳이 감추지 못하고 있었다. 귀여운 이들이다.

힐라리아가 베아트리체의 머리를 토닥였다.

"마냥 동생 같았는데 엄마가 된다 하니 신기하네."

"너도 되어야지, 힐. 넌 나보다 훨씬 잘할 거야."

힐라리아의 얼굴이 어두워졌다. 힐라리아가 받은 진단은 베아트리체를 비롯한 그 누구도 모른다. 오로지 에벤에셀과 힐라리아만이 간직하고 있는 비밀이었다. 그리고 그 비밀로 인하여 지금 이 밤, 잠들지 못하고 있는 게 아닌가. 힐라리아가 망설이다 베아트리체의 손을 잡았다.

"나 아기 못 가질 수도 있어. 아니 못 가질 가능성이 높아."

"……뭐?"

베아트리체가 몸을 벌떡 일으켰다. 힐라리아를 쳐다보는 동그랗고 커다란 눈에 힐라리아가 가득 찼다. 자세히 설명해보라는 듯이 어깨를 흔드는 베아트리체를 피해 힐라리아가 몸을 물렸다.

"……그럴 만도 했지."

자조적인 수긍에 베아트리체가 고개를 저었다.

"못 가지는 것하고 안 가지는 게 이렇게 차이가 있는 줄 몰랐어, 베아트리체."

아쉬움이 가득 배인 음성이었다.

"……힐라리아."

"괜찮아. 이젠 정말로 괜찮아졌어."

힐라리아가 고개를 저었다.

"그런 건……. 짐작도 못 했어. 왜 말 안 했어!"

"누구든 너와 같은 얼굴을 하게 될 테니까. 그동안 충분히 힘들었잖아. 좋은 소식만 전해주고 싶었어. 나쁜 소식은 그 누구에게도 전달하고 싶지 않았지."

"힐라리아, 에벤에셀 황제는……."

"알아. 내가 어떤 상황인지 에벤에셀도 알고 있어. 그런데도 상관없다던데."

힐라리아가 어깨를 으쓱했다.

"괜찮다고 했어. 그로 인한 고민은 하지 않아도 된다고."

"……왜 이렇게 쉬운 일이 없어."

베아트리체가 힐라리아를 끌어안았다. 어쩜 이렇게 힐라리아에게는 무엇 하나 편안한 일이 없는지. 힐라리아가 아기를 낳지 못한다는 소식이 귀족들 사이에 알려지면 분명 커다란 반향이 일 것이다. 윈프리드의 미래가 흔들린다는 것과 같은 의미일 테니. 하지만, 힐라리아는 의외로 태연해 보였다. 베아트리체의 반응은 이미 예상했다는 듯이 말이다. 어둠을 응시하는 힐라리아의 표정엔 조금의 흔들림도 없었다.

"그래도 포기하진 않으려고."

힐라리아가 중얼거렸다.

"어떻게 될지도 모르는 일 때문에 지레 겁먹고 포기하지는 않을 거야. 그건 내가 아니잖아?"

베아트리체가 힐라리아의 어깨에 고개를 비볐다.

"나는 항상 너를 응원할게."

힐라리아가 베아트리체의 손 위에 자신의 손을 얹었다.

"응. 고마워."

그간 하늘은 오롯이 힐라리아의 편을 들어준 적이 한 번도 없었다. 그러니 이번 한 번만. 제발 이번 한 번만 힐라리아의 편을 들어주길 간절히 바라본다. 그리 많은 것을 바라는 게 아니다. 그저, 힐라리아에게……. 작은 자비를 베풀어주기만을. 내일은 결혼식이었다. 더 이상 물러설 수도 도망칠 수도 없는 그녀의 결혼식. 힐라리아가 손바닥으로 얼굴을 쓸어내렸다.

완벽한 행복은 아닐 것이다. 항상 그녀의 발목을 끌어당기는 것들이 있을 테니까. 그러나 그러한 우울 속에서도 자그마한 희망이 있다면.

'괜찮아.'

힐라리아는 아마도 이겨낼 수 있을 것이다.

***

모두가 고대하던 결혼식 당일이 밝았다.

사람들은 힐라리아와 에벤에셀의 결혼을 축하하기 위해 이른 아침부터 몰려들었다. 광장은 이미 사람들로 가득 차서 발 디딜 틈도 없다고 들었다. 멀리서 온 각국의 사신들과 고위 귀족들의 자리를 제외하면 말이다. 사람들이 힐라리아의 이름을 연호하고 황후 마마를 부르짖으며 이른 아침을 소요하고 있다고 했다.

베아트리체와 실로테가 직접 힐라리아의 성장을 확인했다.

그리고 그들에게 헬레나미아도 끼어들었다.

"우리 딸."

헬레나미아가 힐라리아를 향해 팔을 벌렸다.

"……어머니."

"오늘 참, 예쁘구나."

감회에 젖은 목소리였다. 힐라리아에게도 이렇게 평범하고 행복한 순간이 올 거라고는 차마 그려보질 못했었다. 힐라리아는 미약한 자신의 몸을 던져서 세상에 맞섰고 다치고 깨어져 돌아왔으니 말이다. 그래서 기네비어에서 품고 내보내지 않으려 했는데 기어이 여기까지 왔다. 힐라리아의 작고 흰 얼굴엔 웃음이 배어 있었다. 헬레나미아가 힐라리아의 등을 토닥였다.

"이렇게 잘 자라 주어서 고맙다, 힐라리아. 잊지 않고 네 행복도 찾아줘서 고마워."

만약 힐라리아가 그대로 윈프리드와 기네비어를 위해서 희생되었다면 그것 또한 헬레나미아의 부채감으로 남았을 것이다. 지켜내지 못한 딸에 대한 죄책감에 몸부림쳤겠지. 다행히도 그런 상황에 직면하진 않게 되었다.

"어머니……."

"행복해야 한다. 이 어미의 모든 행복을 네게 주마. 우리 힐, 행복해야 해. 항상 웃을 일만 있었으면 좋겠구나. 네가 가는 곳마다 웃음꽃이 피고 고난과 역경은 사라지길 비마."

힐라리아가 헬레나미아를 마주 안았다. 사실 이렇게 감상적일 거라고는 생각지도 못했다. 어머니를 봐도 덤덤할 줄 알았는데 이상하게 눈물이 솟았다. 일전에 입궁할 때는 그리도 덤덤하더니 말이다.

"쉬이……. 그동안 고생 많았다, 힐라리아. 항상 이 어미가 네 뒤를 든든하게 지키고 있으마."

헬레나미아가 힐라리아를 떼어냈다. 힐라리아의 눈가에 고인 눈물을 톡톡 닦아낸 헬레나미아가 생긋 웃었다. 아름답게 성장한 딸의 뺨을 잠시간 매만지던 헬레나미아가 준비해온 것을 꺼냈다.

"오래된 푸른 장신구란다. 아주 오래전 붉은 여왕께서 사용하셨던 것이지. 네게 주마."

"직접 해주세요, 어머니."

힐라리아가 등을 돌렸다. 속설에 따르면 오래된 푸른 장신구를 한 채로 결혼을 한 신부는 영원히 행복해진다고 했다. 이 작은 장신구 하나에 헬레나미아는 자신의 마음을 전부 담았을 것이다.

그것으로 신부 치장이 마무리되었다.

눈부시게 흘러내리는 치맛단이 바닥에 쓸린다. 문이 열렸다. 밖에는 기사들과 함께 에벤에셀이 기다리고 있었다. 평소와는 다른 황제의 정복을 차려입고 머리를 깔끔하게 넘겼다. 드러난 훤한 이마 아래로 새파란 눈동자가 따뜻한 빛을 머금은 채로 휘어 있었다. 에벤에셀이 힐라리아를 향해 손을 내밀었다.

"힐라리아."

지금 이 순간을 아주 오랫동안 기다렸다는 듯이 약간의 조바심을 담은 음성이었다.

"에벤에셀."

힐라리아가 우아하게 그 손 위에 자신의 손을 얹었다. 베일 대신에 생화로 머리를 장식했다. 힐라리아를 보기 위해 몰려온 사람들을 위한 배려였다. 하얗게 드러난 우아한 목선과 한껏 틀어 올려 모양을 낸 붉은 머리칼이 힐라리아를 한 송이의 꽃처럼 보이게 만들었다. 힐라리아가 생긋 웃었다.

"준비 다 됐어요."

에벤에셀이 힐라리아의 손을 꽉 잡았다.

"오늘이 지나면 정말로 당신은 내 아내가 되는 겁니다."

황후의 자리가 그렇게 가볍게 표현될 자리는 아니지만은 말이다.

힐라리아가 고개를 살짝 수그렸다.

"그리고 당신은 내 남편이 되는 거고요."

새빨간 입술 사이로 흰 이가 살짝 드러났다.

그 미소가 참 행복해 보여 에벤에셀도 덩달아 웃을 수밖에 없었다.

황성의 모든 문이 활짝 열렸다. 모두가 그들을 축복해주는 가운데 에벤에셀과 힐라리아가 손을 맞잡은 채로 걸었다. 그들은 만백성 앞에서 서로를 향한 사랑을 맹세했다. 절대로 사그라지지 않을 영원한 사랑을 말이다.

그렇게 힐라리아와 에벤에셀은 서로의 전부가 되었다.

***

결혼식이 끝나고 떠들썩한 연회가 시작되었다.

신랑과 신부는 이미 자리를 비운 가운데 하객들이 남아 시간을 보냈다.

"꺄아! 제이나, 이리 와!"

베아트리체가 제이나를 향해 손을 흔들었다. 광장의 한가운데에서 소녀처럼 춤을 추고 있는 베아트리체의 얼굴이 밝다. 등불과 불꽃이 비치는 광장을 베아트리체가 물고기처럼 누비고 있었다.

"나는 춤을 못 춰."

"괜찮아! 나도 못 춰."

베아트리체가 얼른 오라는 듯이 다시 제이나를 불렀다. 실로테는 이미 베아트리체를 피해서 줄행랑을 놓았다. 어찌나 빠른지 잡지도 못했다. 그나마 베아트리체에게 붙들려서 덩실덩실 몸을 흔들고 있는 건 라리나가 유일했다.

"으아! 베아트리체! 잠깐만, 잠깐만!"

아무리 외친다 한들 들을 베아트리체가 아니었지만. 결국 포기한 제이나가 베아트리체의 흥에 맞춰 몸을 흔들었다. 제이나가 그들로부터 한 걸음 물러섰다. 탁! 그러다 누군가와 부딪친 제이나가 고개를 돌렸다. 그녀의 실수로 부딪친 이에게 사과를 하기 위함이었다.

"앗……. 미안, 위베르 님?"

제이나가 고개를 치켜들었다.

그녀의 뒤에 서 있었던 것은 위베르 기네비어였다.

"……그동안 꽤 친해졌다고 생각했는데. 늘 부르는 호칭이 바뀌는군. 그때처럼 편하게 위베르라고 불러."

위베르가 어깨를 으쓱했다. 워낙 가풍이 자유로운 기네비어에서 자란 탓인지 전혀 거침없는 모습이었다.

"……위베르."

제이나도 그 제안을 받아들였다.

"왜 여기 혼자 있나 했더니, 베아트리체 때문이었군. 저 애를 피해서 도망친 거지?"

"그건 아니고……. 사실 맞아."

어색한 반말이 입에 붙질 않는다. 제이나가 느리게 말하는 것을 보고는 위베르가 설핏 웃었다. 힐라리아 옆에 이렇게 어리숙할 정도로 착한 사람이 있다는 게 신기할 정도다.

"베베가 힐을 닮아서 거침이 없긴 하지. 어릴 적엔 둘이 어울리면서 얼마나 사고를 치고 돌아다녔던지."

"사고를 치고 다녔다고?"

"그럼. 온 기네비어를 휘젓고 다녔지."

"상상이 안 가는데……."

"몰래 성을 빠져나가기도 하고……. 아, 이건 별 게 아니었군. 사실 지금 떠올려보면 그리 큰일은 아닌데 말이야. 그 당시에는 크게 느껴졌었어. 기네비어의 문을 몰래 연 적이 있었거든."

"……그건 충분히 큰일 같은데."

"물론 황실의 명을 거역하는 일이니 큰일이었지. 문지기가 금방 발견해서 다시 닫혔지만. 왜 그랬냐고 다그치니까 힐라리아가 코가 빨개져서는 뭐라고 했는지 알아?"

"뭐라고?"

"베베가 엄마가 보고 싶대요. 나는 공주님이니까 베베의 소원을 들어줘야 해요."

"와……."

정말로 힐라리아다운 말이다.

그녀는 자신의 권리만큼이나 의무를 중요시하는 사람이었으니.

"기특하면서도 어이가 없었지. 어머니도 그래서 힐라리아를 크게 혼내지도 못했었어. 돌이켜 보면 그건 예고 같은 거였는지도 몰라. 그 문을 반드시 열고야 말겠다는. 그리고 진짜로 해냈잖아."

"……여러모로 대단하네."

"그리고 그 옆에 베아트리체가 있었지. 항상 말이야."

위베르가 입술을 휘어 올렸다.

"베아트리체도 좋은 지도자가 될 거야. 기네비어를 위해서 말이야. 저 애도 힐라리아 못지않게 고집이 대단하거든. 저기 봐."

"뭐?"

제이나가 눈을 동그랗게 뜰 때였다.

"아이참, 제이나! 재미없게 뭐 하고 있어. 당장 오라니까."

제이나가 도망치니 직접 그녀를 잡으러 온 것이다. 베아트리체가 잠시나마 제이나의 발을 묶어두고 있었던 위베르에게 손짓했다.

"고마워, 위베르!"

사실 어린 시절 베아트리체와 힐라리아가 사고를 칠 때마다 조력자 역할을 했던 게 그였다는 건 아직 밝히지 못한 진실이었다.

위베르가 그들을 향해 손을 흔들었다.

***

헬레나미아가 감상에 젖어서는 수도를 돌아보았다. 홀로 사람들을 물리고 나온 참이다. 공왕은 위험하다는 이유로 헬레나미아를 만류했지만, 헬레나미아는 공왕의 배려를 거절했다. 따르는 사람이 많을수록 눈에 띌 테니까. 게다가 헬레나미아에게는 믿는 구석이 있었다.

"엘라임, 소감이 어때?"

[지금은 아무런 기억도 나질 않는군. 오래전 일인 것처럼 뿌옇기만 해.]

엘라임이 무감한 시선으로 수도를 돌아보았다. 헬레나미아가 황성으로 간다는 말에 엘라임도 냉큼 따라붙었다. 사실 따지자면 헬레나미아와 엘라임이 사돈이 되는 것 아닌가. 정령과 인간이 사돈이라니. 정말 특이한 조합이 아닐 수 없었다. 엘라임은 결혼식을 보지 않아도 된다고 했지만, 헬레나미아가 고집을 부렸다. 언젠가 후회하게 될 거라면서.

"잘 떠올려봐. 네 인생을 전부 바친 곳이잖아. 네 사랑은 정말 열정적이었다고."

[그랬던 것 같긴 하군. 내가 인간이 되어 아이를 낳을 생각까지 하다니.]

"그리고 아이에게 네 힘을 전부 남겼지."

[그것 또한 말이야. 지금의 나로서는 상상도 할 수 없군.]

에벤에셀을 보면 잇닿게 가슴 한구석이 시리곤 했다. 그냥 지켜보는 것만으로도 애틋하달까. 하지만, 그게 전부였다. 예전에 엘라임이 품었다던 그 대단한 사랑이 기억나지는 않았다. 이미 인간으로서의 죽음과 함께 사그라든 감정이기 때문일까. 그저 신기했다. 엘라임의 긴 생애에 그만한 열정이 숨어 있었다는 것이.

"그래도 언제 다시 오게 될지 모르잖아. 눈에 새겨둬, 엘라임. 네 아이가 평생 살아가야 할 곳이니까."

[내 아이라······.]

엘라임이 생소한 듯이 중얼거렸다.

"언젠가 모든 게 기억날지도 모르잖아."

[허황된 소리를 하는군.]

"정령이 인간을 사랑해 인간의 아이를 낳는 것만큼 허황되려고? 이미 그런 일이 일어났으니 무엇인들 안 일어나겠어."

헬레나미아가 어깨를 으쓱했다.

"엘라임. 나는 네 힘 전부를 걸고 네가 아이를 낳는 것을 도왔어. 그건 네가 바란 일이었고."

[······기억나지 않아.]

"그래도 기억해봐. 끄트머리라도 잡으라고. 언제 또 네 아이를 보게 될지 모르잖아. 평생 후회할걸."

헬레나미아가 진지하게 충고했다.

"너는 우리 모두가 죽고 나서도 영원한 삶을 살게 될 거야. 그러다 보면 언젠가 정말로 기억이 날지도 모르지. 그때는 후회해도 늦어, 엘라임. 아이는 죽고 없을 테니까. 네가 그랬지."

헬레나미아가 여상한 눈으로 엘라임을 돌아보았다.

"네 삶은 축복임과 동시에 저주라고. 너는 모든 죽음을 지켜보며 홀로 남겨져 세상을 흘려보내야 하는 존재라고. 네가 흘려보낼 죽음 중에 네 아이도 있어."

엘라임이 푸른 눈을 아래로 내리깔았다.

그 눈은 에벤에셀을 똑 닮아 있었다.

[내가 흘려보낼 죽음…….]

"나는 네 오래된 친구로서 네가 평생 후회만 하는 건 싫어. 조금이라도 행복한 기억을 남겨뒀으면 좋겠거든. 네가 너를 전부 걸 수 있을 정도로 강렬했던 그 감정들을 말이야."

헬레나미아가 다시 고개를 돌렸다. 아까는 사람들로 붐비던 광장이 텅 비어 있었다. 헬레나미아가 아까 힐라리아가 웨딩드레스를 입고 올랐던 단상 위에 섰다.

"여기였어."

헬레나미아가 입술을 달싹였다.

[여기였다니?]

"너와 선황제가 처음 만났던 장소 말이야. 나는 기네비어에서 나와 세상을 떠도는 중이었지. 내 어머니는 나를 몰래 세상 밖으로 내보내주셨어. 어머니는 땅의 정령을 다루셨기 때문에 가능한 일이었지. 기나긴 땅굴을 지나서 세상에 나와 나는 황성으로 올라왔고 너도 함께였어."

헬레나미아가 단상 위를 느리게 걸었다.

"선황제는 이쯤 서 있었고……. 그래, 우리는 저쯤 서 있었어."

헬레나미아가 오른쪽 대각선 방향을 가리켰다.

"선황제는 단번에 너를 알아보았지."

[나는…….]

"너 또한 그를 알아보았어. 영혼의 끌림이라는 게 정말 있는 걸까?"

헬레나미아가 엘라임에게 못을 박았다.

"이번 기회를 그냥 놓치지는 마, 엘라임. 어쩌면 네 아이를 마지막으로 안아줄 수 있는 기회일지도 몰라. 꼭 안고 사랑한다고, 행복해야 한다고 말해줄 기회 말이야."

참 여러모로 애먹이는 친구라고 헬레나미아가 생각했다.

***

오늘 밤이 지나면 힐라리아는 황후가 된다. 그것은 많은 사람들에게 감상을 불러일으켰다. 실로테가 창밖을 내다보았다.

"잠이 안 와."

연회도 파하고 이제 새벽이 오고 있는데도 한숨도 잘 수가 없었다. 눈을 감고 나면 이 모든 게 꿈이 되어 물거품처럼 사라질 것만 같았다. 그게 실로테가 잠들 수 없는 이유였다. 맨 처음. 힐라리아가 처음 황성에 들어왔을 땐 어땠더라. 쓸모없는 감상이라는 걸 알면서도 과거를 되짚게 된다. 잠이 오지 않는 밤이라 더 그런지도 모르겠다.

그 당시의 실로테는 에벤에셀의 황후가 되는 것이 목표였다. 그와 함께 이 제국을 다스리는 것을 꿈꾸었다. 아니, 좀 더 솔직히 말하자면 실로테가 꿈꾸었던 것은 제국이 아니라 에벤에셀이었다. 에벤에셀과 함께 사는 것을 소망했다. 그는 권력자였기에 에벤에셀 곁에 있으면 절대로 죽지 않을 거라는, 영원히 황성에 남아 안전하게 살 수 있을 거라는 생각을 했었다.

클라리넷은 잘못된 선택으로 한 번 몰락했었고 실로테와 반에이크는 죽음을 앞두고 살아남았다. 에벤에셀의 자비로 말이다. 그런 일을 겪고 황성에 들어갔으니 알아차릴 수밖에 없었다. 에벤에셀이 이 나라의 실세라는 것을. 그건 약한 짐승이 생존을 위해서 강자에게 들러붙는 것과 같은 이치였다.

실로테는 에벤에셀을 목숨 줄 정도로 생각했던 것 같다. 그러니 힐라리아를 만나 그녀에 대해 알고, 새로운 꿈을 꾸게 되었을 때. 그래도 쉽게 에벤에셀을 포기했는지도 모른다. 실로테는 그저 살고 싶었다.

격변의 시대였다. 오늘과 내일이 다르고 그리고 그다음 날이 달랐다. 그리고 지금도 그럴 것이다. 오늘이 다른 만큼 내일은 또 다를 것이다. 힐라리아가 그렇게 만들어줄 테니까. 그녀는 좀 더 나은 내일을 위해서 하루, 하루 나아가고 있었다. 힐라리아를 뒤따르다 보면 실로테도 이 나라를 위해서 무언가를 하고 있다는 고양감이 생긴다.

아무것도 안 한 채 약자로 강자에게 기생하는 것이 아니라 이 나라를 위한 디딤돌이 되었다는 그런……. 아무것도 아닌 실로테조차도 대단한 사람으로 만들어준다. 뒤늦게 힐라리아를 알아본 실로테마저도 말이다. 힐라리아는 그녀의 울타리 안에 들인 이라면 그 누구도 잊지 않았다. 그렇게 대단한 사람이 마땅한 자격을 가지고 황후가 된 것이다.

이젠 아무도 기네비어 출신의 힐라리아를 얕보지 않는다. 귀족들은 힐라리아 앞에서 고개를 조아리고 그녀를 찬양하게 될 것이다. 그들의 목숨을 구한 힐라리아 아니던가. 그녀가 아니었다면 전쟁이 얼마나 길어졌을지 알지 못한다. 힐라리아가 없었더라면 윈프리드는 그들을 굴복시키기 위해 무언가 희생시켜야 했을지도 모른다.

에벤에셀은 대단한 수완가에 지략가니 분명 전쟁을 승리로 이끌었을 테지만, 그에게는 힐라리아만 한 자비심이 없었다. 윈프리드를 지켜야겠다는 마음을 먹었다면 그 다짐을 지키기 위해 무슨 수라도 썼을 것이다. 수단과 방법을 가리지 않는 그의 성정대로 말이다.

'……그건 그거대로 오싹한 일이군.'

실로테가 숨을 크게 들이쉬었다. 새벽으로 넘어가는 찬 공기가 폐부를 가득 채웠다. 힐라리아는 곧 실로테를 황성으로 불러주겠다고 약속했다. 평생을 힐라리아 옆에서 노역해도 좋다. 그녀를 따라 역사를 만들어나갈 수만 있다면. 그저 도태된 채로 시간의 흐름을 방관하던 예전과는 다르다.

실로테는 역사를 새로 만드는 사람이 되었다. 더 이상 황비도 아니고 그저 후작가의 영애일 뿐이다. 클라리넷의 영광이 흩날리듯 사라지면 함께 사라지고야 말. 하지만, 그 마지막이 힐라리아의 곁이라면 충분히 가치 있는 일일 것이다.

그 미래가 기대된다. 힐라리아와 함께 황혼을 맞이할 미래가. 그때쯤이면 이 제국은 어디까지 나아가 있을까? 생각만 해도 소름이 돋았다. 실로테가 자신의 팔을 감싸 안았다. 심장이 쿵쿵, 크게 박동하고 있었다. 곁에 다른 사람이 있었더라면 충분히 들리고도 남았을 소리였다. 실로테가 입술을 꾹 깨문 채로 몸을 뒤로 물릴 때였다.

"실로테."

그녀를 부르는 미약한 목소리가 들려왔다.

"라리나?"

문을 살짝 연 틈으로 라리나의 백금발이 보였다. 단발을 고수하는 덕에 여전히 턱 밑에서 찰랑거리는 머리카락이 말이다. 실로테의 부름에 라리나가 고개를 빼꼼 내밀었다. 그리고는 생긋 웃는다.

"안 자는 것 같아서……. 나도 잠이 안 와서."

"반에이크는?"

라리나가 고개를 저었다.

"이렇게 늦은 시간에 반에이크 방엘 어떻게 가!"

이런 순진한 사람 보시게나. 실로테가 혀를 찼다. 라리나는 귀엽다. 왜 힐라리아가 라리나를 어린 병아리처럼 생각하는지 알 것 같았다. 라리나는 세상의 모든 일에 미숙했다. 정말로 모든 일에 미숙하니 오히려 귀엽게 보이는 것이다. 게다가 라리나는 스스로의 미숙함을 인지하고 다른 이들의 행동을 보고 배우려 노력한다. 그렇게 낑낑거리는 게 힐라리아의 마음에 든 것이 틀림없었다. 실로테가 라리나를 위해 조언했다.

"보통 이런 시간에 찾아가는 게 더 나은 법이지."

"뭐?"

"유혹하기엔 지금 시간이 더 좋다는 거야."

"그, 그, 그런 거 아니야!"

라리나가 볼이 빨갛게 익어서는 고개를 내저었다. 이전보다 마른 얼굴이 도드라져서 실로테의 마음이 한껏 누그러졌다. 실로테가 라리나에게 그녀의 자리를 내어주었다.

"앉아."

라리나가 슬금슬금 안으로 들어왔다.

그리고는 볼을 탁탁 치면서 침대에 폴싹 앉았다.

"라리나. 반에이크를 좋아하는 거 아니었어?"

"뭐, 뭐???"

라리나가 눈을 동그랗게 뜨고 실로테를 돌아보았다. 실로테가 눈을 가늘게 떴다. 마지막이 엉망이었지만, 라리나는 시벨로프에서 사랑만 받으며 자라왔다. 하지만, 실로테는 다르다. 실로테는 클라리넷에서 살아남아 강자들의 눈치를 보며 살아왔다. 그녀는 에벤에셀의 침실에서 옷을 벗은 적도 있었다. 조금도 소용없는 일이었지만. 지금 생각해보면 수치스럽기도 하고…….

'고잔가?'

그런 엄한 생각이 들기도 했다.

자존심이 상하느니 그렇게 생각하는 편이 나을 것 같았다. 어쨌든…….

"그, 그걸 어떻게 알아?"

어떻게 알긴.

"다 티 나는걸."

모르는 사람이 없을 것 같다는 말은 쏙 넣어두었다. 그랬다가는 라리나가 왕하고 눈물이라도 터뜨릴 것 같았기 때문이었다. 라리나가 눈을 도록도록 굴렸다. 연하늘색의 예쁜 눈이 반짝반짝 빛난다. 누가 봐도 예쁜 사람이구나, 싶었다. 황태후의 자식이라던데 조금도 닮지 않았다. 닮고 닮아 제 욕심밖에 모르던 황태후의 흔적이 조금도 남아 있질 않았다.

"……내, 내가 그렇게 티가 많이 나?"

울상으로 물어온다. 실로테가 짓궂게 고개를 끄덕였다.

"응. 딱 보면 알겠던걸. 너는 반에이크만 보잖아. 반에이크가 있는 곳에만 가려고 하고. 반에이크만 쫓아다니잖아."

이것 또한 실로테의 짓궂음이었다. 반에이크의 이름을 꺼낼 때마다 라리나의 어깨가 움찔거리는 것을 보았기 때문이었다. 결국 라리나가 손바닥에 얼굴을 파묻었다. 더 이상 반에이크의 이름을 듣기 싫다는 듯이 몸을 동그랗게 만 채였다.

"그러려는 게 아니었어……."

라리나가 울먹거리며 말했다.

"그러면?"

"그냥…… 몰라. 내가 그러고 있다는 것도 몰랐는걸."

실로테가 키득키득 웃었다.

"괜찮아."

"뭐가?"

"반에이크도 싫어하지 않는 것 같았어."

"……정말?"

라리나가 눈을 빼꼼 내밀었다.

"싫었으면 애초에 베풀 사람도 아니야."

"응?"

"네가 싫었다면 곁에 머물도록 둘 사람이 아니라고. 반에이크가 정말로 다정하고 착해 보여?"

"그럼……?"

"기회주의자야. 절대적으로 차가운 사람이지. 절대로 자신에게 해가 되는 걸 할 사람이 아니야."

실로테가 본 반에이크는 그랬다. 물론 반에이크에게도 천진했던 시절은 있었다. 클라리넷이 몰락하기 전에 말이다. 그 시절에는 반에이크도 그저 어린 소년에 불과했고 부모의 편안한 품에서 친구들과 어울려 놀기를 좋아했다. 클라리넷이 몰락하고 반역자의 탈을 쓰게 되면서 반에이크는 변했다.

반에이크는 모든 순간을 계산하며 움직였다. 기회가 있다면 놓지 않았고 제대로 쉬어본 적도 없었다. 반에이크를 움직이는 원동력은 생존이었으므로. 그저 실로테와 방법이 다를 뿐이었다. 그런 사람이 라리나에게는 유독 물렀다. 아마도 라리나에게서 스스로의 모습을 본 건 아닐까 짐작하고 있을 뿐이다.

라리나와 네이선. 이번 반역에서 살아남은 유일한 두 사람이었다. 나라를 팔아먹고 스스로의 이득을 위해서 불법을 저지르던 시벨로프의 핏줄 말이다. 라리나 또한 일전의 반에이크와 같은 상황에 놓여 있었다. 어린 병아리처럼 반에이크만 쫓는 라리나에게서 어떤 감정의 변화를 느꼈을지는 모르는 일이다. 확실한 것은 반에이크가 라리나를 여전히 저택에 머물도록 두고 있다는 것이다.

그게 혹여 황제의 강압 때문이라 해도 정말 싫었다면 쓸 수 있는 방법은 여럿 있었다. 라리나를 지방에 있는 클라리넷의 별장으로 보내는 방법이라든가 말이다. 하지만, 반에이크는 라리나를 수도의 저택에 남겨두었다. 그의 곁에 말이다. 반에이크는 이유 없이 행동하진 않는 사람이니 그 또한 함의하고 있는 뜻이 있을 것이다. 실로테는 그것을 달콤한 감정의 말로 짐작하고 있었다.

"그, 그러면……?"

라리나가 기대감 어린 얼굴로 되물었다. 아, 이러면 심술부리고 싶어지는데. 실로테가 어깨를 으쓱했다. 모르는 척하며 고개를 돌리기도 했다.

"실로테에……."

하지만, 어린애처럼 칭얼거리며 어깨에 고개를 기대오는 라리나의 행동에 어쩔 수 없이 져주고 말았다. 라리나는 그들에게 있어 왠지 막냇동생 같은 느낌이라 이상하게 약해지곤 했으니 말이다.

"반에이크가 너를 특별하게 여긴다는 말이야."

"특별하게……?"

라리나가 침을 꼴깍 삼켰다.

"어떤 의미로든 특별하게."

실로테가 고개를 끄덕였다. 그와 동시에 가뜩이나 빨갛던 라리나의 볼에 다시 한번 도홧빛 꽃이 활짝 피었다. 라리나가 고개를 푹 수그렸다.

"……특별."

누군가에게 특별한 사람이 된다는 건 참으로 달콤한 일이라 가슴이 설레었다. 라리나가 한참을 특별이라는 단어를 되뇌었다. 왜 잠들지 못하고 있었는지도 새까맣게 잊어버리고 말이다.

Chapter 18.
결국 사랑이었음을

힐라리아가 에벤에셀 위에 몸을 겹쳤다. 맞닿은 살갗에 맺힌 미끈한 땀방울들이 사그라든다. 몸을 파고드는 에벤에셀의 체온에 힐라리아가 나른한 숨을 내쉬었다. 에벤에셀이 힐라리아의 등을 쓸어주었다.

"……오늘이 가고 있어, 에벤에셀."

에벤에셀이 힐라리아의 정수리에 입을 맞췄다.

"축하해, 힐라리아."

"무엇을?"

"내 아내가 된 것을 말이야."

에벤에셀이 폭군처럼 흉포하게 웃었다. 힐라리아가 그 모습을 멍하니 보다가 웃음을 터뜨렸다. 에벤에셀의 어깨를 이로 앙 깨문 힐라리아가 말했다.

"그대도 축하해."

"……."

"내 남편이 된 것을 말이야."

남들은 힐라리아가 황후가 된 것에 치중할지도 모른다. 하지만, 두 사람에게는 고작 부부가 되어 서로의 남편과 아내가 된 것에 지나지 않는 일이었다. 황후라는 막중한 의무 같은 건, 이 밤만큼은 뒤로 미뤄둬도 괜찮지 않을까? 힐라리아가 에벤에셀의 손을 끌어다 제 손을 겹쳤다. 그렇게 깍지 낀 손을 들어 올리자 두 사람의 약지에서 빛나고 있는 결혼반지가 그녀의 시선을 홀렸다. 힐라리아가 눈을 깜빡였다.

"……내가 이 생에 결혼이라는 걸 할 줄이야."

"상상도 못 했다는 건가?"

"황성에 들어올 땐 생각도 못 했지."

힐라리아가 입술을 비죽이 끌어 올렸다.

"아직도 당신이 깨문 내 입술이 얼얼한걸. 여기였었나."

힐라리아가 자신의 입술을 톡톡 두드렸다. 일전에 분명 똑같이 돌려주었는데도 불구하고 여전히 아려오는 것 같다. 힐라리아가 고개를 기울였다. 에벤에셀이 힐라리아를 끌어당겨 불시에 입을 맞추었다.

"여기였어."

그리고는 일전에 상처를 부러 남겼던 곳을 잘근잘근 짓씹었다. 상처가 날 정도의 힘은 아니었지만 힐라리아가 따끔한 통증에 에벤에셀을 밀어냈다.

"왜 그랬던 거야?"

에벤에셀이 씨익 웃었다. 힐라리아의 도톰해진 입술을 쓸면서 속삭였다.

"질투가 났거든."

"질투? 당신이 내게?"

"나는 이미 당신을 보고 있었는데 당신은 아니었거든. 나 좀 봐달라는 시위였지."

"……폭력적이군."

"힐, 당신이 나를 사랑하지 않는다는 사실에 조바심이 났어. 나는 매일같이 당신을 떠올리고 있는데 당신은 아니었지. 나는 당신 하는 거에 따라서 폭군이 될 수도 있고 다정한 남편이 될 수도 있어."

에벤에셀이 분명한 뜻을 함의한 손길로 힐라리아의 피부를 쓸어내렸다.

이어 에벤에셀이 힐라리아를 끌어 내렸다. 어느새 에벤에셀의 팔 사이에 갇힌 힐라리아가 눈을 깜빡였다.

"……지금은 뭐가 되고 싶은데?"

힐라리아가 에벤에셀을 따라 그의 가슴을 손가락으로 덧그렸다. 그리곤 그녀의 잇자국이 남은 어깨를 쓸어보기도 했다. 에벤에셀의 시선이 점점 깊어졌다. 힐라리아가 에벤에셀의 목을 끌어당겼다.

"응? 무엇이 되어줄 거지? 다정한 남편? 아니면 나를 지배하는 폭군?"

왠지 모르게 힐라리아의 한 마디, 한 마디가 외설적으로 들렸다. 에벤에셀이 눈살을 찌푸렸다. 이렇게 여유로운 모습으로 그를 희롱할 때마다 심술이 치솟곤 했다. 에벤에셀은 힐라리아와 함께하는 모든 순간 제정신을 유지하는 것만으로도 힘에 벅찬데 힐라리아는 아니다. 그녀는 에벤에셀을 손바닥 위에 올려놓고 있었다. 에벤에셀이 사납게 웃었다.

"내가 하고 싶은 대로 해도 되는 거야?"

그건 에벤에셀의 마지막 이성이었다.

힐라리아가 에벤에셀의 뺨을 톡톡 두드렸다.

"좋아. 기회를 줄게. 이번엔 당신 멋대로 굴어봐."

그건 어쩌면 오만이었는지도 모른다. 그간 에벤에셀이 힐라리아에게 베풀었던 다정함에 기댄 오만과 착각. 에벤에셀이 힐라리아의 머리카락에 아프지 않게 손을 얽었다. 그와 동시에 그들의 숨결도 얽혀들었다. 한 치의 틈도 없이 달라붙은 피부와 함께 말이다. 더운 살덩이가 힐라리아를 헤집기 시작했다.

***

잠 못 이루는 이들은 또 있었다. 힐라리아가 황후가 된 것이 그들에게 대단한 감상을 불러일으킨 탓이었다. 라리나와 실로테뿐만 아니라 반에이크도 잠을 이루지 못하고 정원을 거니는 중이었다.

'황후……'

반에이크의 눈빛이 흐려졌다. 이제는 정말 힐라리아가 에벤에셀의 하나뿐인 정인이 된 것이다. 아직도 힐라리아를 마음에 품고 있느냐고? 반에이크가 실소했다. 그가 품었던 마음이 얼마나 그릇된 것인지 알고 있었다. 탐내서는 안 될 것을 탐내고 애초에 마음에 담아서는 안 될 것을 담았다는 것도. 그저 하도 빛이 나니 눈길이 갔고 눈길과 함께 마음도 갔을 뿐이다. 짧은 시간이었다.

아주 짧은 시간 동안 힐라리아는 나비처럼 황성을 다녀갔고 반에이크는 내내 그녀를 보고 있었다. 요컨대 힐라리아를 완전히 마음에서 내보내기에는 너무 짧은 시간이었다는 것이다. 그녀를 극심히 사랑하여 잊지 못한다거나 그런 게 아니었다. 힐라리아가 반에이크에게 남긴 흔적이 짙을 뿐이다. 뜨거운 불꽃처럼 마음에 흔적을 남기고 여전히 잔열로 타오르고 있었다.

그리고 지금은, 천천히 식어가는 중이다.

반에이크가 고개를 들어 올렸다. 밤하늘에는 오늘을 축복하듯 쏟아질 것 같은 별들이 반짝이고 있었다. 손을 뻗으면 닿을 것처럼 선명하다. 힐라리아처럼 말이다. 하지만, 아무리 애를 써도 닿지 않는다. 이상한 것은 그럼에도 불구하고 아무런 아쉬움도 남지 않는다는 것이다. 힐라리아에게 담은 마음 한번 고백해보지 못했는데도 말이다.

그저 힐라리아는 당연한 자리에 앉은 것이고 황후가 되는 것 또한 당연한 사람이었다. 돌이켜보자면 반에이크를 강렬하게 뒤흔들었던 마음은 어느새 다른 것으로 변모되었던 듯싶다. 힐라리아를 경외한다.

"……대단해."

반에이크가 진심으로 중얼거렸다. 주변 사람들을 감화시키고 그녀의 색으로 물들였다. 요새는 실로테와 라리나에게서도 힐라리아의 모습이 종종 엿보이곤 했다. 반에이크의 심장이 두근두근 뛰었다. 윈프리드의 미래가, 힐라리아와 에벤에셀이 이끌어갈 이 나라가 기대된다. 반에이크의 청춘을 다

바친다고 해도 조금도 아깝지 않을 그런 나라가 될 것이다.

그런 확신이 들었다. 반에이크가 손으로 얼굴을 쓸어내렸다.

참으로 사람을 감상적으로 만드는 밤이었다.

"반에이크?"

반에이크가 느릿하게 고개를 올렸다. 반에이크의 동공에 비친 것은 실로테의 침실에 딸린 발코니에 기대서 있던 라리나였다. 숄을 여미는 라리나의 백금발이 어둠 속에서 반짝인다. 반에이크가 저도 모르게 미소 지었다.

라리나는 힐라리아와는 완전히 정반대였다. 타고난 생기로 반에이크를 파고들어 그를 따뜻하게 덥혀준다. 완전히 불태워 그를 사그라들게 만드는 힐라리아와는 다르게 말이다. 마치 라리나는……. 힐라리아가 태양이라면 라리나는 모닥불 같았다. 시리고 황폐했던 반에이크를, 에벤에셀에 대한 죄책감으로 미칠 것같이 일에 매달리던 반에이크를 위로하는 모닥불 말이다.

반에이크가 라리나를 향해 두 팔을 뻗었다.

"내려올래요, 라리나?"

"엇, 나 신발도 없는데……."

라리나가 실내화를 신은 발가락을 꼼지락거렸다. 잠이 오지 않는다던 실로테는 새벽이 깊어감에 따라 천천히 잠이 들었다. 라리나가 숄을 다시금 여미고 망설였다.

"괜찮아요. 제가 안고 있으면 됩니다."

라리나가 고개를 갸웃했다.

"……하지만, 반에이크는 기사가 아니잖아요."

"네?"

반에이크가 눈을 동그랗게 떴다.

잠시 고민하던 라리나가 생각하고 있던 바를 읊조렸다.

"반에이크는 기사가 아닌데 어떻게 나를 긴 시간 동안 안고 있겠다는 건가요? 반에이크는 그 정도로 체력이 좋질 못하잖아요."

반에이크가 휘청했다.

그런 반에이크를 라리나가 걱정스러운 눈으로 응시했다.

"것봐요. 그런 사람이 나를 어떻게 안고 있겠다고…….."

라리나는 여전했다. 솔직하고 생각한 바를 숨길 줄을 모른다. 사교계에 어울리지 않는 초록 같은 순수함이었다. 닳아버린 반에이크의 노회함과는 다르게 말이다. 그런 일을 겪으면 변하기 마련인데도 라리나는 스스로를 지켜냈다. 그리고 이전처럼 여전히 반에이크를 당황시킨다.

"……저를 너무 무시하시는군요."

반에이크가 떨떠름하게 중얼거렸다.

"그리고 저는 라리나와 오랫동안 같이 있을 거라는 말은 하지 않았는데요."

"반에이크. 그게 오래든 아니든 당신에게 무리가 될 거라는 건……."

"이리 와요, 라리나. 괜찮으니까."

무시해도 너무 무시하는 거 아닌가. 그래 봬도 반에이크 또한 한때는 수련을 받았던 몸이다. 지금도 새벽에 운동을 지속하고 있었다. 귀족 가의 자제로서 스스로의 몸과 가족을 지킬 정도로는 검을 사사 받았다. 그리고 지금도 클라리넷의 기사들과 이따금씩 수련을 이어가고 있었다. 반에이크가 뻗은 두 팔을 흔들며 이를 아득 물었다. 이상하게 호승심이 들게 한다.

라리나가 고개를 갸웃하다가 난간에 걸터앉았다.

조심스럽게 바깥을 향해 다리를 내민 라리나가 반에이크에게 말했다.

"정말로 괜찮은 거죠?"

"물론입니다."

반에이크가 호언장담했다. 라리나가 망설임을 버리고 그에게로 뛰어들었다. 마치 나비처럼 말이다. 숄이 허공에 붕하고 떠올랐다. 은은한 향기가 풍기는 라리나의 작은 몸이 반에이크의 품에 안겨들었다. 반에이크가 라리나가 다치지 않도록 그녀를 꼭 끌어안았다.

반동으로 인해 바닥에 주저앉는 것은 어쩔 수 없었지만, 견디지 못할 정도는 아니었다. 반에이크가 라리나를 끌어안은 채로 천천히 몸을 뒤로 눕혔다. 이상하게 달빛을 등진 라리나가 요정처럼 보였다.

"이것 봐. 내가 위험할 거라고 했죠? 반에이크, 지금이라도 무리하지 않아도 돼요. 가서 신발을 신고 오면……."

종알거리던 라리나와 반에이크의 눈이 마주쳤다.

그제야 라리나는 두 사람이 몸을 겹치고 있다는 사실을 깨달았다.

"어어……?"

라리나의 속눈썹이 파르르 떨렸다. 금세 홍조로 달아오른 볼이 달빛 아래에서 선연하게 보였다. 반에이크가 라리나의 뺨을 손가락으로 쓸었다. 아무래도 오늘 잠들기는 글렀다. 이제는 다른 의미로 말이다. 얼어버린 라리나에게 반에이크가 나른하게 속삭였다.

"괜찮다니까. 가만히 있어요, 라리나."

라리나가 눈을 빠르게 깜빡였다. 그녀가 새로이 눈을 뜰 때마다 반에이크가 가까워지는 것만 같았다. 그리고 그건 착각이 아니었다. 뜨겁고 얇은 살갗이 라리나의 입술 위에 부드럽게 맞닿았다. 맞물린 입술 사이로 쏟아진 반에이크의 뜨거운 숨결이 라리나의 폐부를 가득 채웠다. 라리나는 눈을 깜빡이지도 못한 채로 얼어버렸다. 반에이크가 약간의 틈을 벌리곤 다시금 속삭였다.

"이럴 땐 눈을 감는 겁니다."

그가 커다란 손바닥으로 라리나의 눈을 덮었다. 시야가 어두워지니 좀 더 감각이 곤두서는 것 같다. 라리나는 가만히 반에이크가 그녀에게 전해주는 감각들을 받아 삼켰다. 잠자리 날개처럼 연약하게 와 닿은 입술이 어떻게 변하는지도 말이다. 속절없이 떨린다. 라리나가 반에이크를 간절하게 붙들었다.

'어떡해……'

이상하게 눈물이 날 것 같았다. 그리고 그건 라리나의 착각이 아니었나

보다. 반에이크가 입술을 떼어내곤 조용히 속삭였다.

"……왜 우나요? 내가 키스도 못 했나요?"

라리나가 코를 훌쩍였다.

"그렇다면 이해해요. 나도 처음이라 서툴 수밖에 없으니까."

"……나를 좋아해요?"

"아껴두었던 처음인데 좋아하지도 않는 사람에게 줬을까 봐."

반에이크가 장난스럽게 읊조리곤 라리나의 눈물을 쓸어주었다.

결국은 그거였다.

"좋아합니다."

라리나를 좋아한다는 것. 따뜻한 모닥불 같은 라리나를 마음에 들였다는 것. 라리나가 어린아이처럼 와앙- 눈물을 터뜨렸다. 코를 훌쩍이는 그녀를 끌어안은 채로 반에이크가 긴 숨을 내쉬었다.

"울지 말라니까 왜 더 울어요."

그렇게 밤이 깊어가고 있었다.

***

네이선이 방 안을 서성였다.

오늘, 힐라리아는 에벤에셀의 황후가 되었다. 아니다. 힐라리아는 에벤에셀의 동반자가 되었다. 그게 더 옳은 표현 같았다. 힐라리아는 누구보다도 제왕의 자리에 잘 어울리는 사람이었다. 응당한 자리에 오른 것뿐이었다.

"왜 잠을 못 자고 그러고 있어요?"

"아……."

갑작스럽게 들려온 목소리에 네이선이 고개를 들어 올렸다. 두꺼운 가운을 입은 베아트리체가 등불을 든 채로 문가에 서 있었다.

"문이 열려 있는 것도 모르고. 무슨 생각을 그렇게 해요?"

다정다감한 목소리에 네이선이 고개를 저었다.

"아무것도 아닙니다."

"……오늘은 잠이 오질 않네요. 아마 아무도 못 자고 있을걸요?"

"……."

"힐라리아가 황후가 되다니. 정말로 그 애는 못 하는 게 없어요."

베아트리체가 웃음을 터뜨렸다.

"어릴 때부터 그랬어. 원하는 건 반드시 손에 넣었죠. 그 애를 생각하고 있었죠?"

"나는……."

네이선이 입술을 달싹였다. 뭐라고 대답해야 할지 갈피를 잡을 수가 없었다. 솔직하게 말하자면 이상하게 베아트리체의 기분이 상할 것 같았고 그렇다고 거짓을 말하기엔 너무 속 보이지 않나. 차라리 아무런 대답도 않는 것이 나을 것 같아 네이선이 도로 입을 다물었다.

"음. 왜 내 눈치를 봐요? 이봐요, 네이선."

베아트리체가 까르르 웃음을 터뜨렸다. 정말로 청명한 웃음이 아닐 수 없었다.

'웃는다고?'

이상하다. 베아트리체는 네이선의 아이를 가졌지 않나. 다른 여자를 어떤 이유로든 떠올리며 잠을 못 이루고 있다면 화를 내야하는 것 아닌가? 어쩜 저렇게 해맑게 웃을 수가 있지? 네이선이 당황할 때였다.

"설마 내가 기분이 나쁠 거라고 생각한 거예요?"

베아트리체가 고개를 갸웃했다.

"왜요?"

"베아트리체, 내가 힐라리아 황후를 생각한 건……."

"잠깐만요, 네이선."

그의 말을 막아선 베아트리체가 고개를 저었다.

"일단, 나는 전혀 불쾌하지 않아요. 네이선이 설사 아직까지 힐라리아를 좋아한다고 해도요."

"……네?"

네이선이 눈을 깜빡였다.

"아, 아닙니다!"

"그도 아니면 동경이었나. 아무튼 어떤 감정이어도 상관없어요."

정말로 너무 아무렇지도 않은 목소리라 오히려 당황한 것은 네이선이었다. 네이선이 눈을 느리게 깜빡였다. 베아트리체가 지금 무슨 말을 하는 거지? 이상하게 현실감각이 멀어지는 것 같다. 베아트리체가 무슨 말을 할지 오히려 두려워진 쪽은 네이선이었다.

"내가 아니잖아요."

"베베, 대체 무슨 말을…….."

"내가 당신을 좋아하는 게 아니잖아요. 네이선, 나는 처음부터 당신을 남자로 좋아한 게 아니었잖아요. 당신이 충분히 좋은 사람이고 앞으로 우리 아기에게도 좋은 아버지가 되어줄 거라는 건 알아요. 하지만, 딱 그뿐이잖아요."

베아트리체가 네이선의 팔을 토닥였다.

얼어붙어 멍하니 서 있던 네이선이 화들짝 놀랐다.

"내가 당신에게 품은 감정이 사랑이 아니라 아무렇지도 않은걸요."

푹- 검에 찔린 것 같았다. 네이선이 벼락 맞은 표정으로 베아트리체를 쳐다보았다. 그러니까 정리해보자면, 베아트리체가 네이선을 남자로서 좋아하는 게 아니니 그가 누구를 좋아해도 상관없다. 네이선은 그저 아이의 아버지 역할만 잘하면 된다……?

"그, 그럼 우리는요?"

네이선이 말을 더듬었다.

"네? 우리가 왜요?"

"우리는 어떤 사이가 되는 거죠? 베아트리체는 나를……. 나를 여기로 데려와 줬잖아요. 같이 떠나자고 말해줬잖아요."

당황스러운 마음에 횡설수설하게 된다.

"어머."

베아트리체가 한 걸음 더 네이선에게 가까워졌다.

"괜찮아요? 숨 쉬어요."

분홍빛 머리카락과 사랑스러운 얼굴이 가까워졌다. 네이선이 숨을 흡 들이켰다. 베아트리체는 그 자체로도 마치 한 송이 봄꽃 같았다. 그리고 그 속에는 단단함이 숨겨져 있었다. 누구보다도 단호하고 냉철하다. 힐라리아가 오스발트로 가고 나서 베아트리체는 조금도 망설이지 않고 떠났다. 힐라리아와 돌아올 거라면서 말이다.

그리고 기네비어로 가기로 마음먹은 베아트리체 또한 그랬다. 이미 제너시스는 텅 비어가고 있었다. 이 수도에서 완전히 떠나버릴 생각으로 정리하고 있는 것이다. 베아트리체의 부모님도 하고 있는 일을 정리하고 함께 기네비어로 가기로 했다. 그 길에 네이선도 동행시켜주는 것이 고마울 따름이었다. 그런데 그 이상으로 무언가를 바라고 있었던 걸까? 네이선이 입술을 달싹였으나, 밖으로 아무 말도 튀어나오지 않았다.

"네이선?"

"나를…… 버릴 겁니까?"

목이 졸린 것 같은 음성으로 네이선이 물었다.

"네?"

베아트리체가 놀란 듯이 반문했다.

"당신과 내 사이가 아무것도 아니고……. 우리 둘 사이에 아무런 감정도 남아 있지 않다면……."

불안함이 네이선을 꽁꽁 싸맨 채 어둠 속으로 끌고 들어가는 것만 같았다. 네이선은 많은 부분을 베아트리체에게 의존하고 있었다. 물질적인 부분에 대한 이야기는 아니다. 에벤에셀은 네이선에게 먹고살 만큼 충분한 재산을 내어주었으니 말이다. 시벨로프의 재산은 대부분 국가로 환수되었으나, 일부를 떼어 네이선과 라리나에게 나눠주었다. 네이선은 아주 풍족하지는 않아도 풍요로운 삶을 영위할 수는 있었다. 이건 감정적인 문제였다. 나약한 네이선은 베아트리체 없이는 안 된다는 감정적인 문제.

"무슨 소릴 하는지 모르겠네."

그런 네이선을 다시금 빛으로 끌어낸 것도 베아트리체였다.

베아트리체가 네이선의 팔뚝을 톡톡 두드렸다.

"네이선 괜찮아요?"

"베아트리체……."

"내가 네이선을 왜 버려요."

베아트리체가 까르르 웃었다.

"좋아하지 않는다고 했지 당신을 내쫓는다고는 안 했잖아요. 왜 자꾸 그런 생각을 하지? 네이선, 내 집처럼 편하게 지내라는 말 진심이었어요. 그리고 그건 여전하고. 당신은 그저 우리 가족이 된 거예요."

조금 이상하긴 하지만.

베아트리체가 덧붙였다. 그 말에 오히려 더 이상해진 것은 네이선 쪽이었다. 이제야 눈앞이 깨끗해진 것 같다. 베아트리체의 입으로 저런 말을 듣고 나니 말이다. 네이선은 알아차렸다. 네이선은 베아트리체에게 의지하고 있는 것만이 아니다. 어느새.

"내, 내가 당신을 좋아한다고 하면요?"

좋아하게 된 것이다.

"음. 그건 아직 생각해보지 않았는데……. 어, 앞으로 생각해봐야 할까요?"

"……네, 그래주십시오."

네이선이 울상으로 대답했다. 지금 힐라리아가 황후가 된 것을 축복하고 있을 때가 아니었다. 더 중요한 문제가 그를 기다리고 있었으니 말이다.

***

다음 날.

드디어 황후 힐라리아의 아침이 밝았다.

힐라리아가 황후로서 가장 먼저 한 일은 강력한 우방이 된 프로이턴의 황태녀 메일린을 배웅하는 거였다. 메일린은 후계자로서 하루라도 빨리 돌아가 자신의 자리를 지켜야 했다. 메일린은 귀국하기 전 1시간의 티타임을 청했고 힐라리아는 흔쾌히 응했다. 메일린이 직접 프로이턴 황실에서만 마시는 찻잎을 가져왔다. 우려지는 향기가 남다른 것이 왜 최고급 차라고 칭해지는지 알만했다.

"냄새가 괜찮죠?"

"그렇네요."

"황후 마마 드리려고 신경 좀 썼지요. 블렌딩부터 남다르니 향이 이리 우아할 밖에요."

"고마워요."

힐라리아가 메일린에게 보여주듯이 차를 음미하며 마셨다. 메일린이 호언장담한 대로 향기는 우아하다는 수식어를 붙일 만했다. 그 모습을 보던 메일린이 음울하게 입을 열었다.

"이젠 정말로 한동안 못 봐요."

표정은 그럴듯하게 꾸며 그린 듯한 미소를 머금고 있었다.

"마지막 제안인데, 정말 프로이턴으로 가지 않을래요? 더한 대우를 받을 수 있을 텐데."

"메일린 황녀."

"정말이에요. 나는 의외로 많은 것을 듣고 알고 있죠."

메일린이 힐라리아를 향해 몸을 수그렸다.

기묘하게 빛나는 눈동자에는 숨길 수 없는 탐욕이 어려 있었다.

"당신. 아이를 못 낳잖아."

메일린이 느릿하게 읊조렸다. 힐라리아가 창백하게 질렸다. 어디서 새어 나간 거지? 의사? 그도 아니면 시중인들? 절대적으로 함구하도록 입에 족쇄를 걸어두었는데 말이다. 아. 지금 그것보다 더 중요한 것은 자신의 끄나풀을 드러내면서까지 저런 말을 하는 저의였다. 메일린이 힐라리아의 손을 덥석 잡았다.

"그러니 이곳보다는 프로이턴이 좋지 않겠어요?"

힐라리아가 그 손을 가만히 노려보았다.

그녀는 남의 치부를 공격하는 일은 익숙해도 반대로 당하는 것엔 익숙하지 않았다. 메일린이 짓이긴 마음이 터져나갈 것만 같았다. 아이를 갖지 못한다. 그건 에벤에셀의 치세에 막대한 악영향을 끼칠 것이고 사실을 알게 되면 이 나라가 들끓게 되겠지. 당장이라도 후궁을 가득 채워 후손을 봐야 한다고 떠들어 댈 것이다. 지금은 힐라리아의 편을 들고 그녀의 업적을 칭송하지만, 언제고 등을 돌릴 수 있는 게 귀족이라는 족속들임을 인지하고 있었다.

그럼에도. 사랑이라는 미련한 콩깍지에 그 힘든 길을 택했다.

"……황녀께서 입에 담기에 적절한 주제는 아니군요."

에두른 거절이었다. 힐라리아가 이 황성에 남기로 결정한 것은 전적으로 에벤에셀 때문이었다. 그게 아니었으면 힐라리아는 예정했던 대로 이 황성을 홀홀 떠났으리라. 기네비어로 돌아가 그녀가 원했던 삶을 살다가 마무리하는 거지. 힐라리아가 고개를 저었다.

"그 문제는 제가 알아서 합니다."

"……내 의도를 곡해하지 말아요."

메일린이 강하게 읊조렸다.

"나는 당신이 걸어야 하는 가시밭길을 도저히 두고 볼 수가 없어서 하는 말이에요."

메일린의 목소리는 가늘게 떨리고 있었다.

"참 무심한 세상이지."

힐라리아는 덤덤하게 메일린을 바라보았다. 붉게 달아오른 메일린의 눈가가 그녀의 진심을 내비치고 있었다. 그녀는 진심으로 힐라리아가 걸어가야 할 길을 걱정하고 있었다.

"과거는 쉽게 잊히고 마니까요. 당신이 이 나라를 위해서 해낸 일들은 금세 과거의 영광이 될 거예요. 사람들은 당신이 아이를 갖지 못한다는 사실에 집중하겠죠."

"메일린 황녀."

힐라리아는 메일린의 말을 막으려고 했다. 하지만, 메일린은 집요했다. 사실은 가장 마지막 말을 전하기 위해 이 자리를 청한 것이었으니.

"만약, 그런 때가 오면……. 더 이상 못 견디겠어서 도망치고 싶은 때가 오면 내게로 와요. 당신이라면 언제든 환영이니."

"……나를 위해 왜 그렇게까지 하죠? 어떤 외교적 문제가 발생할 줄 알고요?"

"……나를 황제로 만들어준 게 당신이니까. 나는 당신을 통해서 세상을 보고 발전해요. 당신이 가는 길을 뒤 따라가다 보면 프로이턴도 언젠가 좋은 나라가 되겠죠. 우매한 나의 시야를 넓혀준 당신이니 당연한 일이에요."

메일린이 생긋 웃었다. 그간 윈프리드에 머물면서 힐라리아의 행보를 낱낱이 살폈다. 힐라리아가 무엇을 위해 움직이고 종내에 무엇을 했는지 전부 눈으로 확인한 것이다. 메일린은 힐라리아의 길이 옳다는 것을 매번 확인했다. 그 과정은 꽤 경이롭기까지 했다.

기네비어의 공주로 태어나 모자란 것 없이 자랐을 힐라리아가 왜 자신을 희생해가며 나라를 구하려 애를 쓸까. 오히려 보호를 받아야 하는 입장 아닌가? 하지만, 힐라리아의 모든 행보에는 의미가 있었고 그녀는 윈프리드와 기네비어를 온전하게 지켜냈다. 온전하게. 그 단어가 반역과 전쟁을 두고 얼마나 위대한지 알만한 위정자들은 전부 알 것이다.

많은 사람들이 죽었을 것이다. 윈프리드도 막대한 피해를 입었겠지. 어쩌면 기네비어는 몰락했을지도 모르는 일이다. 오스발트와 사리프, 오이겐. 세 연합의 말발굽이 분명히 윈프리드를 반파 냈을 테니까.

하지만, 힐라리아가 그것을 막아냈다. 정보를 유출하는 황태후 일가를 축출하고 그들의 뒤를 치열하게 쫓았다. 모든 정보는 교란되었다. 힐라리아 한 사람으로 인해서 말이다. 황태후의 관심은 힐라리아에게 쏠려 있었고 그녀는 그것만으로도 벅차 다른 데 신경을 쓸 여력이 없었다.

그사이에 에벤에셀이 움직였다. 기사들의 배치를 수도 없이 바꾸며 황태후의 눈을 가렸다. 기네비어의 기사들이 황성으로 오고 황실 기사단이 로마노프로 향했다. 제자리에 있어야 하는 이들이 국경으로 향하기도 했다.

참 손발이 잘 맞는 한 쌍이다, 생각했다. 결과는 달랐지만. 에벤에셀은 멀쩡했지만, 힐라리아는 만신창이가 되었다. 모든 시선을 쓸어 모은 탓에 그럴 수밖에 없었을 것이다. 사람들은 힐라리아를 표적 삼아 공격해댔으니. 그리고 지금이었다. 메일린은 힐라리아를 그런 수모 속에 두고 싶지 않았다. 그녀는 칭송받아 마땅할 영웅이었고 이 나라를 구한 사람이었다.

"같이 가요. 내가 어떻게든⋯⋯."

"메일린."

"네."

"당신은 믿기지 않겠지만, 지금 나는⋯⋯."

힐라리아가 해사하게 웃었다. 저 높이 떠 있는 태양만큼이나 밝게 말이다.

"사랑이라는 걸 하고 있어요."

나른하게 속삭여지는 목소리에 메일린이 눈을 동그랗게 떴다.

"사랑⋯⋯ 이요?"

힐라리아가 그런 단어를 입에 담을 거라고는 생각도 하지 못했다. 메일린에게 힐라리아는 거의 신격화된 존재이므로 더욱 그러했다.

"네. 사랑이요. 나는 지금 불꽃보다도 뜨겁고 얼음보다도 시린 사랑이라는 걸 하고 있어요. 그로 인해 울고, 웃고, 행복하고, 불행하죠."

힐라리아가 메일린의 손을 맞잡았다.

"당신의 마음은 고맙게 받겠어요. 하지만, 나는 내 사랑을 포기 못해요."

"힐라리아……."

메일린이 입술을 달싹였다. 힐라리아가 황성으로 돌아온 것은 그런 달콤한 이유가 아니라 나라를 위해서라고 굳게 믿고 있었다. 한데 힐라리아는 메일린의 예상과는 아예 다른 이야기를 하고 있었다. 힐라리아와 에벤에셀이 금슬 좋은 부부라는 건 알고 있었다. 하지만, 위장이 아니었나? 뜻이 맞아 함께 행동하는 동지처럼 말이다.

"……사랑도 영원하지 않아요."

"그럴지도요."

"언젠간 바래 없어질 감정일걸요?"

메일린이 조바심 가득한 얼굴로 힐라리아를 설득했다.

"정말로 그럴 수도 있다고 생각해요."

"그런데 왜? 그런데도 왜 그 길을 가려고 해요. 그러지 말아요. 나와 함께……."

"메일린. 나는 그간 정말 많은 일을 해냈어요. 그리고 이제는 나를 위한 선택을 하려고 해요."

"……힐라리아."

"지금의 행복에 눈이 멀었다고 해도 좋아요. 정말로 사라져버릴 한낱 감정일지도 모르죠. 하지만, 나는 행복해요."

힐라리아가 입술을 달싹였다.

"나는 그저 당신이라는 좋은 친구를 뒀다는 사실을 마음 깊이 기억하고 있을게요."

풀이 죽은 메일린이 물러섰다. 그리고는 부채를 펼쳐 얼굴을 가렸다. 속상한 어린애 같은 행동에 힐라리아가 웃음을 터뜨렸다.

"……그러면, 힐라리아. 다른 부탁은 들어줘요."

메일린이 투덜거리듯이 말했다.

"말해요."

"……나는 윈프리드의 새로운 복지 사업이 탐나요."

"그건 내가 한 게 아니에요. 모두가 힘을 합쳐서 한 거죠."

"알아요. 도움을 달라는 거예요. 윈프리드의 하렘가를 깔끔한 소도시로 탄생시킨 비결을 알고 싶어요. 프로이턴은 윈프리드보다 낙후되었기에 더욱더요."

"아마, 사업이 마무리되어가니 총 관할을 맡은 이도 쉬고 있을 거예요. 그리고 나는 그에게 부탁을 해볼 수 있겠죠."

"고마워요, 힐라리아."

메일린이 도도하게 말했다. 그녀는 이미 대가를 치렀고 힐라리아에게 충분한 대가를 받아 챙길 입장은 되었다. 메일린이 새침하게 일어섰다.

"이젠 정말 떠나야 해요, 힐라리아. 더 이상 매달리지 않을 거예요. 나도 체면이 있지."

"고마워요, 메일린."

힐라리아가 다시 한번 말했다. 메일린이 손을 내밀었고 힐라리아가 그 손을 맞잡았다. 두 사람이 잡은 손이 아침 햇살 아래에서 빛났다.

"언제든 내가 뒤에 있다는 사실을 잊지 말아요."

메일린의 당부에 힐라리아가 웃음을 터뜨렸다. 정말 귀여운 뒷배를 얻게 되었으니 말이다. 메일린 프로이턴은 그렇게 떠났다.

***

뒷짐을 지고 창가에 서 있던 에벤에셀이 뚱하니 읊조렸다.

"너무 많아."

"예?"

반에이크가 반문했다. 새신랑이 이른 아침부터 출근해서는 심통을 부리길래 잘 달래어 놓았더니 저건 또 무슨 말인가 싶었다.

예로부터 총애를 받는 후궁은 나라를 망쳐 놓는다더니 힐라리아는 달랐다. 힐라리아는 윈프리드를 굳건하게 다지고 있었다. 오히려 이른 아침부터 일어나 일정을 소화하고 있는 쪽은 힐라리아였다.

에벤에셀은 그게 퍽 불만인 듯 서늘한 얼굴로 대신들에게 통박을 늘어놓았고 보다 못한 스베인과 반에이크가 그를 말리기에 이르렀다. 대신들이 울면서 하소연하는 것을 더 이상 들어줄 힘이 없었던 까닭이었다. 스베인이 지친 얼굴로 신경증을 완화시켜주는 차를 에벤에셀의 책상 위에 올려놓았다.

"차를 드시면 조금 나아지실 거예요."

"지금 차가 문제가 아니야. 그런 걸로 나아질 문제도 아니지."

에벤에셀이 창가에 곱게 처져 있던 커튼을 손에 쥐었다.

[이럴 줄 몰랐어?]

나비 힐이 속삭였다.

"닥쳐."

에벤에셀이 낮은 목소리로 쏘아붙였다.

힐라리아와 메일린이 나누는 대화는 고스란히 전해 들었다. 나비 힐은 전하고 싶은 이야기만 전한다. 이렇게 에벤에셀의 속을 긁어내리기도 하고 한번에 천국으로 올려 보내주기도 하는 소식들만 말이다. 힐라리아가 메일린 앞에서 그에 대한 사랑을 고백했다. 그것은 에벤에셀을 달아오르게 할 정도로 고무적인 일이었으나, 곧 한 무더기의 대신들이 황후궁으로 향하는 것을 발견했다.

'정말이지…….'

에벤에셸이 이를 악물었다.

"너무 많은 이들이 힐라리아를 찾는군."

고작 첫날인데 말이야!

"……그야 뛰어나신 분이니 그러시죠. 폐하, 일단 차를 드시고……."

에벤에셸이 몸을 홱 돌렸다. 이글이글 타오르는 파란 눈을 마주한 스베인이 몸을 움츠리고 물러섰다. 그냥 둬도 아무것도 못 할 것을 괜히 말을 붙여 봉변을 당하게 생긴 스베인을 보며 반에이크가 혀를 찼다.

하지만, 봉변을 당한 것은 스베인뿐만이 아니었다.

"보통 결혼을 하면 신혼여행을 간다지?"

물론 그렇다. 스베인이 느리게 고개를 끄덕였다.

"짐도 가야겠어."

"예?"

"예? 폐하?"

스베인과 반에이크가 당황해서는 되물었다.

"짐도 힐라리아와 단둘이서 잠시 여행이라도 다녀와야겠습니다."

에벤에셸이 생긋 웃었다. 하지만, 눈가에서 쏟아지는 살기는 분명한…….

'욕구불만이군.'

'욕구불만이야.'

스베인과 반에이크의 눈이 마주쳤다. 그런데 그 피해는 왜 대체 그들이 뒤집어써야 하는가! 힐라리아와 에벤에셸이 떠나고 나면 이 황성을 책임져야 하는 건 두 사람이었다. 반에이크가 입술을 바르르 떨며 말했다.

"지금은 불가하고……. 제가 준비를 해보지요. 적당한 때를 봐서 적당한 장소를 물색해드리겠습니다."

"……후우."

에벤에셸이 머리를 쓸어 넘겼다. 차라리 기네비어에 있을 때가 나았다. 그때는 힐라리아와 단둘이 보내는 시간은 충분히 보장받았던 것 같은데 황성으로 오면서 꿈 같은 시간들이 전부 깨어졌다. 에벤에셀이 불만스럽게 고개를 기울였다.

상황이 따라주지 않지만 요새만큼 만족스러운 적이 없었다. 힐라리아의 불안과 두려움이 에벤에셀을 사랑하는 감정에서 비롯되었다는 것을 확인할 때마다 마음이 충만해지곤 했다. 게걸스럽게 힐라리아를 탐하던 마음 속 괴물이 잠잠해진다. 그러니 그녀를 안아주고 좀 더 다정하게 달래줘야 하지 않겠는가.

이 모든 건 에벤에셀의 욕심과 집착에서 기인했다. 이런 때일수록 힐라리아를 위로하고 곁에 있어줘야 한다. 그래야 다시는 메일린 황녀 같은 것들이 나타나지 않을 테니까. 힐라리아를 추종하는 자들은 너무 많았고 그들 중 누가 힐라리아를 훔쳐갈지도 모른다. 그런 여지조차도 싫었다.

에벤에셀이 입술을 손가락으로 툭툭 두드리며 생각에 잠겼다. 힐라리아를 향한 소유욕과 집착은 날이 다르게 자라나고 있었다. 뜨겁고 강렬하게.

*　*　*

오후가 훌쩍 넘어서야 일정이 마무리되었다.

첫날부터 손님들을 치르고 그들을 배웅하느라고 바빴던 탓이었다.

힐라리아가 한숨을 돌리고는 첼로스테에게 손짓했다.

"의사는 어디 있지?"

"오고 계십니다."

"비밀에 붙인 거지?"

"네, 황후 마마."

"황제께서도 몰라야 해."

힐라리아가 되뇌었다. 다시 한번 정밀 검사를 받아보기 위함이었다. 스스로를 희망고문 하는 일은 비참했지만, 멈출 수가 없었다. 지금도 혹시나 하는 마음을 품고 있다는 것은 힐라리아만의 비밀이다. 수도 없이 에벤에셀과 밤을 보냈다. 혹여나. 그 희박한 가능성으로 아이가 들어섰을지도 모르는 일 아닌가.

힐라리아가 아랫배를 감쌌다. 가질 수 없다면 더 간절해진다고 누가 그랬던가. 지금 힐라리아가 그랬다. 괜찮은 척, 아무렇지도 않은 척하고 있었지만 실상은 그렇지 않았다. 괜찮지 않았다. 힐라리아의 손끝이 가늘게 떨렸다. 밖을 돌아보는 눈에는 진득한 감정이 묻어 있었다.

***

힐라리아는 황후로서의 첫날을 치르면서 실로테의 빈자리를 강하게 느꼈다. 그녀의 일을 도와줄 보좌관 말이다. 힐라리아가 이마를 짚었다. 그 외에도 황성의 인력을 전체적으로 재배치하고 가다듬을 필요가 있었다.

황태후를 모시던 시녀들은 전부 목이 달아났고 후궁들도 전부 궁을 비웠다. 그러다 보니 비는 손이 많았다. 이런 비효율적인 상황을 힐라리아는 그닥 선호하질 않는다. 그래서 힐라리아는 새로운 인물을 뽑아 올릴 필요성을 느끼고 있었다.

'티파티를 열어야겠군.'

소란스러운 파티는 힐라리아의 취향이 아니었다. 은밀하고 어두운 곳에서 피어나는 장미가 힐라리아의 취향이었다. 힐라리아는 사교계를 뒤에서 손가락 하나로 움직일 수 있는 사람이 되고 싶었다. 굳이 앞에 나서서 화려한 공작새 노릇을 하지 않더라도 말이다. 그리고 그녀에겐 충분히 그럴만한 능력이 있었다. 힐라리아가 첼로스테에게 명했다.

"실로테를 들라하게."

"예, 황후 마마."

이번에야말로 힐라리아의 색으로 황성을 화려하게 덧칠할 시간이었다.

첼로스테가 물러갔다. 힐라리아의 푸른 눈이 총명하게 반짝였다. 새로운 시대를 맞이하여 황성도 발맞춰 나가야 할 때다. 남겨야 할 오래된 것들은 남길 테지만, 새로운 물결이 황성을 휩쓸게 되리라.

그 시작은 실로테였다.

누구보다도 사람 보는 눈이 정확하고 처세술에 능한 실로테 클라리넷.

***

사실 힐라리아가 이렇게 빨리 불러줄 거라고는 생각지 못했다. 보좌관의 자리에 어울리는 귀부인들은 사교계에 많았고 그들을 먼저 부른 뒤에야 실로테의 차례가 올 거라고 생각했다. 보통 황후를 보좌하는 보좌관의 수는 3명. 그중에 마지막이라도 좋았다.

하지만, 힐라리아는 실로테를 가장 먼저 불러들였다. 그게 어떤 의미를 가지는지 모를 실로테가 아니다. 실로테의 가슴이 꿈으로 부풀었다. 힐라리아는 그녀의 치세를 함께 걸어 나갈 첫 번째 사람으로 실로테를 고른 것이다. 그녀는 친구이기 이전에 능력 있는 동반자로서 힐라리아의 옆을 걷게 될 것이다. 그간 꿈꾸었던 대로 말이다. 실로테가 힐라리아의 응접실에 힘차게 발을 들였다.

"힐라리아."

"실로테."

힐라리아가 생긋 웃으며 실로테를 맞이했다.

"······나를 이렇게 빨리 찾을 줄은 몰랐어."

힐라리아가 어깨를 으쓱하고는 실로테의 찻잔을 직접 채워주었다.

"나는 가장 필요한 인재를 찾은 건데. 설마 자신 없는 거야?"

실로테는 힐라리아가 채워준 찻잔을 손에 쥐었다.

이런 기회를 놓칠 리가. 그렇게 어리숙한 사람은 아니었다.

"아니. 내가 무엇을 도우면 될까?"

"황성의 인력을 전부 개편할 생각이야. 시녀들도 자를 사람은 자르고 새로 채용할 이들은 채용할 거야. 남아도는 인력도 많고. 그러기 위해선 네 능력이 필요해, 실로테."

"내 능력?"

"사실상 지금의 황성은 급격한 변화로 위태로워. 주춧돌이 단단하지 못하면 언제고 무너질 수 있다고 생각해."

"그래서?"

"쓸만한 인재들을 뽑아야 해, 실로테. 네가 해줘야 할 일은 그거야. 너는 나보다 이 수도 사교계의 생리를 좀 더 잘 파악하고 있지. 그리고 귀부인들과 영애들에 대해서도 말이야. 그들을 잘 가려내서 쓸만한 보석들을 데려와 줬으면 하는데. 할 수 있겠어?"

실로테가 비죽이 웃었다.

"그런 것쯤이야. 하지만, 내가 첫 번째여도 되겠어? 너도 알다시피 이런 사소한 것들은 꽤 깊은 의미를 가지기 마련이잖아. 어떤 의미를 부여하느냐에 따라서도 달라지고. 너는 지금 나를 처음으로 삼음으로써 노련한 귀부인들의 기분을 상하게 한 거야."

물론 알고 있었다. 하지만, 애초에 힐라리아는 노련한 귀부인을 보좌관으로 들일 생각이 없었다. 힐라리아에게 필요한 것은 새로운 바람이었다. 이미 황성을 돌봐주는 시녀장과 시종장이 충분히 역할을 잘 해주고 있었다. 그들과 비슷한 생각을 가진 이들은 필요 없다. 힐라리아는 새로운 시각으로 세상을 바라볼 수 있는 이들이 필요했다.

"알아. 그래서 나는 너를 더 적합하다고 생각한 거고."

"……영애들만 들일 생각인 거야?"

"이왕이면 유력한 가문의 영애들이면 좋겠지. 한 명쯤은 노련한 귀부인의 딸이어도 좋을 것 같아."

"그렇구나."

실로테가 고개를 끄덕였다. 그렇게 하면 귀부인들도 반발을 하지 못할 것이다. 뽑힌 이들이 자신들의 딸임에야 어떻게 딸의 앞길을 막겠는가. 오히려 돕지 못해 안달일 것이다. 귀부인들의 지식은 고스란히 딸의 것이 될 테고 힐라리아는 그렇게 함으로써 두 마리 토끼를 한 번에 잡게 되는 것이다.

실로테가 힐라리아의 뜻을 읽고는 소름 돋은 팔을 문질렀다. 한 마디, 사소한 행동마저도 내포하는 뜻이 없으면 힐라리아가 아니지. 그것을 잠시 간과한 스스로를 타박하곤 실로테가 말했다.

"……내가 지금 가장 추천하고 싶은 건 크로세아 백작가의 유디아 영애야."

"유디아 크로세아?"

"아마 곧 있으면 유학을 마치고 입국할 건데, 고틀리프에서 유학을 했거든. 그래서 좀 더 해상 지식에도 빠삭하고 시야가 트여 있는 편이야. 윈프리드의 고상한 귀부인들보다는 생각이 독보적이고 획기적이지."

"크로세아 가문은 어떤데?"

"유력한 가문은 아니야. 하지만, 아주 오래된 가문이긴 하지. 덕분에 크로세아 귀부인도 사교계에서 큰 세력을 형성하고 있어. 좀 더 진보적인 성향을 지닌 이들이지. 유리아 크로세아라면 그들의 반발은 억누를 수 있을 거야."

"그렇다면 보수 세력은?"

"흐음……."

목이 타는 것 같아 실로테가 찻잔을 기울였다.

아무래도 보수 세력 쪽은 조금 생각해볼 필요가 있었다. 그들은 한때 황태후의 사람들이었던 자들이다. 지금도 힐라리아에 대한 감정이 안 좋을 텐데 잘못 들쑤셨다가는 힐라리아의 등에 칼을 꽂을지도 모른다. 그나마 유순하고 그럼에도 능력 있으며……. 누구나 인정할만한 사람.

"……라리나 시벨로프는 어때."

"라리나?"

"괜찮을지는 모르겠어. 하지만, 시벨로프의 이름이 보수 세력에 끼치는 영향

341

은 무시할 수 없어. 그들이 아무리 반역을 꾀했고 전쟁을 일으켰다고 할지라도 말이야. 그들은 시벨로프가 나라를 위해서 한 일이라고 굳게 믿고 있을걸."

시벨로프 백작가가 오랜 시간 동안 윈프리드에 보수 세력의 수장으로서 존재해온 덕이었다. 그저 이름만으로도 사람들을 설득할 수 있는 힘. 시벨로프에는 그게 있었다. 힐라리아가 뺨에 손을 얹었다. 괜찮은 선택지다. 라리나 시벨로프는 그들을 움직일 수 있을만한 힘을 가지고 있었다. 정작 본인은 모르는 것 같지만.

"······라리나가 그들에게 선동 당하지는 않을까?"

실로테가 고개를 저었다.

"힐, 라리나는 의외로 단단한 사람이야. 솔직하고 대범하지. 스스로가 세운 정의에 대한 신념이 확고해. 이번 일을 겪어서 더 그런 것도 있고."

"······좋아. 네 뜻을 따르겠어. 그렇다면 라리나를 등용하기 전에 사교 파티에 몇 번 참석시켜야겠는데······. 실로테. 이 일에 대해서 위임해도 되겠어?"

"물론."

실로테가 환히 웃었다. 이것으로 새로운 황후궁 세력 개편이 대략적으로 끝났다. 보좌관들은 보수와 진보 세력진에서 골고루 뽑혔고 실로테는 그들을 다룰 자신이 있었다. 힐라리아의 믿음을 배신하지 않도록 말이다.

"실로테, 앞으로도 잘 부탁해."

실로테가 고개를 조아렸다.

"잘 부탁드립니다, 황후 마마."

그렇게 윈프리드 첫 여성 총리 대신 실로테 클라리넷의 첫 행보가 시작되었다.

***

힐라리아가 다음으로 한 일은 또 다른 약속을 지키는 것이다.

"첼로스테."

"네, 황후 마마."

단둘이 보고 싶다는 말에 첼로스테가 조금은 긴장했다. 케이티는 별일 없을 거라고 첼로스테를 다독이고 나갔지만 말이다. 힐라리아를 경외하고 그녀를 믿고 따르지만 그것과 두려움은 다른 문제였다. 첼로스테는 맨 처음 힐라리아를 만났던 날을 기억하고 있었다. 힐라리아가 내뿜는 날것의 위압감에 억눌려 무릎을 꿇어야 했던 날 말이다.

첼로스테는 그날, 힐라리아가 황후가 될 것임을 직감했었다.

"그간 정말 잘 해줬어. 못 할 짓을 시켰는데도 말이야."

올리비아를 감시하고 그녀를 나락으로 떨어뜨리는 일을 첼로스테가 도맡았다. 온갖 더러운 짓을 해야 했다. 땅을 파서 죽은 쥐를 파묻기도 하고 저주 인형을 숨기기도 했다. 힐라리아의 물품을 훔쳐 올리비아에게 가져다주는 일도 했었다. 힐라리아가 시킨 일이라고 하더라도 첼로스테는 자신의 일처럼 최선을 다했다. 한 번도 싫은 내색 없이 말이다. 힐라리아는 구체적인 명령을 내린 일이 없었다. 다만, 첼로스테에게 한 가지만 명했을 뿐이다.

'올리비아를 마녀로 만들어야겠어.'

첼로스테는 주체적으로 움직였고 힐라리아는 첼로스테가 하는 행동을 묵과했다. 그저 종종 케이티에게 확인하도록 했을 뿐이다. 첼로스테가 '자신의 일'을 잘하고 있는지. 케이티는 그럴 때마다 '심부름 갔어요.'라는 말로 회답했다. 첼로스테가 자신의 몫을 잘해내고 있다는 뜻이었다. 힐라리아는 첼로스테가 그만한 포상을 받을 자격이 있다고 여겼다.

게다가 일전에 약속하지 않았던가.

"내 너를 이 블라디슬라프의 시녀장으로 만들어주겠다고 하였었지."

"화, 황후 마마."

그건 진심이었다. 첼로스테는 메일린이 아닌 힐라리아를 모시게 되면서 그녀의 미래를 잃어야 했다. 힐라리아는 그에 대한 보상으로 약속했었다.

반드시 첼로스테를 블라디슬라프의 시녀장으로 만들어주겠노라고.

"지금은 네 나이가 아직 어리고 연륜도 부족하지. 하지만, 첼로스테."

"네, 네……."

어느새 울보가 된 첼로스테가 어깨를 바르르 떨었다.

고개 숙인 첼로스테의 눈에 투명한 눈물이 가득 고여 있었다.

"너를 황후궁의 시녀장 자리에 임명할 거야. 지금은 공석이지."

"하, 하지만……. 저 말고도 케이티도 있고……."

"케이티는 그런 데 욕심이 없어."

힐라리아가 고개를 저었다. 케이티는 정령술사였다. 그녀는 이런 일에 끼어드는 것보다 자연 속에 파묻혀 사는 것을 더 좋아했다. 기네비어에 있는 케이티를 여기까지 데려온 건 힐라리아였다.

그러지 않았더라면 케이티는 지금쯤 기네비어에서 한량처럼 살고 있을지도 모른다. 지금도 매일같이 업무가 끝나면 정원에 나가 몰래몰래 돌아다니는 것도 알고 있었다. 케이티는 힐라리아를 사랑하는 만큼 이 땅을 사랑했다. 아마도 정령의 영향을 받아서 그럴 것이다.

"……첼로스테. 너는 남은 고려하지 않고 너만 생각하면 돼. 할 수 있을 것 같니? 황후궁의 시녀장은 참 무거운 자리야. 너는 수많은 사람들의 눈치를 봐야 할 거고 드나드는 일들의 행적을 모두 눈여겨봐야 해. 나는 어수룩한 사람은 곁에 두질 않거든."

"저는……."

힐라리아는 고요한 눈으로 첼로스테의 선택을 기다려주었다. 하지만, 첼로스테가 이 기회를 놓치지 않을 거라는 걸 힐라리아는 알고 있었다. 여태까지 힐라리아가 봐온 첼로스테는 그랬다. 기회를 놓치지 않고 오히려 불행마저도 기회로 만드는 사람. 그게 첼로스테였다. 모든 일에 성실하고 열심이며 한 번 맡은 바는 어떻게든 해내는 사람.

충분히 황후궁의 살림을 도맡을 재량이 된다고 생각한다. 특히 힐라리아의 궁에 오가는 사람이 많은 지금 같은 때는 더더욱 말이다. 힐라리아의 제안을, 첼로스테는 받아들일 수밖에 없을 것이다.

"할 수 있습니다. 할 수 있을 것 같아요."

이것 봐. 힐라리아가 눈을 접어 곱게 웃었다.

"첼로스테, 나는 그대를 믿어. 내가 고른 시녀장 말이야. 다음 블라디슬라프의 총시녀장의 자리는 내가 약속하지. 하지만, 나는 언제든지 약속을 깰 수 있는 음험한 사람이라는 걸 잊지 말아줬으면 해."

첼로스테가 고개를 조아렸다.

"온 마음을 다해 보필하겠습니다."

울먹이는 첼로스테의 어깨를 힐라리아가 두드렸다. 자, 이것으로 기초 작업은 끝났다. 원석들을 골라 제 자리로 앉혔으니 이제 그 원석들을 갈고 닦아 보석으로 만들 시간이었다.

"첼로스테. 아직까지도 황성에는 황태후의 끄나풀들이 남아 있어. 그뿐일까, 밖에서도 블라디슬라프에 눈을 대고 있지. 그들을 모두 색출해내서 명단을 작성해와. 해줄 수 있겠니?"

"예, 황후 마마."

"좋아."

힐라리아가 입술을 길게 늘어뜨렸다. 듣기 좋은 말로 현혹해 사람을 부려먹는 것은 힐라리아가 가진 능력 중에 하나였다.

순진한 첼로스테. 너는 지금 위험한 수렁 속에 발을 들인 거야. 밖에서 그들의 대화를 엿듣고 있던 케이티가 고개를 내저었다. 이전부터 첼로스테를 끼고도는 힐라리아가 수상쩍더라니. 이렇게 될 것을 케이티는 이미 짐작하고 있었다.

'어휴. 내가 아닌 게 어디야.'

만약 힐라리아가 케이티를 저런 자리에 밀어 넣으려고 했다면 기네비어로 도망쳤을지도 모른다. 지금도 힐라리아 곁에 남아 있는 것은 오로지 신의 때문이었다. 힐라리아를 지키겠다고 스스로에게 약속한 것도 있고…….

하나뿐인 우리 공주님 행복한 것도 보고 싶고…….

케이티가 콧노래를 흥얼거렸다. 그녀는 그저 이렇게 적당히 일하고 노는 게 좋았다. 힐라리아는 케이티가 무엇을 하든 신경을 쓰질 않으니 더욱 편했다. 케이티가 폐부 가득히 깨끗한 바람을 머금었다.

'아……. 좋은 세상이다.'

힐라리아 때문에 속 졸일 때는 몰랐는데 황성은 꽤 괜찮은 곳이었다. 넓게 조성해놓은 정원들도 많았고 땅에 영양도 풍부했다. 땅의 정령들이 쑥덕대는 말에 의하면 정원수를 가꾸기 위해 온갖 영양제들을 가득 줘서 그렇다나. 그래서 그런지 정원을 한 바퀴 돌고 돌아오면 땅의 정령들이 더욱 생생해지는 것 같았다. 케이티가 가볍게 걸음을 옮겼다.

***

에벤에셀이 와인잔을 턱하고 내려놓았다.

그가 온 지가 언제인데 힐라리아가 여전히 서류와 씨름하고 있었던 까닭이었다. 심술이 솟는다. 에벤에셀이 소파에서 벌떡 일어나 힐라리아에게로 다가갔다. 힐라리아의 손에서 서류를 빼앗고는 속삭였다.

"……자꾸 이럴 겁니까?"

억울함이 가득한 목소리였다.

"에벤에셀?"

에벤에셀이 한숨을 내쉬곤 서류를 테이블 위에 던져두었다. 그러고는 힐라리아 앞에 허리를 숙여 무릎을 꿇었다. 폭신한 실내화에 감싸인 발을 움켜쥐었다. 발가락을 이로 깨문 에벤에셀이 종아리를 더듬어 올라갔다.

"아……!"

"……삐뚤어질 겁니다."

에벤에셀이 중얼거렸다. 그러고는 힐라리아의 잠옷 속에 손을 비집어 넣었다. 천천히 그녀가 입고 있는 천 조각들을 끌고 내리면서 에벤에셀이 속삭였다.

"하던 일 계속해보십시오. 나는 내 일을 할 터이니."

힐라리아가 에벤에셀의 머리카락을 움켜쥐었다.

***

에벤에셀의 품에 안겨 힐라리아가 나른하게 숨을 내쉬었다. 들썩이는 힐라리아의 등을 쓸어내리며 에벤에셀이 눈을 천천히 내려 감았다. 눈을 감자 힐라리아와 맞닿은 살갗 사이로 전해지는 심장 박동과 따뜻한 체온이 적나라하게 전해졌다. 에벤에셀이 나른하게 웃었다. 힐라리아로부터 파생되는 것 중에서도 단연코 그를 설레게 하는 것은 이러한 '감정'이었다.

달짝지근한가 하면 쌉싸름하다. 사랑이라고 보기 좋게 포장하기에는 아린 면이 분명히 남아 있는 것이다. 그렇다고 입 밖으로 뱉어내긴 싫다. 아니 그럴 수 없었다. 힐라리아를 뱉어내고 나면 에벤에셀은 이 세상에 남아 있지 않을 테니 말이다. 에벤에셀이 힐라리아를 가득 들이마셨다.

날뛰던 진득한 감정들이 가라앉는다. 힐라리아는 이렇듯 에벤에셀에게 양면적인 감정이 들게 했다. 집착과 사랑은 등을 맞댄 채로 하나였다는 걸 요즘에서야 깨닫는다. 추악한 질투와 치졸한 집착이 몸을 숨겼다. 그리곤 힐라리아 앞에선 보기 좋은 가면만을 드러내는 것이다.

"……사랑해."

이렇게 말이다. 에벤에셀이 힐라리아를 품에 안은 채로 안도했다. 오늘도 힐라리아를 안은 채로 밤을 날 수 있다는 사실에 말이다.

그는 오늘도 살아남은 것이다.

"나도 많이 사랑해."

힐라리아가 눈을 내리감은 채로 입술을 달싹였다.

"당신이 없으면 안 될 만큼. 내가 이런 사랑을 하게 될 거라곤 상상도 못했는데……."

힐라리아가 에벤에셀의 가슴에 뺨을 기댄 채로 웅얼거렸다.

"당신이 없으면 안 될 것 같아. 가시밭길이 눈에 보이는 데도 나는 이러고 있잖아."

힐라리아가 나른하게 속삭였다.

빌어먹을 신은 언제나 그랬듯이 힐라리아의 편이 아니었다.

'아이를 가지시긴 힘들 것 같습니다……. 일련의 사건들로 자궁이 많이 약화되어 계세요.'

'약을 먹어도 안 되나? 다른 방안은 없는 것인지 묻고 있네. 내 몸을 고쳐줄 수만 있다면 나는 그대가 원하는 무엇이든 줄 수 있어.'

'이건……. 황후 마마, 때로는 신의 힘이 아니고서는 해결이 안 되는 일도 있는 법이라지요. 기적을 바라는 수밖에 없을 듯합니다.'

간절히 바랐다. 메일린의 앞에서는 덤덤한 척하며 사랑을 떠들어 댔지만, 사실은 그게 아니었다. 힐라리아는 그 순간 스스로의 미약함에 얼마나 놀랐는지 모른다. 아이를 가지고 싶었다. 에벤에셀과 힐라리아를 딱 반 절씩 닮은 아이를 낳고 그 아이가 자라는 것을 보고. 또 그 아이가 낳은 아이들에게 둘러싸여 인생의 마지막을 맞이하는 삶.

욕심나지 않는다면 거짓이다. 그것이 탐이 나 목이 마르지 않다 하면 그 또한 거짓이다. 힐라리아가 입술을 달싹였다. 그런 욕심이 나는데도 후회를 하진 못한다. 시간을 되돌리면 이전과는 다른 선택을 할 거라고 말할 순 없었다. 힐라리아의 선택은 옳았고 그녀는 그 신념으로 살아왔다. 힐라리아가 달뜬 호흡을 내뱉었다. 눈물이 날 것 같다. 아니, 이미 눈물은 흐르고 있었다. 힐라리아가 에벤에셀의 품에 안긴 채로 눈을 깜박였다.

그녀가 선택한 것에 대한 대가는 너무 쓰라렸다. 언젠가는 이 따뜻한 품을 다른 누군가에게 내어줘야 할지도 모른다. 에벤에셀은 너무나도 쉽게 영원을 이야기하고, 이 제국을 사랑한다. 에벤에셀의 선택이 이 제국을 또다시 도탄에 빠뜨리게 될지도 모른다. 힐라리아는 그 순간이 온다면 에벤에셀을 놓을 것이다. 그녀는 스스로를 너무 잘 알고 있었다.

에벤에셀이 힐라리아의 모습을 살피며 등을 다독였다.

그는 괴물임에 틀림없었다. 어미를 닮아 인간의 피를 잇지 못했으니 어쩌면 당연한 일일지도 모른다. 힐라리아의 눈물이 달다. 온갖 죄악감이 에벤에셀을 찾아온다 해도 말이다. 힐라리아의 좌절과 절망이 달았다. 이대로 힐라리아를 삼켜버리고 싶었다. 힐라리아가 속삭이는 사랑보다 이 눈물에서 더한 진정을 느낀다. 에벤에셀이 힐라리아를 끌어안았다.

"울지 말라니까……."

한숨이 섞인 속삭임에는 분명한 욕망이 담겨 있었다. 에벤에셀이 힐라리아를 끌어 올렸다. 가까워진 힐라리아의 어깨에 입술을 묻었다.

힐라리아 특유의 체향이 입 안을 가득 채웠다. 샅샅이 핥아내도 끝까지 남아 에벤에셀을 미치게 하는 향이었다. 에벤에셀이 힐라리아의 머리채를 옆으로 넘겼다. 그녀의 눈물을 받아마셨다.

"쉬이……."

눈물로 엉망이 된 힐라리아의 얼굴을 본다는 건 조금 고역이었다. 정확히는 그녀를 향한 욕망을 참는 것이 고역이었다. 눈물을 흘리느라 달아오른 코끝이 붉다. 에벤에셀이 힐라리아의 눈가를 훔쳤다. 참지 못한 에벤에셀이 몸을 뒤집었다. 어느새 에벤에셀의 아래에 자리하게 된 힐라리아의 푸른 눈이 눈물로 흐렸다. 에벤에셀이 힐라리아의 눈물을 깨끗이 마셨다.

"미안."

당신의 슬픔이 내게는 행복이라서. 힐라리아가 눈썹을 일그러뜨렸다.

"……우리 진짜 이상해."

힐라리아가 울음기 가득한 목소리로 말했다.

"괜찮아. 혼자가 아니라 둘이잖아."

에벤에셀이 작게 웃었다.

***

기네비어의 일행이 떠났다.

다른 이들이 돌아가는 길보다 더 거창했던 것은 기네비어에서 온 일행에 새로운 이들이 더해진 까닭이었다. 제너시스 후작 부부는 수도에서의 삶을 아예 정리했다. 크리스티나의 뜻에 따라 후작 또한 기네비어로의 이주에 동의한 것이다. 크리스티나가 후작을 위해 포기했던 모든 것에 대한 대가였다.

그리고…… 베아트리체와 네이선도 그 일행에 합류했다. 베아트리체는 그녀의 모든 사업을 실로테와 라리나에게 일임했다. 힐라리아를 잘 부탁한 다면서 말이다. 제너시스가 가진 재산 대부분은 힐라리아 앞으로 남겼다. 사람들은 예상과 다른 그들의 돈독한 우애에 대해 떠들어 대다가 곧 흥미를 잃어버렸다. 베아트리체와 네이선은 발걸음 가볍게 떠났다.

'아이의 아빠가 되어준대. 그리고 나는 네이선을 두고 볼 생각이야.'

훗날 두 사람의 관계가 어떻게 변해있을지는 모르겠지만 말이다. 그리고 헬레나미아는……. 아무 말도 하지 않았다. 코가 붉어지도록 눈물을 흘리셨던 아버지와는 다르게 어머니는 힐라리아에게 더 이상 아무 말도 남기지 않았다. 힐라리아는 그 가뿐함 속에 담긴 많은 말들을 읽었다. 헬레나미아는 말을 하지 않은 게 아니라 하고 싶은 말이 너무 많아 하지 못한 것이다.

힐라리아가 발코니에 놓인 의자에 앉았다. 저 멀리 보이는 붉은 석양이 힐라리아의 마음을 들썩이게 했다. 텅 빈 것 같았다. 오늘 하루가 너무 길면서도 짧았다. 힐라리아가 눈을 깜박였다. 잠시 뒤, 힐라리아의 어깨에 부드럽고 두꺼운 숄이 와 닿았다. 힐라리아가 고개를 돌렸다. 어차피 이 시간에 힐라리아의 어깨에 숄을 둘러줄 사람은 정해져 있었다.

"저녁이라 서늘하시잖아요."

"케이티."

"요즘 약한 모습 되게 자주 보여주시네요."

케이티가 어깨를 으쓱했다.

"내가?"

힐라리아가 눈을 동그랗게 떴다.

"저는 보기 좋은데요, 황후 마마. 우리 공주님."

케이티가 생긋 웃었다. 짙은 암갈색의 눈엔 따뜻한 애정이 한가득 담겨 있었다. 케이티가 힐라리아의 숄을 여며 주었다.

"우리 공주님……. 행복해 보이시거든요."

"불행한 것 같은데."

힐라리아가 허탈하게 중얼거렸다.

"사랑을 하고 계시잖아요. 예쁜 사랑이요. 누군가에게 아주 많이 사랑받고 계시잖아요. 그건 행복한 일이지요."

"하지만……."

힐라리아의 표정이 흐려졌다.

그녀가 무슨 말을 할지 안다는 듯이 케이티가 고개를 저었다.

"그런 어려운 건 저는 몰라요. 저는 우리 마마가 시키는 일만 하는걸요. 하지만, 그건 알아요. 우리 공주님이 너무 많은 생각을 하고 계신다는 거요. 그냥……. 사랑받으면서 사세요, 공주님. 황후 마마라는 호칭이 입에 안 붙어요."

케이티가 혀를 빼꼼 내밀었다.

장난스럽게 웃는 케이티 덕에 분위기가 한결 가벼워졌다.

"앞으로는 익숙해져 볼게요. 황후 마마……. 황후 마마……."

그러고는 케이티가 고개를 끄덕였다.

"황후 마마. 사랑받으면서 사시면 돼요. 뭘 해야 할지 모르겠고 지금 이 순간이 너무 막막하고 그러시면 황후 마마를 사랑하는 사람들을 보세요."

"……여태껏 내가 직면한 문제들은 스스로 해결할 수 있는 것들이었어.

그게 어떤 위험을 감수하는 일이라도 말이야. 하지만, 케이티……."

힐라리아의 목소리가 가볍게 떨렸다.

"이건 그런 문제가 아니야. 내가 해결할 수 있는 문제가……."

"그래도요. 그래도 사랑하고 계시잖아요. 황제 폐하를 사랑하시잖아요. 그리고 그분의 사랑을 오롯하게 받고 계시잖아요. 지금은 그것만 생각하세요."

케이티가 머뭇거리다가 힐라리아를 끌어안았다. 지금의 힐라리아는 너무 작아 보였다. 사람들을 호령하고 그들에게 명령을 내릴 때의 힐라리아와는 다르게 말이다. 케이티가 힐라리아의 마른 등을 토닥였다.

어떻게 살린 사람인데. 케이티 또한 목숨을 걸었던 일이었다. 힐라리아를 오스발트의 성에서 홀로 도주시키던 그 순간에 말이다. 제발 살려만 달라고 빌었다. 힐라리아가 불구가 되어도 좋으니 살려만 달라고 신에게 빌었다. 걷지 못하면 케이티가 업을 것이고 그녀가 말하지 못하면 받아 적을 것이며 보지 못하면 대신 눈이 되어주겠노라고 다짐했었다. 미약해져가는 힐라리아의 숨소리에 케이티의 숨마저 멎어갔다.

그리고 신께서는 힐라리아를 이렇게 멀쩡하게 살려주셨다. 케이티의 기도는 이루어졌다. 그러니 다른 그 어떤 건 조금도 문제가 되지 않는다. 완벽함을 추구하는 힐라리아에겐 스스로의 흠이 에벤에셀에게 짐이 되는 게 무서운 듯했지만, 힐라리아를 아는 이들은 아무도 그렇게 생각하지 않을 것이다. 살아있는 것만으로도 감사할 수 있었던 그 순간을 기억하고 있기에.

힐라리아의 숨이 가늘게 떨렸다.

케이티는 오랫동안 그렇게 힐라리아의 곁에 머물러주었다. 힐라리아의 표정이 이전처럼 나른하게 여유를 되찾을 때까지 말이다.

***

새로운 아침이 밝았다. 힐라리아는 차라리 일하는 것을 선택했다.

고민을 잊는 힐라리아의 방법이었다. 힐라리아에게 새롭게 주어진 일은 오스발트가 몰래 윈프리드에 개척했던 길을 개발하는 거였다. 마법사를 숨겨두고 몰래 만든 마법 길이었다. 오스발트에서 윈프리드로 오가는 가장 빠른 길이기도 했다. 이미 그 길을 이용해 세 지역을 정비하고 있었다.

"흠……. 제3정보국에서 확인해본 결과 아직은 불안정하답니다. 마법진을 수정해서 안정화시켜야 한다고 합니다."

"아무래도 그렇겠지."

실로테의 말에 힐라리아가 고개를 끄덕였다.

"제3정보국에 이번 임무를 맡아줄 마법사들을 요청해. 그리고 기네비어에 지원을 요청하는 것도 좋을 것 같아. 이런 일에는 땅의 정령을 다루는 이들이 제격이야."

"그렇게 하겠습니다."

힐라리아가 실로테가 내민 서류에 인장을 찍었다. 공과 사는 확실히 구분하는 실로테가 정중하게 예를 갖췄다. 힐라리아가 그 옆에 바짝 긴장해 있는 라리나를 보았다. 실로테는 수완 좋게 라리나를 구워삶았다. 자신은 못한다고 거절했던 라리나를 입궁까지 시킨 것이다. 그리고 지금은 일을 배우는 수습기간을 거치는 중이었다.

라리나가 덜덜 떨리는 손으로 서류를 내밀었다. 여전히 어린 병아리처럼 솜털이 보송보송하다. 햇빛이 고인 백금발도 연푸른 눈도 여전했다. 힐라리아는 라리나가 완전히 망가져 버릴지도 모른다고 넘겨짚었었다. 그 당시에는 라리나에 대해서 잘 모르기도 했고 그녀에 대한 편견이 있었던 시절이었기에 그랬다. 하지만, 라리나는 이렇게 딛고 일어났고 앞으로 나아가고 있었다.

힐라리아가 옅게 미소 짓고는 서류를 넘겼다. 이번에 마법의 길을 정비하는 일로 들어갈 예산을 정리한 서류였다. 이 정보를 토대로 재정부에 예산을 요청해야 한다. 그리고 라리나는 나쁘지 않았다. 처음 맡은 일임에도 몇 군데 손보고 나면 이대로 서류를 제출해도 될 정도였다.

"수고했어."

힐라리아가 수정할 부분을 체크하고는 라리나에게 넘겨주었다. 그러자 라리나의 표정이 대번에 밝아진다. 여전히 솔직하고 속내가 훤히 들여다보인다. 사람의 본성은 이래서 변하지 않는다고 하나 보다.

"감사합니다!"

라리나가 우렁차게 외치고는 자신의 자리로 돌아갔다.

그리고 마지막. 힐라리아는 실로테를 가장 먼저 보좌관의 자리에 앉힌 스스로를 다시 한번 칭찬했다. 오늘 첫 출근한 마지막 보좌관이었다. 유디아 크로세아. 대체 크로세아 집안을 어떻게 설득한 것인지 귀국하자마자 유디아가 이 자리에 나와 있었다.

"저는 아직 업무를 배당받지 못했습니다, 황후 마마. 하여 제 이력을 정리해보았어요."

유디아가 자신감 넘치는 미소를 지었다. 실로테가 사람은 제대로 골라왔다. 유디아의 눈동자는 야망과 열정으로 가득 차 있었다. 드물게 고틀리프에서 유학 과정까지 밟았다더니.

"황후 마마의 명성은 고틀리프에서도 잘 전해 들었습니다. 이렇게 모시게 되어 영광입니다."

힐라리아가 짧게 고개를 끄덕였다.

"그리고 실로테 보좌관에게 이야기를 듣고 고틀리프에서 무기가 수입되는 경로를 알아보았습니다."

"벌써?"

"고틀리프가 무기를 주력 사업으로 삼고 있는 만큼 어려운 일은 아니었습니다. 어떤 경로로 윈프리드로 흘러들어 왔는지만 조사해보았습니다."

"그게 가능하단 말이야?"

"예. 사실 제가 고틀리프의 사업에 관심이 많아서 그곳에서 유학을 했습니다. 그래서 최근 몇 년간 수익이 크게 증가한 무기 중개상을 중심으로 정리해보았습니다.”

“……수고했어.”

힐라리아는 이 사업을 국책사업으로 돌리려 하는 만큼 관심이 많았다. 그래서 메일린이 넘긴 자료 외에도 따로 조사를 더 하고 있는 시점이었다. 힐라리아는 유디아가 여러 가지 면에서 적합한 인재임을 인정할 수밖에 없었다. 신께서 힐라리아에게 딱 하나 너그럽게 안배하신 것이 있었는데 그건 다름 아닌 인복이었다. 힐라리아의 주변엔 좋은 사람들이 모여들었다.

지금처럼.

***

벌써 삼 주가 지났다. 힐라리아가 황후의 자리에 앉은 지 말이다.

힐라리아는 긴 고민에 종지부를 찍었다. 그녀는 의사의 판단을 받아들이기로 했다. 아이를 갖기 힘들 거라는 말. 그녀도 인간인지라 그 사실을 인정하고 받아들이기까지는 꽤 긴 시간이 소요되었다. 하지만, 기어이 힐라리아는 해냈다. 늘 그렇듯이 말이다. 그리고 이번에도 힐라리아는 윈프리드를 위한 선택을 했다.

힐라리아는 실로테를 긴밀하게 불러들였다. 에벤에셀이 외부 일정으로 부득이하게 귀가하지 못하는 날이었다. 로마노프 령으로 내려갔으니 아무리 에벤에셀이 용을 써도 오늘은 돌아오지 못할 것이다. 그러니 실로테와 비밀 이야기를 하기에 알맞은 밤이었다.

“이렇게 늦은 밤에 무슨 일이야?”

공적인 관계가 아닌 사적인 관계다. 실로테가 편하게 물었다. 오로지 그녀만을 만났으면 한다는 말에 저택에도 그저 둘러대고 나왔다. 반에이크가 있었다면 믿어주지 않았을 테지만, 다행히 그도 로마노프로 간 후였다. 실로테는 이미 힐라리아가 일부러 오늘을 골랐다는 걸 직감하고 있었다.

"할 말이 있어서."

힐라리아가 쓸쓸하게 웃었다. 그냥 말하기는 어려운 일이다. 아무리 힐라리아라도 자신의 치부를 덤덤히 드러내기엔 이건 너무 아팠다. 힐라리아가 독한 와인을 단번에 마셨다.

"힐라리아?"

불안한 얼굴로 실로테가 케이티와 첼로스테를 돌아보았다.

두 사람이 동시에 고개를 젓는다.

"……할 말이, 있어서."

힐라리아가 타들어 가는 목을 쓸어내렸다.

"무슨 일이길래 그래?"

하도 별일을 다 겪은 뒤라 고작 그것에 겁먹게 된다. 실로테가 불안한 얼굴을 했다.

"……양자를 들일까 해."

"뭐?"

실로테가 벌떡 일어났다가 도로 앉았다. 힐라리아의 이야기를 끝까지 들어야 한다. 그녀가 저런 말을 꺼냈을 때는 분명 이유가 있을 것이다. 아무런 이유도 없이 저렇게 엄청난 발언을 할 사람이 아니었다. 힐라리아의 입술이 바르르 떨리는 모습을 본 실로테가 그녀의 잔을 비웠다.

이런 장르일 거라고는 상상도 못 했다. 힐라리아가 또 엄청난 것을 계획하고 있겠거니 짐작은 했었지만……. 실로테가 직접 빈 잔을 채워 도로 비웠다. 힐라리아의 복잡한 표정을 보고 있자니, 대체 무슨 일이 있는 거냐고 묻기도 뭐했다. 이리 불러들였으면 처음부터 말할 생각이었다는 건데 쉽사리 입을 못 여는 것을 보아 어려운 말인가 보다.

'설마 이제 와서 황후 안 하겠다고 하는 건 아니지?'

요즘 세상엔 왕왕 있는 일이었다. 결혼 전에는 좋아 죽겠던 사랑이 환상처럼 깨져버리고 금세 이혼을 하는 이들 말이다. 힐라리아와 에벤에셀도 그런 관계일지도 모른다. 하지만…… 그건 말이 안 되지 않나.

힐라리아와 에벤에셀은 다른 사람들이 보기에도 특별했다. 두 사람의 견고함은 그 누구도 침범하지 못할 성벽과 같았다. 실로테는 힐라리아와 에벤에셀의 불화를 도저히 믿을 수가 없었다. 게다가 낮에는 아무런 기색도 없었다. 실로테가 참지 못하고 술잔을 다시 채우려 할 때였다.

힐라리아가 입을 열었다.

"……나, 아이를 갖지 못한대."

덤덤하지만, 내포하고 있는 의미만은 엄청났다.

실로테가 고개를 번쩍 추켜올렸다.

"뭐……?"

"……."

힐라리아가 옅게 웃었다.

"그간 많은 일이 있었잖아. 그럴 만도 하지."

실로테는 지금 어떤 말을 해도 힐라리아에게 위로가 되지 않는다는 걸 깨달았다. 이건 여러 가지로 복잡한 문제를 야기할 수 있는 일이었다. 힐라리아는 무려 윈프리드 제국의 황후였으니 말이다. 힐라리아와 에벤에셀의 아이는 윈프리드의 차기 황제가 될 것이다. 한데…….

실로테가 얼굴을 쓸어내렸다. 힐라리아가 털어놓은 진실은 생각보다 더 대단했다. 첼로스테와 케이티의 반응으로 말미암아 보건대 이건 꽤 오래된 일인 듯했다. 힐라리아가 불임을 진단받은 것 말이다. 실로테가 기억을 더듬었다. 요새 의사가 자주 오갔다는 건 들어 알고 있었다. 힐라리아가 큰일을 겪은 이후로 에벤에셀은 강박증에 걸린 사람처럼 힐라리아의 건강을 유의하고 있으니 그런 이유이겠거니 했다.

하지만, 그게 아니라면.

힐라리아는 의학적으로 할 수 있는 모든 것을 해보았을 것이다. 실로테의 더듬거리는 시선이 케이티를 향했다. 힐라리아에게는 의학적인 힘 말고도 또 다른 힘이 있었다. 정령술. 사실 정령들이 이런 경우에 어떤 수를 내줄 수 있는 건 아니겠지만……. 그래도 걸어볼 수 있는 희망이 있지도 않을까?

하지만, 실로테가 입을 열기도 전에 시선을 알아차린 케이티가 고개를 저었다. 이건 정령들도 불가능한 일이었다. 치유의 힘을 가지고 있는 물의 정령들도 이미 망가진 몸을 되돌리진 못한다. 지난 시간 동안 힐라리아는 미련 없는 포기를 위해 모든 방면을 조사해보았다. 하지만, 어디서도 힐라리아는 답을 찾지 못했다.

"……하."

실로테가 참고 있던 숨을 터뜨렸다. 어쩜 하늘은 이리도 힐라리아에게 무심한지. 힐라리아의 편을 한 번쯤은 들어줘도 되는 거 아닌가. 실로테가 눈을 질끈 감았다.

"……혹시 모른다는 말은 하지 마, 실로테. 나는 그런 희망고문이 얼마나 잔인한 일인지 알고 있거든."

힐라리아가 고개를 저었다.

"나는 양자를 들이는 방향을 추진하려고 해. 비어 있는 후계는 언제든 나라에 문제를 일으키기 마련이잖아. 쓸데없는 욕심을 가지는 이들이 생겨날 거야."

"……너는 그런 걸 신경 쓸 정신이 있니?"

실로테가 억울하다는 듯이 물었다. 당사자가 아닌 실로테도 이토록 돌아버릴 것 같은데 힐라리아는 이미 다음 수를 생각하고 있었다. 힐라리아가 덤덤하게 말을 이었다.

"신경 써야지. 내가 무엇을 희생했는데."

"너무 이른 거 아니야? 힐라리아……. 그러다가 아이가 들어설 수도 있잖아. 응?"

"그런 기대를 하다 보면 지치기 마련이야. 그럴 바엔 차라리 처음부터 양자를 들이는 게 낫지 않을까?"

"아이가 생길 수도 있어."

"그게 바로 희망고문이라는 거야."

힐라리아가 공허하게 웃었다.

"그리고 나는 그런 비겁한 짓은 하기 싫어. 그냥 인정하고 내가 할 수 있는 다른 길을 모색할래."

실로테가 술잔을 기울였다. 왜 이 밤에 와인이 필요했는지 알 것 같았다. 머리가 빙글빙글 돌았다. 양자.

"어떤 아이가 좋은데?"

실로테가 최대한 아무렇지 않은 척 물었다.

"……황제가 되기에 적합한 아이가 좋아."

힐라리아가 입술을 달싹였다. 어떤 아이였으면 좋겠느냐고. 힐라리아와 에벤에셀 사이에 아이가 생긴다면 어떤 아이면 좋을까, 그런 고민을 해본 적이 물론 있었다. 하지만, 힐라리아는 지금 그녀가 낳을 아이에 대한 이야기를 하는 게 아니었다. 황위 계승자에 대한 이야기를 나누는 중이었다. 그러니 황제의 자리에 어울리는 아이라면 누구든 상관없었다.

힐라리아의 대답에 실로테가 한숨을 푹 내쉬었다.

"실로테, 이 일은 누구도 알아선 안 돼."

"알아……. 만약 생각이 바뀌면 말해."

"그럴 일 없어."

힐라리아가 고개를 저었다. 불확실성에 미래를 걸기엔 힐라리아가 어깨에 짊어지고 있는 것들이 너무 많았다. 그래서 힐라리아는 단호하게 말할 수 있었다.

"나는 절대로 이 일을 후회하지 않을 거야. 한순간도 이 나라를 위태롭게 하고 싶지 않거든."

***

힐라리아가 양자를 들이는 일을 고려하고 있다는 소식은 에벤에셀에게도 들어갔다. 조용히 움직였음에도 불구하고 에벤에셀에겐 나비 힐이 있었던 덕이었다. 에벤에셀이 이마를 짚었다. 로마노프에 다녀오는 사이에 실로테를 불러 그런 일을 명했다는 건 힐라리아는 이미 결정했다는 것이다. 그녀는 자신의 결정을 번복하지 않을 것이다. 아마 이 일이 기정사실화되면 온 나라에 파란이 일 것이다.

"무슨 고민이 있으십니까?"

에벤에셀이 반에이크를 힐끗 보았다. 날이 갈수록 얼굴이 좋아지는 것으로 보아 좋은 일이 있는 게 뻔했다. 그 매끈한 얼굴이 얄미워 보인다. 로마노프 령에서도 내내 무슨 생각을 하는 것인지. 에벤에셀이 못마땅한 표정으로 말했다.

"고민이 있어 보이나?"

"……아니시라면 말고요."

반에이크가 날카로운 에벤에셀의 반응에 몸을 물렸다. 저렇게 날카로운 반응을 보이는 것으로 볼 때 힐라리아의 일일 게 뻔했다. 먼저 에벤에셀이 말을 꺼내기 전까지 기다릴 걸 그랬다.

"아니. 고민이 있긴 하지. 전에 신혼여행에 대해서 이야기를 나눈 적이 있었던 것 같은데."

"……그랬었죠?"

반에이크가 떨떠름하게 말했다. 에벤에셀의 눈빛이 심상치 않았다. 그리고 항상 불길한 예감은 맞아떨어지기 마련이다. 에벤에셀이 입술을 끌어 올렸다.

"그 신혼여행 근시일 내에 다녀왔으면 싶은데."

"그……."

"반에이크."

에벤에셀이 단호하게 반에이크를 불렀다.

"예?"

"내가 지금 권유나 의견을 묻는 것처럼 보이나?"

"그럼……."

"이건 명령이야. 지엄한 황명이지."

에벤에셀이 짓궂게 웃었다. 절대로 물릴 생각이 없다는 듯이 말이다.

그렇게 에벤에셀과 힐라리아의 신혼여행이 결정되었다.

***

아무리 바빠도 시간은 만들어내면 있는 법이다. 반에이크와 실로테는 함께 머리를 맞대고 힐라리아와 에벤에셀의 일정을 조정했다. 반에이크는 황제가 일주일 동안 자리를 비우는 게 불만인 듯싶었지만, 실로테는 아니었다. 힐라리아가 바람이라도 쐬면서 기분을 환기시키길 바랐다.

힐라리아는 매번 최악의 상황에 직면한 채로 어려운 결정을 내리고 있으니 말이다. 에벤에셀로부터 힐라리아가 충분한 감정적 위로를 받고 돌아오는 것도 나쁘지 않았다. 힐라리아에게도 휴식이 필요했다. 실로테의 적극적인 협조 하에 두 사람의 일정이 조정되었다.

그들이 가게 된 곳은 로마노프와 인접한 작은 마을이었다. 힐라리아는 이왕에 떠날 거면 사람들이 적은 곳으로 가길 바랐다. 붉은 단발의 황후에 대한 이야기는 온 전역에 유명해서 어딜 가든 눈길을 끌었기 때문이었다. 그래서 황실 소유의 별장 중에서도 가장 구석진 곳에 있는 걸 골랐다. 푸른 바다가 널리 내다보이는 별장이었다. 힐라리아가 발가락을 적시는 바닷물에 저도 모르게 웃었다. 에벤에셀이 느릿한 걸음으로 힐라리아의 뒤를 쫓았다.

"오길 잘했어."

힐라리아가 크게 소리쳤다.

"여기 너무 예뻐!"

속이 탁 트이는 것 같았다. 힐라리아가 고개를 돌려 저 먼 바다를 내다보았다. 복잡한 상념들이 사라지고 그 자리를 푸른 바다가 메꿨다. 그녀를 덮칠 것처럼 몰려오던 파도는 이내 사그라들어 힐라리아의 발끝만 적시고 물러간다. 힐라리아가 거품이 이는 발을 꼼지락거렸다. 바닷물이 물러가는 만큼 쫓아갔다가 몰려오는 만큼 뛰어나왔다. 금세 옆구리가 결려 왔다. 힐라리아가 옆구리를 짚은 채로 숨을 몰아쉬었다.

"힐."

어느새 다가온 에벤에셀이 힐라리아를 부축했다.

"조심해야지."

다정하게 속삭이며 에벤에셀이 힐라리아를 끌어당겼다.

"이런 삶도 나쁘지 않은 것 같아."

힐라리아가 헐떡이며 말했다.

"너는 어때?"

"무슨 뜻이야?"

"그냥 조용한 데서 단둘이 사는 거 말이야. 우리를 방해할 건 아무것도 없고 딱 우리 둘뿐인 거지. 여기처럼. 아침엔 바다를 보고 꽃구경도 하고 시장에 가서 필요한 것도 사는 거야. 그리고 돌아와서는 같이 먹을 준비를 하는 거지."

"……"

"그런 삶은 어때?"

"네가 원한다면 무엇이든."

에벤에셀이 망설이지 않고 대답했다.

힐라리아가 가는 곳이 어디든 가겠다는 의지를 담은 표정으로 말이다.

"좋아. 아주 나이가 들면 우리 이곳으로 올까?"

"지금도 상관없어."

"그러면 윈프리드는?"

"반에이크에게 맡기는 것도 좋을 것 같아."

반에이크가 들었으면 목뒤를 붙들 소리였다. 오늘도 에벤에셀을 대신해서 업무를 도맡고 있을 테니 말이다. 힐라리아가 크게 웃음을 터뜨렸다.

"그거 좋네! 반에이크는 똑똑하고 능력 있으니 잘해낼 거야."

그 웃음이 눈부셨다. 힐라리아가 발을 담그고 있는 바다에 일고 있는 새하얀 거품처럼 말이다. 에벤에셀이 힐라리아를 끌어당겼다. 왠지 모르게 그녀가 바다에 휩쓸려 갈 것 같다는 기분이 들었다.

힐라리아에 한에서는 항상 강박증에 시달리는 에벤에셀이니 그리 무리한 상상도 아니었다. 에벤에셀은 항상 힐라리아가 그를 떠날 수 있다는 생각을 가슴 한켠에 품고 살았다. 에벤에셀을 이렇게 나약하게 만든 건 힐라리아였으니 이것 또한 그녀가 감당할 몫이다.

에벤에셀이 힐라리아의 이마에 입술을 눌렀다. 따뜻한 햇볕이 스민 힐라리아에게선 꽃향기가 났다. 에벤에셀이 힐라리아의 뒷머리를 헤집었다. 어느새 많이 자란 머리카락은 힐라리아의 목덜미를 덮고 그 아래에 닿아 있었다. 힐라리아의 머리카락이 자라는 만큼 시간도 흐르고 있다는 것이다. 에벤에셀이 힐라리아의 머리카락을 쓸어내렸다.

"나는 늘 진심인데 너는 믿어주질 않아."

"에벤에셀은 자신의 책임감을 그렇게 쉽게 저버릴 사람이 아니잖아."

힐라리아가 당연하다는 듯이 말했다. 이렇게 뭘 모른다. 에벤에셀이 힐라리아의 정수리에 턱을 얹은 채로 입술을 열었다.

"내 그 무엇도 당신보다 우선은 아니야. 그러니 당신이 원한다면 나는 해."

힐라리아가 에벤에셀을 마주 안았다.

대답보다는 행동이 더 나을 때가 있었다.

"이곳에서 단둘이 살까?"

에벤에셀이 힐라리아의 대답을 종용했다. 정말로 들어주겠다는 듯이. 나쁘지 않다. 그렇게 되면 힐라리아는 굳이 양자를 들이는 일을 서두를 필요도 없을 것이다. 힐라리아의 흠결이 제국의 안정을 뒤흔들지 않을 테니 말이다. 힐라리아가 가장 참을 수 없었던 것은 그녀가 제국에 위협이 된다는 거였다. 그녀와 에벤에셀이 모든 것을 바쳐 지켜낸 제국 아닌가. 힐라리아는 영원은 아니어도 그녀가 보았던 미래보다는 좀 더 긴 시간 동안 이 나라가 건재하길 바랐다.

"……차라리 그럴까?"

힐라리아의 목소리에는 옅은 울음기가 섞여 있었다. 덤덤한 척하려 해도 어쩔 수 없는 게 사람 마음이라. 길을 찾을 수 없을 때는 힐라리아조차도 이렇게 약해지고 만다. 힐라리아가 에벤에셀의 품에 고개를 파묻었다. 정말로 둘만으로 충분한 세상이었으면 좋겠다는 생각을 했다.

***

기네비어. 이곳이 앞으로 베아트리체의 전부가 될 곳이었다.

처음 시작은 힐라리아였는지도 모른다. 그 애는 대체 뭐가 그렇게 자신감이 넘치는 건지. 베아트리체가 잘해낼 거라고 공언하더니 기어이 베아트리체를 기네비어의 공왕비로 만들었다.

사실 역사적으로 이런 식으로 공왕비가 직계 공주가 아닌 자에게 넘어간 적이 몇 번 있었다. 기네비어의 역사 내내 딸이 태어난 것은 아니었으니. 오로지 딸에게서 딸에게로 전해지는 마력 덕택에 오로지 딸만이 왕좌를 이을 수 있었다. 그리고 헬레나미아는 이번 대부터 새롭게 제대를 정비하겠노라고 공표했다.

공왕비라는 이름으로 공왕의 뒤에 숨어 있지 않겠다는 것이다. 이제 정령술사가 마녀라고 지탄받던 시대는 지나 그들도 모습을 드러내고 능력을 발휘하는 세상이 왔다. 헬레나미아는 이제 붉은 여왕 티타니아의 딸들이 당당하게 왕좌를 이어받을 때가 왔다고 판단했다. 다음 대에 베아트리체는 '공왕비'가 아니라 '공왕'의 자리에 오를 것이다.

베아트리체가 붉은 석양이 내려앉은 기네비어의 초원을 멀리 내다보았다. 붉은 여왕 티타니아가 저 초원을 달려 척박한 기네비어에 공국을 세웠다고들 한다. 바로 저곳이 이 나라의 시작이었다. 예전엔 굳게 닫혀 있던 문이 활짝 열려 있었고 사람들은 그곳을 자유롭게 오가고 있었다.

오랫동안 기네비어에 살아온 늙은이들은 여전히 그 문을 넘으면 안 된다고 굳게 믿고 있었다. 젊은이들이 문을 오가는 모습을 걱정스럽게 보고 있는 것이다. 언제든 윈프리드 황실에서 보낸 기사들이 기네비어를 도륙 낼 거라고 생각하는 듯했다. 그들의 아집스러운 편견은 바꾸지 못할 것이다. 그건 그들이 스스로를 지키기 위한 방법이었을 테니.

베아트리체는 이 나라에 기성세대와 신세대 사이의 큰 갈등이 야기될 거라고 짐작하고 있었다. 그들 사이의 차이를 좁히는 것이 베아트리체가 가장 먼저 해야 할 일일 것이다. 머리가 복잡했다. 그저 힐라리아 옆에서 그 애나 보좌하며 편히 살려고 했더니. 베아트리체가 이제는 흩어져버린 자신의 꿈을 생각하며 실소했다.

"하여튼 힐라리아……."

예기치 않은 순간에 사람을 당황하게 하는 건 힐라리아의 주특기였다. 기네비어의 공왕이 될 거라곤 상상도 못 했었는데. 힐라리아에게 떠밀리다 보니 여기였다. 그리고 베아트리체는 여태까지 그래왔듯 자신이 맡은 바는 확실히 해내는 편이었다.

이미 헬레나미아는 베아트리체를 정무에 끌어들일 생각을 하고 있었다. 저녁 식사가 끝나고 나면 헬레나미아는 베아트리체와 1시간의 대담 시간을 가진다. 헬레나미아는 베아트리체가 예상도 하지 못했던 범위의 질문을 하곤 했다. 그녀는 헬레나미아로부터 기네비어를 다시 배우고 있었다.

베아트리체가 자신의 배 위에 손을 얹었다. 아직 네이선을 제외한 다른 이에게는 말 하지 못했다. 가뜩이나 요새 마음이 물렁해진 크리스티나는 쓰러질지도 모른다. 결혼도 하지 않고 아이를 낳아 혼자 키우겠다고 공언하면 말이다. 이 일을 어떻게 해결한담. 베아트리체가 목덜미를 긁적였다.

"……쌀쌀해요, 베아트리체."

"앗."

생각에 빠져 있느라 전혀 기척을 느끼지 못했다. 고개를 돌리니 가장 기네비어에 어울리지 않는 사람이 서 있었다. 네이선. 백금발의 화사한 머리카락에 석양이 비쳐 오렌지빛으로 물들어 있었다. 베아트리체의 눈이 갸름하게 휘어졌다. 베아트리체를 따라서 대뜸 연고도 없는 이곳으로 내려와 준 사람이다. 그리고 아기에게는 좋은 아빠가 되어주겠다고 약속도 했다. 미워할 이유가 없었다. 네이선이 베아트리체의 어깨에 숄을 둘러주고는 말했다.

"감기 걸리면 안 되잖아요. 한참 찾아다녔어요."

"왜요?"

"할 말이 있어서……."

네이선이 크게 심호흡을 했다. 일전에 베아트리체가 했던 말들이 아직도 기억에 짙게 남아 있었다. 그녀는 네이선에게 사랑은 아니라고 말했다. 네이선을 아이 아빠로 규정 짓긴 했어도 그녀의 남편으로 생각하고 있는 건 아니라고. 그게 맞는 말인 건 알겠지만…….

네이선은 그날 이후로 곰곰이 생각해보았다. 그가 베아트리체의 남편이 되어선 안 되는 이유에 관해서 말이다. 그리고 네이선이 베아트리체와 결혼을 해야 하는 이유에 대해서도 생각했다. 스스로를 설득하지 못하면 베아트리체를 설득하지 못할 테니까.

베아트리체가 발코니의 문을 닫고는 그녀의 침실 안으로 들어섰다. 밖에서 하녀가 어쩔 줄 모르고 서 있는 것으로 보아 네이선이 대답 없는 문을 열고 들어온 듯했다.

"아."

네이선이 베아트리체의 시선이 향하는 곳을 알아차리고는 볼을 붉혔다.

"아직 잘 시간은 아닌데 대답이 없어서……. 무슨 일이 있나 걱정이 돼서 일단 문을 열었는데 미안해요. 내가 무례를 범했군요."

"괜찮아요."

베아트리체가 하녀에게 손짓했다. 네이선의 걱정 많은 성격이라면 충분히 그럴만하다고 생각한다. 그리고 이해 못할 일도 아니었으니까. 하녀가 문을 닫고 물러갔다.

"그래서 할 말이 무엇인가요?"

베아트리체가 물었다.

"……어떤 말부터 꺼내야 할지 모르겠네요. 일단, 베아트리체가 한 말을 곰곰이 생각해봤어요. 베아트리체는 우리가 사랑으로 이루어진 관계가 아니니 내가 당신을 책임질 필요도 없고 당신도 나를 책임질 이유가 없다고 말했었죠."

"네. 그게 정확해요."

그리고 지금도 그녀의 입장엔 변화가 없었다. 두 사람의 관계가 변화하는 이유에 아기가 있어서는 안 된다. 아니, 아기가 이유가 될 수도 있겠지. 하지만, 아기로 인해 억지로 결혼을 한다거나 하는 건 반대였다. 오히려 아기의 행복에도 위배되는 일이라고 생각하고 있었다.

"……나는 베아트리체처럼 말을 잘하지도 못해요. 그렇다고 강단이 있는 것도 아니고……. 베아트리체를 어떻게 설득해야 할지 고민하고 또 고민했어요. 그러다가 생각했죠. 베아트리체가 상관이 없다고 말하는데 왜 나는 당신을 못 놓겠는지에 대해서요."

베아트리체가 눈썹을 찌푸렸다. 네이선이 무슨 말을 하는지 감이 잡히질 않는다. 네이선이 베아트리체에게 의지하고 있다는 건 알고 있었다. 한순간에 모든 걸 잃어야 했던 네이선은 베아트리체로부터 위안을 얻고 있었다. 그러니 당연한 것 아닌가. 누구든 자신이 기댈 수 있는 마지막 언덕 같은 것을 남겨놓는 법이니까. 하지만, 네이선의 생각은 달랐던 모양이다.

"……사실 그렇잖아요. 나는 다 큰 성인이고 원한다면 어디든 갈 수 있어요. 아무리 내가 유약하다고 한들 내 몸 하나 건사 못하겠어요. 하지만, 나는 베아트리체를 떠날 수가 없었어요. 당신을 떠난다는 생각만 하면 숨이 막혔죠."

네이선이 덤덤히 서술했다.

"그리고 나는 과거를 떠올렸어요. 내 손으로 어머니를 독살하고 홀로 남겨졌을 때의 일 말이에요."

"……어떤 생각을 했었나요?"

"……그 간절한 순간에 당신이 보고 싶었어요. 당신이 곁에 있으면 좋겠다고 생각했죠. 나 하나로도 벅차서 딱 죽고 싶었는데 당신 얼굴만은 선명했어요."

진실로 그랬다. 죽음을 생각하고 있으면서도 네이선은 베아트리체를 그리고 있었다. 마지막으로 이 세상을 떠나기 전에 베아트리체를 마지막으로 한번쯤은 보고 싶다고 생각했던 것도 같다. 아무튼 어떤 생각을 했든 간에 그 순간에 베아트리체를 떠올리고 있었던 건 확실했다. 모든 어려운 순간, 고통스러운 순간……. 그리고 황태후의 죽음을 지켜보던 순간에도.

네이선의 마음 한구석에는 항상 베아트리체가 있었다. 이것을 대체 왜 간과하고 있었는지는 모르겠다. 아마도 네이선이 늘 그랬듯이 멍청하고 느리기 때문이겠지. 네이선이 일렁이는 눈으로 베아트리체를 마주 보았다.

"……나랑 결혼해줄래요, 베아트리체? 가진 것도 없고 할 줄 아는 것도 없지만……. 좋은 남편이 되도록 노력할게요. 좋은 아빠가 될 수 있도록 할게요. 그러니까……."

네이선이 고개를 수그렸다.

"……내가 당신을 좋아하고 있는 것 같아요."

바람결에 흩어질 것처럼 작은 목소리였다.

인생은 정말 예상하지 못한 일들의 연속이었다. 베아트리체가 머리를 얻어맞은 사람처럼 네이선을 멍하니 쳐다보았다. 진심이었던 거야? 예고도 없이 베아트리체의 인생에 끼어드는 건 힐라리아 하나뿐이라고 생각했는데, 네이선도 마찬가지였다. 아, 무슨 일이람. 진짜 생각도 못 했다.

***

에벤에셀은 의외로 할 줄 아는 것이 많았다. 그는 자신의 삶이 그다지 평탄한 것은 아니었다고 말했다. 그렇다고 이렇게 요리까지 잘할 건 뭐람. 힐라리아가 자꾸 입맛을 당기는 요리들을 하나, 하나 맛보았다.

"……정말 잘하는데요."

"지금을 위해서 갈고닦았나 봅니다."

에벤에셀이 예쁘게 눈웃음을 쳤다. 힐라리아가 먹는 모습을 보고 있으니 주방에서 보낸 시간이 아깝지 않다. 그녀를 위해서라면 더한 것도 할 수 있는 에벤에셀이었으니 당연한 일이었다. 힐라리아는 소식가는 아니었지만, 대식가도 아니었다. 늘 적당히 먹고 나면 아무리 맛있는 음식도 전부 남기곤 했다.

하지만, 오늘은 뭐가 달라서였을까. 힐라리아는 자신의 앞에 놓인 음식을 전부 먹어치웠다. 그러기 위해서 몇 번이나 수저를 내려놓아야 했고 오랫동안 식사를 이어가야 했지만 그래도 그렇게 했다.

"이렇게 여유롭게 식사를 하는 당신은 처음 보는 것 같군요."

"내가요?"

"항상 쫓기는 것 같았거든요."

에벤에셀이 힐라리아의 음식을 직접 썰어주며 말했다. 힐라리아는 해야 할 일이 너무 많았다. 여유롭게 식사를 즐기며 음식의 맛을 곱씹을 시간이 없었다. 힐라리아는 그제야 자신이 스스로의 음식 호오도 잘 모르고 있다는 걸 깨달았다. 아니 잊고 있었다는 것을 말이다.

미래를 보고 돌아온 때부턴가. 힐라리아는 자신이 좋아하고 싫어하는 것을 잊었다. 그녀는 단 하나의 목적만을 생각하는 기계가 되었으니 말이다. 힐라리아가 물끄러미 자신의 접시에 놓인 음식을 보았다.

"사실 나는 완두콩은 그다지 좋아하지 않아요."

"다음에는 샐러드에서 완두콩을 빼야겠군요."

"그리고 옥수수를 좋아하는 편이에요. 그리고 토마토도 좋아해요. 토마토를 잔뜩 넣은 소스에 볶은 파스타도 좋아하죠."

"그건 내일 점심으로 좋겠군요."

힐라리아가 한참을 자신이 좋아하고 싫어하는 것들에 대해서 늘어놓았다. 그리고 에벤에셀은 힐라리아가 하는 말을 찬찬히 들어주었다. 일반적이고 평범한 연인들처럼 말이다. 이렇게 대화 주제가 평범해질 수도 있다니. 힐라리아는 한참을 떠들어 대고 나서야 웃음을 터뜨렸다.

"우린 이런 대화를 이제야 하네요?"

정말 우스웠다.

"이런 대화를 나눌 수 있는 시간은 앞으로도 많이 남아 있어요."

에벤에셀이 여상하게 대답했다.

"다른 연인들은 이런 대화를 결혼하기 전에 나누겠죠?"

"대신 우리는 그들이 하지 못했던 것들을 하고 더 많은 이야기를 나누었죠."

"그건 그렇지."

힐라리아가 수긍했다. 그 둘이 보내온 시간이 평범하지 못했다고 의미가 없었던 것은 아니다. 에벤에셀은 누구보다 힐라리아에 대해서 잘 알고 있었다. 그녀의 성향이 어떤지, 어떤 상황에서 무슨 선택을 할지 그런 것들 말이다. 오래도록 같이 산 부부들도 서로에 대해서 잘 모른다던데. 에벤에셀은 힐라리아에 대해서 속속들이 알고 있었다. 이런 사소한 취향 같은 것은 앞으로 배워 가면 될 일이었다.

그리고 힐라리아 또한 마찬가지였다. 에벤에셀이 위기의 순간에 어떤 선택을 할지 알고 있었다. 그리고 정치적인 문제가 발생했을 때도 말이다. 굳이 이야기를 나누지 않아도 두 사람은 같은 생각을 하고 있었고 뒤를 돌아보면 같은 방향을 향해 걷고 있었다. 그러니 서로가 선호하는 색이나, 음식 같은 것들은 몰라도 된다. 그들은 더 많은 것을 공유하고 있었으니.

"평범한 연인들이 부러운 건 아니에요."

힐라리아가 못을 박았다.

"네."

"정말로 부러운 게 아니라니까요. 나는 우리가 제일 특별하다고 생각해요."

"그렇군요."

에벤에셀이 선선히 수긍했다.

그런데 왜 자꾸 에벤에셀이 웃고 있는 건지 모르겠다.

"마음에 안 들어."

식사 예절에 어긋난다는 걸 알면서도 무릎 위를 덮고 있던 흰 천을 에벤에셀에게 던지고는 벌떡 일어났다. 기분이 상한 것은 아니었다. 에벤에셀이 힐라리아를 보는 낯 간지러운 시선을 견디지 못한 것이다. 그는 이곳에서 단둘이 살자고 말했다. 힐라리아는 그게 에벤에셀의 진심임을 믿는다. 그러니 이렇게 자꾸만 에벤에셀에게 시선이 가는 것일 테다.

에벤에셀이 힐라리아를 쫓아 몸을 일으켰다.

"같이 가."

평소 느른한 맹수처럼 굴면서 이럴 때는 초조한 어린애같이 군다.

힐라리아가 에벤에셀을 두고 어딜 간다고.

"내게서 등 돌리지 마."

힐라리아가 에벤에셀에게 손을 내주었다.

"너는 날 안 믿지? 나는 너를 믿는데."

에벤에셀이 대답 없이 힐라리아의 손을 맞잡았다. 힐라리아는 에벤에셀에게 대답을 종용하지 않았다. 말뿐인 대답은 필요 없었다. 그리고 에벤에셀은 영원히 힐라리아를 믿어주지 않을 테니 대답을 듣지 않아도 답을 알았다.

힐라리아가 에벤에셀의 손을 잡고 걸었다. 문을 활짝 열어놓고 정원을 걸어 나왔다. 새하얀 백사장에 내려앉은 석양 사이로 두 사람의 발자국이 나란히 찍혔다. 바다에서 불어오는 바람 사이에는 달콤한 짠내가 섞여 있었다. 힐라리아는 두 사람이 마지막을 준비하는 순간이 온다면 정말로 이곳에 오는 것도 나쁘지 않다고 생각했다.

아름답고 평화로운 곳이었다. 전쟁터처럼 쉴 틈이 없는 황성과는 다르게 말이다. 힐라리아가 에벤에셀과 잡은 손에 힘을 주었다. 아마도 내일이면 황성으로 돌아가야 할 것이다. 끝까지 이기적이면 좋으련만 힐라리아와 에벤에셀은 그들을 필요로 하는 이들을 외면하지 못할 테니까. 앞에 어떤 어려움이 도사리고 있더라도 직면해서 헤쳐 나가는 길을 택할 것이다.

힐라리아가 가만히 멈춰 섰다.

"……우리 영원히 함께할 거잖아. 그렇지?"

믿지도 않는 영원을 속삭이는 스스로가 참 우습다. 그런데도 영원을 믿고 싶어지는 건 그녀와 손을 잡고 있는 이가 에벤에셀이기 때문일 테지. 사랑은 똑똑한 사람도 바보 천치로 만드는 힘이 있었으니.

"물론."

힐라리아가 에벤에셀의 대답에 화사하게 웃었다. 그녀가 에벤에셀의 손을 끌어당겨 그의 손에 입을 맞추었다. 에벤에셀의 입가에 나른한 미소가 번진다. 힐라리아가 입술을 손등에 맞댄 채로 속삭였다.

"우리의 영원을 위하여."

불안하고 위태로운 시대는 종말을 맞이했다. 이제는 앞으로 나아갈 일만 남아 있었다. 과거의 오욕은 전부 씻겨 나갔고 윈프리드는 다시 완전해졌다.

힐라리아와 에벤에셀처럼 말이다.

두 사람은 계속해서 불안해하고 서로를 의심할 것이다. 그러면서도 사랑을 속삭이겠지. 달콤한 기만에 기대어 서로를 감시할 것이다. 어쩌면 영원한 시간 동안 그럴지도 모른다. 그게 두 사람의 본질이었으니 어쩔 수 없는 일이었다. 하지만, 확실한 건 지금만큼은 서로의 손을 잡고 있다는 것.

"영원을 위하여……."

에벤에셀이 따라 속삭였다. 그래, 지금은 그것으로 되었다.

그들은 지금만으로도 충분했으니 말이다.

에필로그

　헬레나미아는 몇 번이고 엘라임을 종용했다. 그렇게 넋을 놓고 있다가 에벤에셀의 짧은 생이 지고 나면 후회해도 소용없을 거라는 말로 말이다.

　엘라임은 헬레나미아를 이해할 수가 없었다. 이미 바래버린 감정은 더 이상 에벤에셀에 대한 어떤 것도 떠올리지 못했다. 엘라임에게 에벤에셀은 완벽한 타인에 불과했다. 그런데 헬레나미아는 엘라임의 등을 떠밀었다.

　바람과 물에 실려 윈프리드의 황실로 오는 길은 그리 멀지 않았다. 자연을 부리는 정령왕이 못 가는 곳이 어디 있겠는가. 이제는 윈프리드의 황실을 염탐하는 것이 엘라임의 습관이 되었다.

　"윽, 황제 폐하!"

　또다, 또.

　"시끄럽군. 목소리를 낮춰도 전부 들리네만."

　"그러면 이렇게 속삭이듯 말씀드리면 제 말을 들어주실 건가요?"

　"스베인. 누구나 업무 중 휴식 시간을 보장 받을 권리가 있네."

　에벤에셀이 주장했다. 그들의 대화를 엿들으며 엘라임은 에벤에셀이 또 집무실에서 탈주했음을 알아차렸다. 매일같이 벌어지는 공방이었다. 시종장 스베인은 에벤에셀이 하루 일과를 빨리 끝내고 황후와 시간을 보내길 바랐고 에벤에셀은 입장이 조금 달랐다. 중간에 휴식 시간을 가지며 황후와 시간을 보내는 쪽을 선호했다. 하루 종일 보지 못하는 건 힘든 일이라나.

물론 엘라임은 에벤에셀의 주장을 이해할 수 없었다. 고작 몇 시간이 힘들다니? 힐라리아와 에벤에셀은 엘라임이 보기에 너무 붙어 있었다. 한순간도 떨어지지 않으려는 건 둘째 치고 서로가 지겹지도 않나? 엘라임은 타인과의 관계가 낯설었다. 정령왕들은 특히 개인적인 성향이 두드러지는 편이라 오랜 시간을 함께해왔음에도 서로를 못 견뎌 했다. 그런데 저렇게 절절한 사랑이라니. 엘라임이 눈을 가늘게 떴다.

그런 사랑을 했었던 것도 같다. 세상의 모든 것에 초연해졌다고 여겼던 어느 순간, 사랑이라는 것에 빠져버렸던 것도 같다.

헬레나미아와 함께였을 것이다. 공왕비가 되기 전에 세상을 돌아보고 싶다는 헬레나미아의 조름에 져서 윈프리드까지 동행했었다. 헬레나미아 한 명을 기네비어 밖으로 빼내는 건 일도 아니었다. 엘라임을 부릴 수 있을 정도로 헬레나미아의 능력이 특출났기 때문이었다. 물은 어디에나 있었고 엘라임은 물을 다스리는 정령왕이었다. 수로를 통하면 어디든 못 갈 곳이 없었다. 그런 기억은 남아 있었다.

사실 모든 기억은 선명했다. 흐릿했던 기억이 전부 되살아났고 이제는 에벤에셀도 기억하고 있었다. 죽어가던 엘라임이 혼신의 힘을 다해서 낳았던 아이였다. 처음부터 헬레나미아는 엘라임이 아이를 낳는 것을 반대했었다. 인간과 정령. 아무리 인간의 태를 뒤집어쓴 것에 불과하다고는 하나 인간의 태아를 정령이 견뎌낼 수 있을 리가 없다는 것이다.

하지만, 엘라임은 고집을 부렸다. 아무도 기억하지 못할 정령 엘라임과 인간 황제의 사랑이었다. 그녀는 그에게 에벤에셀이라는 증명을 남겨두고 싶었다. 그들의 사랑의 증명을 말이다. 엘라임이 황후가 될 수 있었던 것은 그녀가 더 이상 엘라임이 아니었기 때문이었다. 그녀는 인간의 탈을 쓰고 베른하르트 가의 양녀가 되었다. 새로운 신분으로 황실에 들어와 그녀가 아닌 채로 살았다. 그럼에도 행복했었다. 그렇게 영원을 보내도 괜찮다고 생각했었다.

엘라임이 자조했다. 그런 열정이 그녀에게 남아 있었던 것이 믿기지 않는다. 그리 오래된 일이 아닌데도 까마득하게 느껴지는 건 잊어버린 사랑 때문일까. 하지만, 엘라임은 에벤에셀을 잉태했고 그녀는 아이를 택했다. 목숨을 걸고 아이를 세상에 내어놓은 것이다. 그만한 모성애가 있었다는 것도 지금은 믿기질 않는다. 어차피 에벤에셀은 한철 지나갈 아이였다. 인간에 대한 애정으로 스스로의 힘을 낭비할 줄이야.

엘라임이 자조했다. 스스로의 목숨을 깎아 에벤에셀을 낳고 잠에 빠져들었다지. 게다가 가진 힘을 전부 봉인해 에벤에셀에게 넘겨주었다고 들었다. 인간과 정령의 후손이다. 에벤에셀이 장성해 스스로의 힘을 통제할 때까지 날뛰는 힘을 제어해줄 장치가 필요하다고 여긴 것이다. 참 유별난 사랑이다 싶다.

엘라임이 턱을 괴었다. 대체 그때의 엘라임이 왜 그런 선택을 한 건지는 아직까지 이해가 가지 않는다. 엘라임이 눈살을 찌푸렸다. 그녀가 다시 깨어나고 벌써 8년이라는 시간이 흘렀는데도……. 엘라임이 목을 긁적였다.

'하아……. 인간이란 어렵군.'

그리고 과거의 자신은 더욱 어려웠다.

'무슨 생각을 하고 살았던 거야, 엘라임.'

인간을 사랑하고, 그리하여 목숨을 걸고, 마지막엔 목숨처럼 귀히 여기던 힘을 걸었다. 종합하여 유추해보자면 엘라임은 목숨보다 저 아일 더 아꼈다는 말이 된다.

'내가 그랬다고?'

오늘도 똑같은 의문을 품는다. 그 당시엔 엘라임이 아니라 엘라임의 몸속에 엘라임 비슷한 게 들어와 있었던 것이 아닐까. 엘라임이 고개를 갸웃했다.

"아무튼 이만 돌아가세요! 고틀리프에서 온 사신들이 기다리고 있다고 요⋯⋯!"

"좀 더 기다리라고 그래. 그래도 돼."

"아아, 황제 폐하!"

엘라임이 고개를 저었다. 저 애가 엘라임의 핏줄이 맞다면 지금 저 애타하는 스베인의 반응을 즐기고 있을 것이다. 여유롭게 웃고 있는 모습을 보라지. 다른 이들을 놀려먹는 것을 은근슬쩍 즐기는 모습은 정령을 닮아 있었다. 정령들은 인간들을 좋아하는 만큼 짓궂다. 그들을 놀려먹는 것을 좋아하고 놀라는 모습에 희열을 느끼는 정령들도 많았다. 엘라임이 저도 모르게 에벤에셀과 정령들의 공통점을 찾고 있다는 사실에 소스라치게 놀랐다.

'으.'

자꾸 보고 있으니까 정신이 어떻게 된 건가.

"반에이크 공! 황제 폐하를 좀 설득해보십시오!"

스베인의 격앙된 외침에 새로운 남자가 등장했다. 은발을 깔끔하게 넘긴 남자였다. 엘라임이 알기로 저 남자도 요새 행복한 신혼을 보내느라 정신이 없다던데. 벌써 7년째 이어지고 있는 신혼 생활임에도 말이다. 왜들 그렇게 사랑에 죽고 못 사는 것인지. 엘라임이 얼굴을 찌푸렸다.

"저는 폐하를 이해합니다."

"것 봐. 스베인 자네도 이제 그만 결혼할 때가 되었다니까."

"⋯⋯제가! 연애할 시간도 없는데! 무슨 결혼을 합니까아! 당장 두 분 응접실로 가셔야지요오!"

목청껏 외치는 스베인의 목소리에 엘라임이 귀를 틀어막았다.

"반에이크 공은 어딜 다녀오시는 겁니까? 또 라리나 보좌관님을 뵈러 다녀오신 거지요?"

"어흠⋯⋯. 스베인, 자네 참 이해심이 없구먼그래. 라리나가 둘째 아이를 가져서 요새 먹을 것도 제대로 먹지 못하는데 아비 된 자가 어찌 모른 척하겠어."

"……라리나 보좌관님이 다행히 입덧도 없이 무사히 여름을 보내고 계셔서 다행이라고 어제 말씀하셨습니다만?"

"원래 하루하루 다른 게 사람 마음 아니겠나."

엘라임이 빙글 돌았다. 저 남자의 말이 맞다. 이 세상에 영원한 게 어디 있겠나. 엘라임도 자신의 사랑이 영원할지도 모른다고 생각했었다. 과거의 그녀는 그러했다. 하지만, 지금은 그 남자의 이름도 기억나질 않는다. 깨끗하게 도려진 것처럼 그때의 감정이 지워진 것이다.

"하……. 머리야."

스베인이 머리를 절레절레 저었다. 그래도 에벤에셀과 반에이크를 재촉해서 챙기는 것은 저 남자뿐이었다. 사랑에 빠져 바보가 되어버린 두 사람에겐 저 남자가 필요했다. 엘라임이 재빨리 에벤에셀을 좇았다. 헬레나미아는 계속 보다 보면 과거의 기억이 되살아나고 그때의 감정도 돌아올지도 모른다고 말했다. 똑똑한 친구의 말은 언제나 옳은 편이었으니 엘라임은 그녀의 말을 곧잘 듣곤 했다. 이번에도 말이다.

'너는 너 대신에 아이를 살려달라고 말했어, 엘라임. 네 어느 조각에는 그 기억이 남아 있을 거야. 네 간절함과 애정이 말이야.'

헬레나미아는 그 몸을 이끌고 엘라임의 출산을 돕기 위해 황성까지 왔단다. 그 당시의 헬레나미아는 몸이 좋질 않았다. 크리스티나가 기네비어에서 빠져나가는 걸 돕기 위해 큰 힘을 사용한 덕택이었다. 크리스티나는 애초에 마력을 많이 타고나지 못했었다. 그런 크리스티나가 몰래 기네비어를 빠져나가 바깥의 남자와 사랑에 빠졌다.

크리스티나는 그 남자를 위해 많은 위험을 무릅썼다. 남자는 당시에 가문 내에서 발발한 문제에 휘말려 있었고 크리스티나는 남자를 대신해 검을 맞았다. 헬레나미아는 크리스티나를 살려서 기네비어에서 내보내는 대가로 힘을 반절을 잃었다. 거의 죽어가는 목숨을 살렸으니 당연한 일이었다. 그런 몸으로 엘라임을 돕기 위해 황성으로 온 것이다.

헬레나미아가 불러낸 물의 정령들이 그녀를 그곳으로 데려왔었다. 헬레나미아는 엘라임의 출산을 도왔고, 엘라임은 목숨을 건져 그 후로 몇 년간을 더 인간으로 살았다. 그러다 끝내 인간의 몸으로 죽어버린 엘라임을 기네비어로 돌려보낸 것도 헬레나미아였다. 그런 다음 그녀는 황성에 남아 두 달 동안 아이를 돌보았다. 실의에 빠진 황제는 아이를 돌보지 못했던 데다 엘라임의 부탁을 외면할 수 없었던 까닭이었다. 헬레나미아는 아이의 힘이 그나마 안정될 때까지 머물다가 기네비어로 돌아갔다.

이건 전부 엘라임이 헬레나미아를 통해 들은 이야기였다. 하지만, 그중 무엇도 엘라임에게 감정을 불러일으키진 못했다. 그저 생각했다.

'미련한 사랑들이군. 그런 게 뭐라고. 추상적이고 증명도 안 되는 한낱 그런 감정에 목숨들을 거나.'

엘라임은 과거의 자신을 비난하는 것에도 스스럼이 없었다. 엘라임이 하늘로 날아올랐다가 도로 내려왔다. 에벤에셀의 일상은 꽤 재미있었다. 에벤에셀은 많은 일을 했다. 만나는 사람도 다양하니 보는 재미가 있달까.

인간들의 세계도 철저한 약육강식을 따르고 있었다. 윈프리드는 그중에서도 강자였고 에벤에셀은 그 정점에 앉아 있었다. 엘라임의 아이 앞에서 사람들은 모두 고개를 조아렸다. 저 먼 나라, 고틀리프에서 왔다는 사신도 그랬다. 한때 윈프리드를 우습게 보고 무기 밀매도 서슴지 않았던 그들이었다.

하지만, 지금은 판세가 바뀌었다. 힐라리아는 고틀리프에서 사들인 무기들로 병권을 강화했다. 로마노프에도 새로운 무기가 보급되었고 황실의 지원을 받아 기사들을 증원했다. 윈프리드가 공공연하게 고틀리프를 향해 검을 겨눈 것이다. 하지만, 강대국의 위협을 빤히 보고 있으면서도 고틀리프는 아무것도 하지 못했다.

이런 걸 보고 있으면 짐승들의 세계나 다를 것이 없었다. 힘 앞에 굴종한다. 엘라임은 이지를 가진 인간들에게도 여전히 짐승의 흔적이 남아 있다는 걸 발견할 때마다 즐거워하곤 했다. 에벤에셀에게서 정령의 흔적을 발견한 것처럼 말이다. 엘라임이 공중제비를 돌았다.

에벤에셀은 고틀리프의 사신들을 고압적으로 대했지만, 그들은 그에게 아무 말도 하지 못했다. 일전에 망해버린 세 나라의 편을 든 것이 그들의 패착이었던 탓이다. 오스발트와 사리프, 오이겐의 편을 들고 떨어질지도 모르는 떡고물을 기대했다가 이렇게 약자로 고착화되어버렸다. 차라리 이런 게 이해하기 편했다. 엘라임이 그들의 이야기를 흘려 들었다.

오늘도 에벤에셀을 만나기 위해 먼 길을 달려온 손님들은 꽤 있었다. 사실 이렇게 사람들이 윈프리드에 몰려들고 있는 것은 큰 경사가 있기 때문이었다. 그다음 방문객은 프로이턴에서 온 사신단이었다. 강력한 우방이라고 알고 있었는데 이상하게 에벤에셀은 프로이턴의 사신들에게 날을 세우곤 했다. 지금도 마찬가지였다.

"황제께서 보내신 선물들입니다. 이건……."

지루한 설명들이 이어졌다. 프로이턴의 사신들은 그들이 가져온 선물들을 전부 풀어놓고 설명을 늘어놓았다. 반드시 에벤에셀에게 고맙다는 말을 듣고 싶은 기색이었다. 사실 프로이턴의 황제는 대체 무슨 이유에선지 에벤에셀이나 힐라리아의 인정을 받는 것을 좋아했다. 사신은 황제를 기쁘게 할 말 한마디를 고대하고 있는 것이다. 에벤에셀이 마지못한 기색으로 말했다.

"고맙군. 프로이턴의 황제께 전하시게. 이 모든 것을 기쁜 마음으로 받아들이겠다고. 황후께서도 좋아하실 거라고 말이네."

"예! 황제 폐하! 감사합니다!"

원하는 게 고작 저 말 한마디라고?

프로이턴의 황제도 영 모르겠다. 일전에 힐라리아 황후와 인연이 있었다는 것은 알겠는데……. 흠. 엘라임이 고개를 갸웃거렸다. 힘의 우열 관계는 이해하기 쉬웠지만, 이런 건 조금 이해하기 힘들다. 그리고 그들이 물러가고 나서야 드디어 에벤에셀의 일정이 마무리되었다.

저녁노을이 내려앉을 때가 되어 에벤에셀이 힐라리아의 품으로 돌아갈 시간이 된 것이다. 하지만, 내일모레 있을 윈프리드의 경사를 앞두고 황성은 아직도 시끌시끌했다. 손님맞이도 한창인 데다가 연회를 점검하고 준비하느라 정신이 없는 것이다. 에벤에셀은 그 모든 것을 뒤로하고 힐라리아가 있는 곳으로 향했다. 발걸음이 나비처럼 가볍다.

'속이 다 보이는군.'

특히 이럴 때 말이다. 저렇게 순수한 걸 보면 엘라임의 아들이 맞는 것도 같다. 물은 가장 순수하고 위대한 힘 아닌가. 그 힘을 이어받아 얼음까지 다룰 수 있으니…… 엘라임이 재빨리 에벤에셀의 뒤를 쫓았다. 저 멀리서 따뜻하고 부드러운 빛이 일렁인다. 여름의 저녁을 밝히고 있는 전등의 불빛이었다. 황후가 머물고 있는 궁의 정원에 환하게 불이 밝혀져 있었다. 그 가운데에 힐라리아가 있었다.

"힐라리아."

아까도 봤으면서 뭐가 그리 좋은 것인지 에벤에셀이 그녀를 끌어안는다. 엘라임이 생경하게 눈을 깜빡였다. 손에 잡힐 것처럼 선명한 감정인데 여전히 엘라임에겐 와 닿질 않는다.

"에벤에셀? 다행히 저녁 식사 전에 왔네요."

힐라리아가 몸을 돌려 에벤에셀을 마주 안는다. 현명한 헬레나미아의 똑똑한 딸이다. 힐라리아는 헬레나미아를 똑 닮아 있었다. 엘라임이 그 주변을 빙글빙글 돌았다. 오늘 있었던 일을 기네비어로 돌아가서 헬레나미아에게 전부 전해줄 요량이다. 아니구나. 헬레나미아도 내일이면 기네비어를 떠나 황성으로 올 것이다. 곧 있으면…….

"엄마!"

단풍잎 같은 두 손을 활짝 펼친 아이가 도도도도 달려왔다. 방긋 웃으며 힐라리아의 치맛단에 매달리는 아이는 검붉은 머리카락에 푸른 눈을 가지고 있었다. 힐라리아와 에벤에셀을 반 절씩 닮은 아이.

신의 기적.

힐라리아, 에벤에셀, 3살 난 아기.

"노엘!"

엘라임이 저도 모르게 미소 지었다. 영원은 없다고 믿는다. 여전히 말이다. 하지만, 저들을 위해서 영원을 빌어주고 싶었다.

신이시여, 저들을 굽어살피시기를.

엘라임이 경건한 마음으로 영원을 기도했다.

-마침-

작가 후기

안녕하세요, 린아입니다.

<후궁의 초대>를 읽어주신 독자님들께 감사의 인사를 먼저 전하고 싶습니다. <후궁의 초대>는 마녀사냥과 잔다르크를 모티브로 구상하게 된 작품입니다. 제 작품이 역사에 누가 되지 않았기를 바랍니다.

지금 다시 원고를 돌이켜보면 부족한 부분도 많았고 아쉬운 부분도 많았습니다. 이 소설을 쓰면서 여러 번 돌려보았던 영화는 <타이타닉>이었습니다. 모티브는 마녀사냥과 잔다르크였지만 등장인물들이 하는 사랑만큼은 강렬하고 애절하며 서정적이길 바랐습니다. 모두가 완벽하지 않았기에 서로가 필요했고 그로 인해서 완벽해질 수 있었던 등장인물들의 사랑이 독자님들의 기억 속에 아름답게 남기를 바랍니다. 독자님들께서 영화처럼 장면을 머릿속에 그려내실 수 있도록 쓰고 싶었는데 의도대로 잘 되었는지 모르겠어요.

조금이라도 독자님들께서 <후궁의 초대>로 인해 즐거우셨다면 그것만으로도 제겐 큰 기쁨이 될 것 같습니다.

　<후궁의 초대>가 완결 날 때까지 도움을 주신 분들이 참 많습니다. 항상 마감을 앞에 두고 허덕이는 저를 이끌어주신 와이엠북스와 박신혜 편집자님, 네이버 담당자님께 마음 깊이 감사 인사드리고 싶습니다. 또한, 아름다운 표지와 삽화들로 저를 북돋아주신 유현정 삽화가님께도 감사 인사드리고 싶습니다. 그리고 어썸지존 '한겨울의 달리아' 사랑합니다. 또 형준, 사랑, 혜현, 다희, 용호, 정은, 장미, 지훈, 호성, 수현, 수정, 현정 항상 내 편 돼줘서 고마워. 고기 먹으러 가자! 그리고 저희 가족들 항상 감사하고 사랑합니다.

　완결은 늘 마음속에 아쉬움으로 남는 것 같습니다. 제 소설이 독자님들의 사랑을 받을 수 있었던 것은 저 혼자만의 힘이 아니라 함께해주신 모든 분들 덕분이라고 생각합니다. 언제나 감사한 마음으로 살겠습니다. <후궁의 초대>는 항상 제 마음속의 영웅으로 남아 있을 겁니다.

　그리 머지않은 날에 <후궁의 초대>가 좋은 기회를 만나 웹툰으로 찾아뵙게 되었습니다. 제 작품을 새롭게 태어나게 해주실 웹툰 작가님을 비롯한 에이전시에도 이렇게 감사의 인사 전합니다. 다시 뵙게 될 그날까지 항상 행복하시길 기원하겠습니다. 다시 한번, 감사합니다.

2020년, 10월
린아(潾娥) 드림.